D1236026

Microliteraturas

Jesús Rodríguez-Velasco

Microliteraturas

CÁTEDRA

CRÍTICA Y ESTUDIOS LITERARIOS

1.ª edición, 2022

Ilustración de cubierta: Miguel Ripoll

PAPEL DE FIBRA
CERTIFICADA

© Jesús Rodríguez Velasco, 2022
© Ediciones Cátedra (Grupo Anaya, S. A.), 2022
Juan Ignacio Luca de Tena, 15. 28027 Madrid
Depósito legal: M. 2.046-2022
ISBN: 978-84-376-4404-2
Printed in Spain

Índice

Ce livre est dédié à Aurélie Vialette,
Miguel Velasco Vialette, et Simone Velasco Vialette

But one thing is certain, if we merge
mercy with might, and might with the right,
then love becomes our legacy and change
our children's birthright.

AMANDA GORMAN,
«The Hill We Climb»,
20 de enero de 2021

PREFACIO

En prisión

La isla es un complejo carcelario de más de 165 hectáreas. Le debo a la artista gráfica, profesora y activista M. R. que me permitiera enseñar allí una pequeña serie de seminarios con ella, dentro del programa de justicia social de la Universidad de Columbia (donde por entonces yo trabajaba)[1]. Discutimos las circunstancias en las que tendría lugar el seminario. M. R. conocía bien las particularidades de esta prisión: aunque teníamos unas 20 alumnas matriculadas, no siempre podrían venir. A causa de actos de violencia, o simplemente por desidia o como represalia por parte de los oficiales de prisiones, a algunas de nuestras alumnas tal vez no se les permitiera acudir al aula, o nadie se acordaría de acompañarlas; ellas, por su parte, no podían desplazarse sin la escolta de sus vigilantes. Incluso dentro del aula podía darse que tuviéramos (y tuvimos) a alguno de los agentes. Tampoco a nosotros nos resultaría fácil la entrada. Un día la persona en portería no tenía noticia del horario del programa. Otro día no había quien estuviera a cargo del detector de metales y del escáner de entrada. A veces pondrían en cuestión algunos de los materiales con que nos proponíamos entrar, como tabletas electrónicas o incluso libros.

---

[1] A petición de M. R., he borrado el nombre de la cárcel y el de la propia M. R. La cárcel tiene una búsqueda automática en internet y cualquier referencia directa y crítica a este complejo carcelario puede poner en peligro la permanencia del programa.

Uno de los seminarios, pensé, estaría dedicado a Christine de Pizan, la escritora francesa de origen veneciano activa entre fines del siglo xiv y principios del siglo xv. Hablaría un poco de uno de sus manuscritos, el llamado «Libro de la Reina», que contiene unas obras completas de Christine en una versión organizada y revisada por ella misma[2]. Es un manuscrito muy conocido en el ámbito académico de los estudios medievales. Se conserva en la British Library, y me hizo muy feliz poder trabajar directamente con él durante una de mis visitas a esta biblioteca. Como la British Library tiene digitalizado este manuscrito, podía llevar impresas algunas imágenes, y hacer un pequeño taller con ellas y con las alumnas, porque en la cárcel no hay internet disponible para estos menesteres.

Me decidí por algunas páginas de la *Epistre Othea,* o Carta de Othea: Othea es una diosa de la Prudencia, inventada por Christine, que explica a Héctor, el héroe troyano, todo lo que este ha de saber sobre la caballería. Se divide en cien historias. Cada historia se compone de cuatro partes: una miniatura, un fragmento de historia troyana que se presenta bajo la rúbrica *texte* o texto, y dos explicaciones o interpretaciones, una con la rúbrica *alegorie* o alegoría, y la otra con la de *glose* o glosa[3]. Es una estructura muy dinámica. El texto ocupa unos pocos versos, por lo general menos de diez, y ni la alegoría ni la glosa son demasiado largas. Así que las páginas se leen volando. La historia editorial de esta obra deja entrever su enorme éxito[4].

Cada sesión de trabajo en la cárcel tiene que ser autosuficiente. Las alumnas que están un día puede que no estén al día siguiente. Así que todo ha de tener principio y fin, génesis y apocalipsis, en el marco horario del que se dispone. El plan para esta clase, así pues, era estudiar el manuscrito como artificio y, después, *hacer algo.* Es fundamental poder hacer algo con lo que se estudia en prisión. No

---

[2] Hecho para la reina de Francia, Isabel de Baviera-Ingolstadt, entre 1410 y 1414, lleva la signatura Harley 4431 de la British Library. Véase la ficha catalográfica, así como el vínculo de acceso al material digitalizado, en el *permalink* <http://searcharchives.bl.uk/IAMS_VU2:IAMS040-002050268>.

[3] Puede verse el esquema general de la página en el siguiente vínculo de la British Library, correspondiente al folio 98r del Libro de la Reina; la totalidad del manuscrito, sus dos volúmenes, está reproducido en línea: <http://www.bl.uk/manuscripts/Viewer.aspx?ref=harley_ms_4431_f098r>.

[4] El repertorio de ARLIMA (Archive de Littérature du Moyen Âge) registra 48 manuscritos medievales y cuatro ediciones del siglo xvi. El vínculo directo es <https://www.arlima.net/ad/christine_de_pizan.html#oth>.

basta con obtener un conocimiento más o menos abstracto o inmaterial. Es preciso poner manos a la obra y recolectar tanto los conocimientos como las emociones.

M. R. y yo habíamos llevado también los materiales necesarios para el trabajo de taller: lapiceros y rotuladores de colores, así como pliegos de papel A3 (42 cm × 29,7 cm), tamaño que evoca el del Libro de la Reina, un grueso y pesado infolio (36,5 cm × 28,5 cm; los catálogos de biblioteca no registran, hasta donde a mí se me alcanza, el peso de los manuscritos, pero puedo asegurar que este códice pesa muchísimo)[5]. En este taller, pediríamos a nuestras alumnas que hicieran sus propios manuscritos.

El ejercicio consistía en que trajeran a la memoria dos cosas existentes: una imagen y un poema. Las internas no tienen derecho a conservar con ellas objetos personales, así que, para poder dibujar, aun esquemáticamente, esta imagen y escribir los tres o cuatro versos significativos de un poema debían recuperarlos del mundo inmaterial de su pensamiento. Las imágenes procedieron sistemáticamente del ámbito familiar; muchas de nuestras alumnas tenían hijos u otros parientes a quienes llevaban sin ver mucho tiempo. En cambio, casi todas ignoraban que tenían en su memoria muchos poemas, solo que ellas los llamaban canciones. Puede que la más citada fuera Beyoncé, que por entonces había publicado el álbum *Lemonade*. Sus letras rápidamente vinieron a los labios, a los ritmos, a la risa de las alumnas, que se sintieron fascinadas de que esto pudiera ser un poema, un artefacto literario, algo que no habían estudiado, pero que se había instalado en su pensamiento. Finalmente, a imitación de Christine, las alumnas tenían que escribir una alegoría y una glosa. En la alegoría tenían que hacer un viaje hacia el exterior de la prisión, a un mundo en el que la imagen y el poema significaban algo bien diferente a lo que era ahora su existencia en este espacio de reclusión. En la glosa, tenían que hacer un viaje hacia el interior: debían investigar sus sentimientos, el significado íntimo que tenía recordar aquellas piezas de imágenes y textos.

Con los resultados, aquella misma tarde, al final, exhaustas y con los ojos llenos de lágrimas, con la emoción compartida del oficial de prisiones que nos acompañó durante todas estas horas, hicimos una exposición. Colgamos todas las páginas manuscritas, con

---

[5] He aquí un ruego a las bibliotecas: registren el peso del libro. Este nos da una idea de su portabilidad, o de si el libro es en realidad un espacio de peregrinación, más que un objeto que se puede llevar de un lado a otro.

imagen, texto, alegoría y glosa, para pasear en torno a ellas, para compartir este momento de intensidad microliteraria en el que estas mujeres que han sufrido la violencia de las calles, la violencia del hogar, la violencia de la prisión, encontraban un momento de creación y colaboración, y también un pequeño momento de activismo y reivindicación. Reivindicaban allí, en este espacio de violencia estatal, su derecho a escribir y su derecho a expresar sus ideas en materias públicas y privadas, incluido el racismo sistémico que interconecta insidiosamente la escuela con la cárcel en ciertas comunidades[6]. Al acabarse la clase (todos lo sabíamos), aquellas obras colgadas en las paredes se convertirían en papeles para el reciclaje. Ni ellas, ni M. R., ni yo podríamos conservarlas o hacer fotografías, ambas cosas prohibidas en la cárcel. Solo quedaría el recuerdo de unos veinte manuscritos ahora perdidos. El recuerdo de un momento de emoción.

Pero también el recuerdo de un momento de libertad. No de evasión. No de liberación. No de olvido momentáneo de la vida entre rejas. Un momento de libertad creativa, de pensamiento propio, de proyección de un deseo, de una alegoría, una interpretación espiritual y personal de algo que residía en la memoria y que significaba algo. Un momento de búsqueda de ese significado.

Comentaristas, glosadoras, escritoras y artistas durante un instante. Artistas microliterarias. Les debo a ellas la inspiración para completar este libro, y lo escribo ahora para expresarles mi respeto. No sé sus nombres. No sé si siguen o no en la cárcel. Pero las recuerdo, recuerdo sus voces, sus acentos, su manera de entremezclar idiomas, su escritura y, muy frecuentemente, su risa. A todas ustedes, dondequiera que estén, y espero que estén bien, muchas gracias.

---

[6] Véase, por ejemplo, Oluo, *So You Want to Talk About Race,* págs. 121-133.

INTRODUCCIÓN

Microliteratura[1]

Los márgenes sirven para tener el libro abierto y no tapar el texto con los dedos. También para tomar notas. A Edgar Allan Poe le gustaba comprar libros que los tuvieran muy amplios para dar rienda suelta a su voracidad lectora y anotadora. Ningún tamaño le era suficiente, así que estos pequeños artefactos literarios que Poe compuso en el costado de la página y luego extrajo para su lectura pública podían requerir de más espacio para entrar en detalle o para entrar en debate[2]. A veces, señalaba Poe, se veía ante la necesidad de añadir margen al margen, pegando un trozo de papel con goma de tragacanto (un ancestro del *post-it)* en el que poder seguir fatigando el lapicero[3]. El espacio disponible es limitado, pero el impulso microliterario no se siente amenazado por esta nadería.

---

[1] *NOTA BENE:* a lo largo de este libro, suelo seguir el uso de género gramatical más frecuente en español, y debe entenderse de manera universalmente inclusiva, sin asumir nada acerca del género o del sexo de las personas a las que se refiere o puede referir.

[2] NOTA BIBLIOGRÁFICA: En nota cito la bibliografía en forma abreviada; las referencias completas se hallarán en la lista final.

[3] La goma de tragacanto deriva de una especie botánica, procedente ante todo de Irán, que se introdujo en los Estados Unidos durante el siglo XIX (Gentry, Mittleman y McCrohan. «Introduction of chia»). Edgar Allan Poe comenzó a publicar sus *Marginalia* en el volumen de noviembre de 1844 de *The Democratic Review,* siguió publicando entregas de estas escrituras marginales hasta 1849, en dicha revista, así como en *Godey's Lady's Book,* la publicación periódica para mujeres más importante de la época, que, aunque incluía escritoras, estaba francamente domi-

Aunque el espacio es mínimo, hay que aprovecharlo al máximo. No siempre es posible añadir un trozo de papel pegado con goma de tragacanto al libro que se está leyendo. Aun si lo es, la letra se reduce y las palabras se abrevian, los signos idio-taqui-gráficos invaden el exiguo campo blanco como una tropa de soldados ilegibles. En sus microescritos, Robert Walser utilizaba cuanta superficie estuviera a su alcance para satisfacer las insaciables ansias de escribir[4]. Una tarjeta. Una caja de cerillas. El reverso de una página de calendario. Sus microescritos se sirven de un sistema tradicional en la escritura a mano en alemán hasta mediados del siglo XX, denominada *Kurrent,* pero miniaturizado. El módulo de letra ha causado más de una migraña, incluso a su espléndida traductora americana, Susan Bernofsky. Escribir pequeño no solo es una necesidad física, es un desafío. Alguien podría elegir no escribir entre líneas en un ejemplar de la Biblia[5]. Podría elegir no poner nada en el espacio entre dos columnas de escritura[6]. Casi todos podríamos decidir no escribir en los escasos márgenes de un impreso entregado al mercado por un editor tacaño. Pero lo hacemos. La necesidad microliteraria acaba por imponerse, convertida en institución por la magia de la letra pequeña.

La escritura marginal es inmensa. Aumenta lo que de suyo está crecido. No se conforma con la imponente presencia del texto central en medio de la página. Además de su inmensidad física, la glosa es de una inmensidad conceptual. Atiende a la idea o la noción que pueden dar con que pensar. La microliteratura es el resultado de reconocer que esto que aquí se dice y se transmite a través de este libro particular que está en mis manos puede ser excavado e investi-

---

nada por nombres de la literatura masculina vigente; otras entregas aparecieron en *Graham's* y en *Southern Literary Messenger,* revistas que incluían a Poe en su consejo editorial. La parte teórica sobre los *marginalia* está en la primera entrega.

[4] Susan Bernofsky ofrece una completa historia del método de microescritura, del «horror a la pluma» que asola a Walser desde incluso antes de haber sido diagnosticado de esquizofrenia (lo que ocurrió en 1929, veintisiete años de su muerte en 1956). Según Walser, en una carta dirigida a su benefactor intelectual, el escritor Max Rychner, datada en 1927, este método de microescritura le ha enseñado «paciencia, hasta el punto en que puedo ahora llamarme maestro en el arte de ser paciente» (Walser, *Microscripts,* pág. 12).

[5] Véase el capítulo primero de este libro.

[6] Poco después de 1419, un experto en filología, filosofía y teología hebreas, conocedor de las versiones de la *Guía de perplejos* de Maimónides en esta lengua, empieza a leer en la biblioteca del señor de Zafra Gómez Suárez de Figueroa la traducción castellana preparada por Pedro de Toledo a partir de las versiones hebreas de ibn Tibbon y de Al-Harizi. Véase el capítulo 2 de este libro.

gado. Basta con poner una marca en ese punto para que empiece la expansión del texto en varias dimensiones: un asterisco, o un obelisco, o un simple subrayado, o una letra, u otros signos relativamente convencionales indican que aquí hay más, que esto en particular merece una expansión, un viaje en profundidad[7]. Este «aquí hay más» no significa que en el texto tutor hubiera menos, y que este más lo supla o complete[8]. Quiere decir que el proceso de pensamiento no tiene un destino único ni se acaba de una vez para siempre.

---

[7] Los signos técnicos de llamada al margen, o a otros lugares donde se hagan los comentarios, son numerosos, y, aunque generalmente estables, pueden diferir de manuscrito a manuscrito, de copista a copista, de siglo a siglo, de tradición textual a tradición textual, etc. Los más comunes suelen ser los que caen bajo la sombrilla general de la paleografía latina, y los estudios generales se suelen ocupar de ellos. Véase, por ejemplo, Tura, «Essai sur les *marginalia*», especialmente págs. 273-276, dedicadas a las notas siñaléticas (es decir, este tipo de signos técnicos para la llamada a comentario); más recientemente, merece especial atención el trabajo sistemático de Evina Steinová *(«Notam Superponere»),* si bien su examen comprende manuscritos entre los años 400-900. La propia Evina Steinová ha creado una tabla (manuscrita) de estos signos técnicos, y la ha puesto a disposición en su sitio web (¿se preguntarán en el futuro qué fue de todos estos sitios web que se citan a pie de página, a pesar de sus muchos *permalinks?* ¿O será el *permalink* el nuevo permafrost?) <www.homomodernus.net>, así como en <https://f-origin.hypotheses.org/wp-content/blogs.dir/1137/files/2019/07/Steinova-Most-Common-Western-Annotation-Symbols-in-the-Early-Middle-Ages_colour_2019-07-19.pdf>, donde se encuentra, en efecto, en formato pdf.

[8] Dagenais *(The Ethics of Reading,* págs. 38-39), como muchos de sus lectores, establece la *deficiencia* del texto tutor como desencadenante de la glosa —la cual ofrecería un *surplus,* una plusvalía—. Esta idea no es ajena al comentario medieval; en el prólogo de sus *Lais,* Marie de France escribe los siguientes versos: «Custume fu as ancïens, / ceo testimoine Prescïens, / es livres que jadis faiseient / assez oscurement diseient / our ceux qui a venir esteient / e ki aprendre les deveient, / que peüssent gloser la lettre / et de lur sen le surplus metre» (pág. 22; vv. 9-16). La cuestión central aquí es la *oscuridad* con la que, según Marie según Prisciano, se acostumbraba a escribir en la Antigüedad, con objeto de que quienes leyeran estos libros en el futuro pudieran, al mismo tiempo, glosarlos literalmente y añadir nuevos conocimientos. Ese *surplus* no es una carencia del texto antiguo, sino un valor permanente del porvenir. Es un *futuro pasado* (por usar aquí el concepto de Koselleck, *Vergangene Zukunft),* es decir, una de las maneras en las que el pasado imagina y habla del futuro, estableciendo así un significado del tiempo histórico. Sería tentador poner aquí en juego la idea de *supplément* de Jacques Derrida, o, como explica en *De la grammatologie,* la «logique supplémentaire», que permitiría a pensadoras o pensadores marginales establecer una oposición con respecto a algo sin por este motivo entrar en contradicción con ello. Mi impresión es que esta lógica no opera aquí como elemento necesario ni como estructura generalizada, sino que, si bien puede ser hallada especialmente en autoglosas o comentarios marginales de un autor o autora a su propio texto, no constituye propiamente una lógica específica.

En ocasiones ese aquí hay más es un desplazamiento lateral, una digresión, una forma de actualización. Pero en todo caso, siempre parece que el comentario gravita como un satélite en torno a ese gran planeta que atrae y repele al mismo tiempo el acto de creación. La escritura marginal puede ser inmensa, pero lo es en torno a algo que viene previamente dado, frente a lo cual es una escritura microliteraria.

El texto central es un foco que irradia su autoridad a lo largo de su historia de presencias y traducciones. Es el canon mismo el que se expresa en medio de la página. Grandes autores y grandes autoras. A veces se resiste a ser comentado por su dificultad. En ocasiones, como ciertos textos jurídicos, prohíbe ser comentado; así lo hacen las *Siete Partidas,* con poco éxito[9]. A veces se resiste a ser comentado materialmente, como cuando quienes componen un manuscrito convierten sus márgenes en una sucesión de abismos por los que se derramaría la tinta a chorros: así sucede en un *Libro de Horas* del siglo XIV, hoy conservado en el Walters Art Museum de Baltimore[10]; en esta obra los márgenes desnudos que rodean las imágenes y textos centrales han sido recortados con motivos arquitectónicos, que la conservadora de manuscritos del museo, Lynley Anne Herbert, está en proceso de poner en paralelo con los motivos ornamentales de una iglesia gótica. La autoridad del centro, hay que vencerla, pues no se deja asediar fácilmente. En comparación, el comentario marginal parece irrelevantemente local, el resultado de (como decía Poe de sus *marginalia)* un mero capricho, y, en este sentido, menor con respecto a la autoridad del centro[11]. La batalla microliteraria suele, sin embargo, ser victoriosa.

Frente a un texto integral, sólido y continuo que ocupa el centro de la página en su gran letra, a veces a varias tintas, bellamente iluminado, o simplemente bien escrito para poder ser leído y estudiado, el margen se expande en una constelación de comentarios. El *Corpus Iuris Civilis* lanzado al mundo por Francesco Accursio tiene

---

[9] Cito las *Siete Partidas* por la edición de 1555 (salvo indicación contraria), y uso los siguientes formatos: *Partidas número de* partida.título.ley (vgr. *Partidas* 7.33.4); o *Número de Partida* título.ley *(Séptima Partida* 33.4). *Partidas* 7.33.4 establecen que «Espaladinar nin declarar non debe ninguno nin puede las leyes». Semejante obligación aparece también en *Partidas* 1.1.

[10] Se trata del códice W 93 de esta biblioteca.

[11] Como me recuerda Laura Fernández Fernández, «En estos detalles "locales" es donde reside la información relevante. Son los que a menudo desvelan la identidad de los artífices, de los comitentes, del contexto, los que iluminan el panorama más allá de lo evidente» (Correspondencia de 2 de noviembre de 2020).

unas cien mil glosas, pero vaya usted a contarlas en cada manuscrito[12]. La *Sátira de infelice e felice vida* de Pedro de Portugal debe tener exactamente cien, una por cada ojo de Argos, así que tiene ciento cinco[13]. De unos cuantos manuscritos de *Las Trescientas* (o *Laberinto de Fortuna*) de Juan de Mena, los probos encuadernadores y restauradores han lavado los márgenes con lejía para dejarlos limpios de glosas[14]. En numerosos manuscritos con el *De Re militari* del escritor latino Flavio Renato Vegecio traducido y glosado espiritualmente por Alonso de San Cristóbal en el siglo xv, las glosas o bien han desaparecido, o bien su estructura (que había sido bien diseñada por el maestro de Teología fray Alonso de San Cristóbal) ha sido alterada para evitar la escritura marginal[15]. En muchos de los manuscritos de la *Glosa Castellana al Regimiento de Príncipes* de Gil de Roma, la glosa se ha unido ya indisolublemente con el centro de la página[16]. El orden y presencia de los comentarios marginales son opcionales, a veces tan excesivos que han sido borrados, resumidos, abreviados, compendiados u olvidados. Si viven, lo hacen frágilmente, en un régimen de minoría al que podríamos llamar microliterario.

Quienes los escriben, han escrito a la sombra de otra cosa con la que han deseado relacionarse, de una cosa mayor a la que se enfrentan en su tono menor de escritores microliterarios. Y en ciertas, no pocas ocasiones, aquello a lo que se enfrentan son ellas mismas, ellos mismos. Las autoras y los autores de microliteratura son frecuentemente autoglosadores: Christine de Pizan (1364-*c*. 1430) es la clave

---

[12] El artículo de Dingledy, «The *Corpus*», ofrece como promete, una breve historia del uso del *Corpus Iuris Civilis*. La bibliografía que menciona da solo una idea de la profundidad creativa de este proyecto de los *glossatores* cuyo epítome es Accursio. De nada serviría aquí dar una bibliografía completa del problema, pero el trabajo de Dolezalek («Taking inventory»), a cargo de uno de los mayores especialistas, sirve de ayuda.

[13] De esta obra hay dos manuscritos, uno de ellos en la Biblioteca Nacional de España, MSS/4023. El otro manuscrito está en manos de un bibliófilo barcelonés celoso de su propiedad. Hay una copia digital de este manuscrito, en manos de no menos celosos o celosas filólogos o filólogas que no me permitirían verlo por nada del mundo.

[14] Es el caso del manuscrito de la Hispanic Society of America, Nueva York, HC 397/703.

[15] Para esta obra, véase lo dicho en el capítulo II de este libro.

[16] De todos estos casos he tratado en otras ocasiones: en *El debate*, «La "Bibliotheca"», «La producción» y *Plebeyos márgenes*. Véase Gille Levenson, «L'évolution du *Regimiento de los príncipes*»; Díez Garretas, Acero-Durántez y Fradejas-Rueda, «La transmisión textual»; Díez Garretas, Acero-Durántez y Fradejas-Rueda, «Las versiones A y B»; Díez Garretas, «Recursos esctructurales».

de toda bóveda de autoglosadoras, ya que es una artista de la construcción y montaje de sus manuscritos en los que texto, alegoría, glosa, imagen y puesta en página actúan en un grado de solidaridad solo concebible en el ámbito de la creación multimedia[17]. A su lado, autoglosadores como los conquenses Enrique de Villena (1384-1434) o Diego de Valera (1412-1488) parecen meros aficionados, o como decía Juan de Valdés de este último, hablistanes y parabolanos[18].

Así, *microliteratura* es una forma de producción de la cultura escrita. También es su materialidad. Y es también una actividad por parte de quienes la producen. Una actividad febril, levemente enloquecida. El estudio de la microliteratura llama al estudio de objetos, de aspectos materiales, de círculos de trabajo y de formas de la creación de redes de comunicación. El estudio de las microliteraturas llama la atención sobre su actividad más prominente: *pensar con*. Pensar algo, lo que sea, en relación con aquello que se ofrece a la lectura y a la crítica. Pensar con expresiones, conceptos, ideas, imágenes, metáforas. Pensar con, no solamente interpretar.

APRESÚRATE DESPACIO

Este libro pretende no ser exhaustivo[19]. La gran aportación de la microliteratura es el desafío de *pensar con,* es decir, del pensamiento crítico. Para contribuir al pensamiento crítico, es preciso hacerlo des-

---

[17] Véase Desmond y Sheingorn, *Myth, Montage, and Visuality*.

[18] No comparto, por supuesto, esta opinión del humanista a propósito de Diego de Valera, a quien admiro tanto que le dediqué mi tesis doctoral en el Pleistoceno medio. No obstante, esto es lo que dice: «Y avéis de saber que llamo hablistán a Mosén Diego porque, por ser amigo de hablar, en lo que scrive pone algunas cosas fuera de propósito, y que pudiera passar sin ellas; y llámolo parabolano porque entre algunas verdades os mezcla tantas cosas que nunca fueron, y os las quiere vender por averiguadas, que os haze dubdar de las otras» (Valdés, *Diálogo de la lengua*, págs. 253-254).

[19] Julian Weiss ha hecho un catálogo de manuscritos glosados, tanto a partir de traducciones como a partir de obras vernáculas, que recoge la mayor parte de lo que conservamos: «Comentarios y glosas vernáculas en la Castilla Medieval tardía, I», y «Vernacular Commentaries and Glosses in Late Medieval Castile, II». No hay propiamente estudios de conjunto, y yo he rechazado hacer uno de ese tipo, que sería prodigiosamente descriptivo. Así, para hacer este libro que la lectora o el lector tiene en sus manos, he decidido no tratar de algunos manuscritos y obras de autores que rápidamente vienen a la mente de cualquiera que tenga algo de familiaridad con el tema, como Enrique de Villena o Juan de Mena. Si alguien señala que no menciono ni teorías ni prácticas de estos, tiene toda la razón del mundo y solo puedo decir en mi defensa que no quise hacerlo.

pacio y de manera detallada en una extensión legible. La exhaustividad en las humanidades no contribuye especialmente al pensamiento crítico, pues tiende a imponer tipologías, jerarquías, teleologías e incluso modas y tendencias, en lugar de dar voz a los impulsos individuales con que se construyen laboriosamente los productos del trabajo intelectual y su representación material.

La escritura académica tiende a cierto grado de confidencialidad. A veces esta es necesaria. No es fácil hablar de cuestiones complejas de manera sencilla. Con frecuencia es preciso usar el lenguaje técnico de cierta disciplina, y eso puede oscurecer la superficie del texto. Un texto académico ha de ser hecho para pensar con él, y eso requiere, en ocasiones, de efusión conceptual, de concisión, de un rigor que requiere de tecnicismos. Pero la confidencialidad o la oscuridad pueden ofrecer también resultados insatisfactorios. Convendría que, incluso desde el mundo más o menos compacto de la academia, supiéramos, o aprendiéramos a hacer circular en el mundo contemporáneo un conocimiento que forma parte de nuestras misteriosas y especializadas investigaciones. Esto no implica diluir este conocimiento hasta simplificarlo.

Así, este libro quiere presentar una primera tesis de la que se quisiera también hacer sujeto: la microliteratura es una actividad de las humanidades en el ámbito de la esfera pública. En este sentido, las microliteraturas son manifestaciones abundantes y permanentes del género ensayístico, y de ahí que participen del mundo de lo literario. Este libro, aunque de bases académicas, desearía participar de esa familiaridad con el ensayo para indicar que ciertas actividades e inquietudes intelectuales que más o menos hemos automatizado y semiolvidado, siguen estando activas y haciendo un trabajo en el inframundo de nuestras acciones éticas, políticas y jurídicas a través de la producción cultural y de su materialidad.

Las intervenciones microliterarias y su presencia en manuscritos e impresos no son necesariamente ejercicios retóricos para predicar a un coro frecuentemente formado por una élite consciente de serlo y de poseer cierto capital social y cultural. No es menos cierto, sin embargo, que «el coro también necesita ensayar» y «aprender su papel», y necesita por tanto de constantes recordatorios[20]. Quienes

---

[20] Esta observación surge de la conversación entre Noel King y Michael Eric Dyson acerca del libro de este último, *Long Time Coming: Reckoning with Race in America* (Nueva York, Saint Martin's Press, 2020): «DYSON: Well, the thing is, of course, the right white people are the ones who are going to read the book. The

escriben y quienes leen producen cuidadosamente sus espacios microliterarios para servir como fulcro con ayuda del cual modificar las condiciones éticas y políticas de su mundo contemporáneo. Las glosas microliterarias se construyen en el interior de libros hechos para ser frecuentados en algunas bibliotecas de carácter semiprivado o semipúblico. Bibliotecas como la que tuvo Íñigo López de Mendoza (1398-1458), en la que trabajaron algunos de los intelectuales castellanos del siglo xv. O como las bibliotecas de otros nobles y aristócratas que supieron compartir sus estudios y colecciones con otras personas, como el conde de Haro Pedro Fernández de Velasco y su doble biblioteca (Haro y la Vera Cruz), Gómez Suárez de Figueroa, señor de Zafra, o tantos otros[21]. Desde allí, como desde la corte de Juan II, de Karlos de Navarra, del taller de Christine de Pizan, salen libros para ser copiados con sus glosas. La traducción y glosas de la *Eneida* de Enrique de Villena vienen acompañadas de severas admoniciones para que el escriba copie, con el texto, las glosas. No copiar las glosas, dice Enrique de Villena, es un signo claro de posesión satánica, el dictado de un demonio funesto[22].

Desde ese universo en que la acción privada y la disponibilidad pública de las glosas están unidas solidariamente, las microliteraturas son una forma de producir la contemporaneidad. Producir la contemporaneidad significa poder hacer presentes en el debate pú

---

ones who won't stand a chance of being convinced or changed probably won't. Yeah, maybe it's a self-selective audience. Maybe it's preaching to the choir. But the choir has to rehearse, too. The choir has to learn its parts. It's got to get the altos different from the sopranos, who are not the same as the baritones, who aren't the same as the bass». La conversación se emitió en NPR, en el programa *Morning Edition,* el día 1 de diciembre de 2020; el *link:* <https://www.npr.org/2020/12/01/940418711/dysons-book-long-time-coming-aims-to-help-america-reckon-with-race>.

[21] El trabajo más importante acerca de las bibliotecas ibéricas medievales, con importantes innovaciones metodológicas, es la reciente tesis doctoral de Marta Vírseda Bravo, «La biblioteca de los Velasco en el hospital de la Vera Cruz». Véase también Faulhaber, *Libros y bibliotecas en la España medieval.*

[22] Leo directamente a partir de los manuscritos. Adjunta queda la imagen del BNE MSS/17975, que transmite el texto con las glosas, lo que indica que el o la copista no estaban dominados por sujeción diabólica alguna. Hay edición de Pedro Cátedra (también con las glosas, así que es lógico pensar que el editor no está poseído por Lucifer o alguno de su mesnada): Villena, *Traducción y glosas de la* Eneida. Tampoco años después se advierte posesión alguna, pues el propio Cátedra vuelve a publicar la obra con sus glosas en Villena, *Obras.* Sin que por ello se deban sacar consecuencias, Ramón Santiago Lacuesta no transcribió las glosas en su edición (Villena, *La primera versión castellana de la «Eneida»,* ed. Santiago Lacuesta).

El Rey de navarra asentado en su silla, z
sus gentes z don enrique que le presenta la
eneyda romançada / z/

¶ A todos los quel presente libro
querran & faran trasladar plega delo
escrevir con glosas segund aqui esta
complida mente [...] & sean çiertos
que si les verna a boluntad ho deseo
delo trasladar syn las glosas que les
viene por temptaçion & subgeçion
diabolica...

Traslado de latin en romançe castellano dla
eneyda de virgilio la qual romanço don enrrique
de villena, por mandado z jnstançia del muy
alto z poderoso señor, el señor Rey don johan
de navarra / z/

1. Sujeción diabólica según Enrique de Villena.
Biblioteca Nacional de España MSS 17975.

blico aquellos aspectos que, independientemente de su edad histórica, contribuyen a comprender y solucionar mejor los problemas relacionados con la justicia social en toda su extensión. La implicación con la contemporaneidad supone un grado de compromiso con problemas palpitantes que afectan a la integridad social y política de quienes existimos en común. La *contemporaneidad*, así pues, no está necesariamente en el *ahora*, en la simultaneidad de tiempos, en la coetaneidad.

La coetaneidad es un valor de la civilización occidental cuya administración como artefacto colonial criticó el antropólogo Johannes Fabian[23]. Fabian explica cómo las estructuras de poder dominantes establecen el calendario de la modernidad, y excluyen, o niegan esta modernidad, a sociedades enteras. De ahí que la coetaneidad, la coincidencia en un calendario de la modernidad, no sea útil al hablar de la contemporaneidad. Tal vez para estar más en sintonía con los problemas más urgentes del tiempo propio, hay que situarse un poco fuera de las restricciones de la coetaneidad, como señala Agamben[24].

En este libro, ser una contemporánea o ser un contemporáneo reside en la capacidad de implicación con aquellas cosas que requieren de un examen detenido, porque de ellas depende nuestra capacidad individual y colectiva para enfrentarnos activamente a las desigualdades. Como vamos a ver enseguida, son las escritoras y los escritores contemporáneos quienes se muestran capaces de observar y someter a crítica algunas de las modalidades de dominio y opresión sistémicos en las sociedades en las que viven.

Esta idea es también el pie forzado autoimpuesto de la investigación que presento aquí: no analizo *todo* lo que está disponible, sino solo aquellas expresiones que, por manifestar su voluntad de pensar críticamente cuestiones que tienen que ver con el conflicto social y político, así como cuestiones de justicia social en general, califico aquí de microliterarias. De alguna manera es así como resisten el impulso de las estructuras de poder de carácter sistémico, las que perpetúan los modos de actuación tradicionalmente adquiridos. Las microliteraturas son, según la definición que presento aquí, las que no se contentan con el peso de estos modos de actuación y

---

[23] Fabian, *Time and the Other;* el capítulo segundo está dedicado a la teoría del tiempo en antropología, y a las formas en que se establece o niega la coetaneidad *(the denial of coevalness)*.

[24] Agamben, «What Is the Contemporary».

preferirían conmoverlos. Para operar esta conmoción voluntaria (un arte de la inservidumbre voluntaria, según expresión de Foucault)[25], ponen en marcha materialidades de la comunicación que, al usar los márgenes, buscan entroncar con formas de la producción científica como la institución de la glosa marginal en los aparatos de estudio y aplicación del derecho civil y el derecho eclesiástico o la teología.

De manera más importante, una conmoción crítica como la que he señalado opera también poniendo en uso los espacios de reflexión y pensamiento individual, de intimidad con el objeto que se estudia, de una manera externa a la institución. En muchos casos, estas escrituras marginales relacionadas con emergentes conflictos políticos constituyen el fundamento para la articulación de redes de intercambio intelectual en torno a asuntos contemporáneos que no tienen una edad determinada, sino que se desarrollan y de alguna manera estructuran el tiempo histórico y lo que es susceptible de ser narrado en el interior del mismo.

Sea, de nuevo, Christine de Pizan, como muestra más concreta de lo que acabo de decir de manera abstracta o general. Su obra es un inmenso experimento en la construcción y equilibrio de sus manuscritos. Paralelamente, cada manuscrito administra y establece el ritmo entre los distintos elementos centrales y marginales en su interior: iluminaciones, citas, explicaciones en forma de alegorías o glosas, todo ello comparte el espacio de la página. En estos manuscritos, dirigidos a instancias que ostentan un poder central soberano, como reyes, reinas, princesas o regentas, la autora somete a crítica modelos culturales y actitudes políticas para argumentar en favor de la pacificación de la sociedad civil. En sus obras, una persona que, de acuerdo con su propia noción de su papel en el mundo, tuvo que convertirse en hombre, aborda la paz y los procesos de pacificación, la crítica de la violencia, o la capacidad de las voces femeninas para establecer una crítica de la historia política y de la construcción de la sociedad civil[26]. Para Christine de Pizan, es fundamental la

---

[25] Foucault, *Qu'est-ce que la critique?*, pág. 39.
[26] Christine dice en su *Livre de la Mutation de Fortune* que se convirtió en un hombre. En un pasaje muy conocido al principio de este poema, Christine explica cómo «de femelle deuins masle» (de hembra me convertí en macho) por deseo de fortuna; esta le cambia tanto el cuerpo como el rostro hasta convertirla en «homme naturel parfait» (en naturaleza de hombre completo), así que quien antes era mujer es ahora hombre. «Verite es ce que ie dis / Mais ie diray par fiction / Le fait de la mutation / comment de femme devins homme» (Es verdad lo que yo digo / mas diré como ficción / el hecho de la transformación / que de mujer me hizo hombre).

creación de una manifestación de la política en la que las teorías creadas en el ámbito femenino puedan romper con el monopolio de la masculinidad y sus discursos, incluido el uso de la violencia y de la distinción marcadas por la preeminencia de los códigos de conducta caballerescos, que ella propone modificar.

Así pues, una línea más en el argumento central de *Microliteraturas* es que existe una relación directa entre las humanidades públicas, a través de las actividades y productos microliterarios, y los problemas que marcan la existencia contemporánea. Ahora bien, esta relación directa no es fácilmente perceptible, sino que ha de ser evidenciada por la investigación histórica que combine la interpretación textual y la historia del libro.

Cada sección de este libro es, a su manera, una glosa hipertrofiada. Viajo voluntariamente al pasado para pensar con sus actividades microliterarias durante un poco de tiempo. Dependo de una palabra, de un gesto, de una noción, o de la manera en que las microliteraturas permiten conectar los puntos de luz en el interior de una constelación de formas de pensar y de expresar lo pensado. Parto de la base de que las autoras y los autores con quienes voy a pensar tuvieron que emplear un esfuerzo inusitado en escribir lo que escribieron: papel, pluma, tiempo, luz, salud, condiciones de vida, dolor, soledad, enfermedad, concentración, son cosas que no se pueden dar por supuestas. Escribir en la Edad Media era muy difícil por esas y otras circunstancias. Pero un poco como en el caso de Walser, a quien escribir pequeño y a lápiz le había enseñado el arte de ser paciente, estas escrituras microliterarias están también dominadas por la lentitud y la paciencia como elementos productivos. Escribir es difícil en toda época y hacerlo significa acopiar la fuerza de voluntad adicional para cambiar algo. Es una actitud microliteraria.

Los glosadores y comentaristas que conforman el mundo sobre el que me propongo glosar tienen una relación especial con la historia. Puesto que tratan de asuntos contemporáneos, sin edad, no se

---

Esta transformación es solamente una de las muchas metamorfosis de Christine. Convertirse en hombre le permite crear una historia de la literatura y de sus referentes políticos y éticos basados en la masculinidad. Pero sigue siendo Christine quien habla, en un juego de dictados veraces que solo pueden funcionar a través de la distancia y del experimento epistemológico que es la ficción. Cito por el manuscrito que se hizo para el barón Pierre Balzac d'Entragues a principios del siglo XVI, y que se conserva en la Bibliothèque de l'Arsenal, Ms-3172, fol. 4r. Se corresponde con los versos 139-153.

sienten abrumados por ninguna necesidad cronológica. En cambio, despliegan formas de sincronización que dan comienzo en sus propios husos horarios. Sea lo que sea lo que sostienen en y a través de sus glosas, se sienten libres de traer hasta aquí el pasado para que cese de ser el pasado, para que el pasado se torne en la materia del presente en el que tiene que ejercer cierto trabajo. Invierten, de alguna manera, el trabajo de historiadores profesionales que se obstinan en separar el pasado del presente, tendiendo un cordón sanitario en torno a este último. Glosadores y comentaristas vencen la dificultad física de la escritura para poder presentar, en sus redes intelectuales, sociopolíticas y culturales, un pensamiento producido a partir de una investigación no cronológica. No parecen estar interesados en una narrativa de causa y efecto derivada del orden relativo de los acontecimientos en el calendario; en cambio, consideran sincrónicamente ideas, autores, autoras, personalidades morales, conceptos que se permiten analizar en su potencialidad teórica.

Mi propia intervención en este estudio es más tradicionalmente histórica, pero los capítulos de este libro no pueden crear un orden cronológico de cosas y acontecimientos. Esto es así porque no todos los artefactos microliterarios que voy a leer aquí tienen la misma genealogía, ni se extienden a lo largo de las mismas temporalidades, ni comparten modos tradicionales de la periodización histórica[27]. Como pequeños guadianas, lo mismo aparecen que desaparecen, lo mismo se extienden por el llano que se encañonan y desafían los riscos a su alrededor. Un mero ejemplo servirá como índice: la larga glosa sobre la guerra que, en 1555, Gregorio López dedicó a las *Siete Partidas* del siglo XIII está profundamente relacionada con una historia editorial que da comienzo con Alfonso X (tal vez antes) y que permanece en plenitud de facultades teóricas e históricas hasta el día de hoy. Otros comentarios y glosas, en cambio, pasan por largos períodos de silencio, a veces siglos, para re-emerger en el presente y permitirnos formular nuevas preguntas, como sucede con la obra de Teresa de Cartagena.

---

[27] Uno de los personajes de la historia literaria que más me entusiasma es Billy Pilgrim, el protagonista de la novela de Kurt Vonnegut, *Slaughterhouse Five, or The Children's Crusade*. El libro, publicado en 1969, ha sido denunciado en múltiples ocasiones, retirado de bibliotecas, prohibido en los currículos escolares, etc. Eso hace de Billy Pilgrim alguien todavía más interesante para mí. Sin existir, es ya un héroe de la censura. Billy Pilgrim puede saltar en el tiempo, ir del pasado de Europa al presente de otro planeta, sin ataduras a ningún paradigma cronológico —con el deseo de contar aquel pasado con rigor, y consciente de los agujeros con que se ha transmitido a la posteridad la historia que le tocó vivir.

Para abordar este trabajo, me he desprendido de la mayor parte de los materiales que había ido acumulando, leyendo y olvidando a lo largo de los años. Para este libro, he querido entrar y salir ligero. También, aunque me he propuesto un pie forzado consistente en la atención a redes intelectuales, conflicto político y justicia social en glosas y comentarios microliterarios, he decidido no ofrecer un marco interpretativo general. No creo que lo haya. Creo que la actividad microliteraria requiere ser observada de cerca, y no como pieza de un rompecabezas que ofreciera las condiciones de posibilidad y el contexto de una cultura en su historia. Las actividades microliterarias, si acaso, son la expresión de que el contexto es más que ninguna otra cosa un modelo para armar.

Precisamente porque es un modelo para armar, los capítulos quieren, cada uno, poder ser leídos independientemente, si bien en conjunto presentan distintas caras argumentales de la tesis central del libro. Leídos en el orden en que se presentan, creo que ofrecen una perspectiva poliédrica pero coherente de lo que es la última línea de la tesis que quiero presentar: la conquista del margen por parte de ciertos intelectuales de la Edad Media y de la temprana modernidad constituye una manera de apropiarse de un espacio afectivo de lectura y estudio. Este espacio afectivo está dominado por el placer de la página multifocal, estrábica y polifónica, así como por el régimen de dificultad y trabajo que esta requiere. El dominio de este espacio afectivo permite a los autores microliterarios nutrirse de los valores jurídicos y de las ventajas cognitivas que la institución e industria de las glosas tienen en el ámbito escolar y académico, para lanzarlos a otras redes intelectuales y espacios de conocimiento no académicos pero con enorme influencia en la construcción de una esfera pública con impacto político.

Los dos primeros capítulos atienden a la producción del margen desde dos perspectivas diferentes. El primero, «Orden y disciplina» se ocupa de la propia industria que está detrás de la creación de glosas ordinarias, y de cómo se organiza en torno a ciertos elementos disciplinarios, de los que extraigo como más relevantes para mi investigación una técnica de lectura estrábica, la figura como teoría de la historia, la tipología como manera de introducción de una ética, y finalmente la actuación de lo jurídico en el orden disciplinario de la glosa. La propuesta de este capítulo es que los autores microliterarios comprenden el espacio epistemológico y afectivo de la página glosada y sus potencialidades jurídicas.

El capítulo segundo atiende a la producción del margen desde una perspectiva cognitiva. El margen es el espacio de escritura para la crítica de aspectos centrales de la cultura contemporánea. La producción del margen en medios vernáculos implica el descubrimiento y adaptación de técnicas propias del ámbito académico e intelectual, como la glosa marginal y sus versiones ordinarias en la ciencia del derecho y en los estudios bíblicos y teológicos. La producción del margen reclama el derecho de participación en esta institución de la glosa, así como en sus condiciones de posibilidad, en un medio no académico que precisa, sin embargo, de la articulación de efectos pedagógicos y cognitivos en el acto de escritura marginal y sus técnicas de comentario. Este capítulo se pregunta, también, por las propias materialidades de la comunicación: ¿cuál es el impacto intelectual y pedagógico de trabajar sobre libros que tienen varios niveles y módulos de escritura? ¿Por qué someterse a una técnica estrábica de la lectura?

La historia editorial de las *Siete Partidas* de Alfonso X y sus comentarios marginales nos lleva al estudio de una glosa específica debida al jurista y miembro del Consejo de Indias, Gregorio López en el capítulo tres. En 1555, López publica su edición profusamente glosada de las *Siete Partidas* de Alfonso X. En el título dedicado a la guerra (el vigesimotercero de la *Segunda Partida),* López incluye una larguísima glosa de diez páginas a dos columnas, en las que el jurista toma una decisión (dominada, según él mismo, por la angustia), o, lo que es lo mismo, emite una opinión jurídica, en torno al debate político sobre la conquista de América. Si bien la glosa es de en torno a 1553, se nutre de debates que son contemporáneos de las propias *Partidas,* o incluso anteriores, y los proyecta hacia el futuro; puesto que en el siglo XIX las *Partidas* de 1555 se vuelven a instaurar como texto auténtico del código jurídico tras un vacío de unos cincuenta años, aquel futuro se prolonga durante siglos, e incluso escolta a las *Partidas* hasta su reedición, con ley de acompañamiento, en el Boletín Oficial del Estado a partir de 1969.

El activismo no es quizá uno de los temas más tratados para la Edad Media, pero sin embargo le he dedicado el capítulo 4, protagonizado por Diego de Valera y Pero Díaz de Toledo —intelectuales, ambos, de origen converso. El primero es un activista microliterario dedicado a promover causas como la pacificación del conflicto

2. Un beso muy glosado en el *Cantar de los Cantares*.
Beinecke Library, Marston MS 2.

civil, o la necesidad de investigar las historias de mujeres, en lugar de perpetuar una forma de hablar misógina. El segundo nos muestra la relación directa entre poesía y activismo político, a través de su glosa a un poeta vivo crítico con el gobierno de Toledo. El activismo no es necesariamente fácil de localizar, ni homogéneo, ni, desde luego, se parece a las formas del activismo contemporáneo, pero la investigación microliteraria nos ofrece maneras de percibir los discursos críticos, aun si frecuentemente vienen de voces que parecen formar parte del mismo sistema de poder en que se originan.

El príncipe portugués Pedro de Avis, a quien dedico el capítulo quinto, escribió poco, y siempre de manera experimental. Sus manuscritos son artefactos epistemológicos, como explico en esta sección. A través de ellos estudiamos una de las cuestiones centrales de la crítica social y política, la construcción del sujeto frente a un cuerpo de conocimiento articulado en los márgenes. Este cuerpo de conocimiento constituye un sistema de vigilancia cultural con base en la tradición y en el capital político de esta. La lectura de dos de sus obras en su representación manuscrita nos permitirá examinar esta manera de crear una subjetividad en un momento de fragmentación personal, política y de conocimiento.

En el sexto y último capítulo, «Una sociedad vernácula», recojo la idea y oportunidad de colocar la filosofía en la ciudad y en el hogar, que aparece en algunas glosas del siglo xv a textos filosóficos. Esta idea permite explorar la construcción de una sociedad civil renovada, que argumento con las obras de Christine de Pizan y de Teresa de Cartagena. Tanto Christine de Pizan como Teresa de Cartagena llevan a cabo, por escrito, sendos planes de construcción de una sociedad civil en la que puedan participar no solo nuevas voces y discursos, sino también nuevas formas de gobernar.

El libro termina con un epílogo, la bibliografía y mis agradecimientos.

UNAS NOTAS INCOMPLETAS ACERCA DE LA INVESTIGACIÓN

La escritura marginal no es objeto de un interés nuevo en ningún campo de las humanidades. En 1972, Jacques Derrida publicó *Marges.* El subtítulo de este libro es *De la philosophie,* y como no hay puntuación entre «marges» y «de la philosophie», cabe preguntarse si pretendía hablar de los márgenes de la filosofía *(marges de la philosophie),* o de la filosofía desde el punto de vista del concepto de margen *(marges: de la philosophie)*. O tal vez ambas cosas, pues ese es el desafío que representa la puesta en página de un texto cualquiera y su relación con las convenciones ortotipográficas de una época determinada[28]. El primer capítulo, «Tympan», presenta dos textos, uno en el centro de la página, firmado por el propio Derrida en Prinsengracht, que es el más largo y exterior de los cuatro canales de Ámsterdam; el otro texto procede de *Biffures* de Michel Leiris[29], que es un texto sobre el ensamblaje del yo de Leiris, una autoetnografía creativa, porque no puedo llamarla autobiografía. En la edición francesa (Éditions de Minuit) se aprecian las diferencias materiales entre los dos textos: la cita de Leiris aparece con una letra un poco más grande que la del centro, y tanto el interletraje como la justificación de la página son bastante imperfectos, por lo que el ojo siente un poco de sorpresa al leer esos textos en paralelo. Mientras que el texto de Derrida ocupa la mayor parte de la página, la relevancia de la cita de Leiris se hace evidente como efecto de esta característica tipográfica, y uno tiene la sensación de que el texto de Derrida no es más que un canal que atraviesa una ciudad realmente importante, con sus puentes, sus esclusas y su navegación irregular. «Si hay márgenes, ¿hay todavía una filosofía, la filosofía?»[30].

Esta pregunta (una pregunta de la posmodernidad que emergía en ese instante, para luego sumergirse de nuevo en las últimas décadas) ha alimentado, explícita o implícitamente, el trabajo de la erudición sobre la glosa marginal, desde el artículo que Lawrence Lipking publicó en 1977[31]. Este comienza con la tergiversación que Paul Valéry hace de la teoría de la marginalidad de Poe, y pasa a estudiar el *Ancient Mariner* de Coleridge y otras glosas marginales de los siglos XVIII y XIX. El original y elegante texto de Lipking, que también tiene sus propias glosas, se detiene en la distinción entre la belleza del pensamiento pasajero que representan los *marginalia*, y la «glosa marginal» que «a diferencia de los *marginalia* sirve frecuentemente para afirmar la relación de la parte con el todo»[32].

Impulsado por las ideas de Poe sobre el capricho *(whim)* y el sinsentido *(nonsense,* usado aquí para señalar que no hay ningún sentido nuevo unido a los *marginalia* que sea estrictamente necesa-

---

[28] Derrida, *Marges de la philosophie.*
[29] Leiris, *Biffures.*
[30] Derrida, *Marges de la philosophie,* pág. xvi.
[31] Lipking, «The Marginal Gloss».
[32] *Ibíd.,* pág. 612.

rio), Lipking pide a los lectores que se centren en lo que hace la página glosada y no en lo que dice la página glosada[33]. Lipking hace una distinción (que Grafton también hiciera en su erudito libro sobre la nota al pie) entre la nota al pie y la glosa[34]: «Llegamos tarde, como eruditos: no podemos prescindir de la glosa. Sin embargo, la pregunta sigue siendo: la nota a pie de página, ese método popularizado en el siglo XVIII, ¿sigue siendo adecuada a nuestras necesidades?»[35]. Continúa diciendo que

> La larga hegemonía de la nota a pie de página puede estar en peligro, además, por otra razón. Cada vez son menos los críticos literarios que aceptan hoy en día el modelo filosófico de discurso en el que se fundó la relación entre texto y nota: la clara división entre el conocimiento cierto, sacado a la luz en el texto, y la evidencia conjetural o histórica, citada a continuación[36],

concluyendo que

> Las notas a pie de página, como todo el mundo sabe, son defensivas [...] La glosa marginal está más asediada. Originalmente, he dicho, tales glosas respondían a la necesidad de una interpretación total, la adecuación de la parte al todo. Pero las nociones de lo que podría ser la interpretación, de lo que podría ser un todo, no han permanecido[37].

Si las notas a pie de página son defensivas, se podría reconocer fácilmente, entonces, que las glosas no son simplemente más aguerridas, sino claramente ofensivas, a la vanguardia de cómo exponer algunas ideas y tesis que pueden no encontrar su espacio adecuado en el texto central. En efecto, Lipking no trabaja sobre textos medievales, sino sobre textos y autores ya insertos en esa institución de la esfera pública que llamamos literatura. Esas glosas marginales no interfieren en los textos que comentan, intervienen en la formación de redes y en la formación de «temas de conversación» que se abren paso en la esfera pública. Y esto es lo que me parece más importante: la glosa asediada y el flujo de pensamiento que representa es tam-

---

[33] *Ibíd.,* pág. 633.
[34] Grafton, *The Footnote.*
[35] Lipking, «The Marginal Gloss», pág. 638.
[36] *Ibíd.,* pág. 639.
[37] *Íd.*

bién el resultado de una negociación dentro de una red cultural, para producir el conjunto de ideas y temas que deben destilarse de los textos que constituyen la institución literaria y que pueden desempeñar un papel en el debate público.

En su libro *Documentación,* Robert Hauptman aborda la influencia derrideana en la crítica y creación de glosas, que Hauptmann considera innecesariamente confusas y que, al igual que otras glosas contemporáneas (menciona a Boltanski y a Thévenot), «no sirven para nada en particular»[38]. La lectura de glosas, menciona, ya no forma parte del hábito de lectura de los usuarios de libros, aunque supera la tecnología del hipertexto. Esta conexión entre la glosa marginal y el hipertexto ha sido explorada también por David Salomon en su *An Introduction to the* Glossa Ordinaria *as Medieval Hypertext*[39]. En ambos casos, los autores consideran la glosa como una posibilidad de abrirse a una experiencia de lectura basada en el impulso de abandonar el texto central para perseguir otros intereses intelectuales aparcados por los enlaces que se abren presionando una superficie sensible con la punta del dedo.

Sin embargo, las glosas no funcionan así. No son hipertextuales. Tanto ellas como el texto central fueron concebidos para estar siempre presentes. No significa que estén siempre presentes (aunque la Glosa ordinaria no sería un buen ejemplo de esto último), y conocemos obras en las que texto y glosas se copiaron en dos libros diferentes, con el fin de facilitar el estudio de la obra en la biblioteca. La *Traducción y glosas de la Eneida* de Enrique de Villena, por ejemplo, es uno de estos casos: el manuscrito MSS/10111 de la Biblioteca Nacional de España es un volumen que contiene exclusivamente las glosas que Enrique de Villena escribió en torno a su traducción de la *Eneida,* y cuenta con todo tipo de elementos útiles para su estudio (y marcas que atestiguan que ha sido estudiado), incluida una lista alfabética de las glosas; un manuscrito aparte contiene el texto, y se conserva ahora en la Biblioteca Menéndez Pelayo, en Santander, España, manuscrito M-102. Esta es, sin embargo, una situación extraña y, como veremos en el primer capítulo, no es la forma preferida por los lectores para trabajar con el centro y la glosa, ya que sistemáticamente prefieren mirar una página que contenga ambos.

---

[38] Hauptmann, «Marginalia», en *Documentation,* págs. 71-111.
[39] Salomon, *An Introduction to the* Glossa.

La historia reciente de las aproximaciones críticas a la glosa siempre se ha visto seducida por la fluidez y la ambición de la glosa de convertirse en el centro en lugar del centro, de sustituir lo que conocemos por lo que ahora exploramos. Esta es una parte esencial de las humanidades. El margen de alguna manera asedia al centro, hasta, en ocasiones, desactivarlo. En el ámbito del derecho eso es lo que ha venido sucediendo desde la compilación de la *Magna Glosa* de Accursio a mediados del siglo XIII. En los comentarios del derecho civil posteriores es frecuente ver el texto jurídico que tradicionalmente ocupara el centro reducido a alegaciones y abreviaturas en el interior del texto. Cuando Bartolo de Sassoferrato desarrolla su teoría geométrica y trigonométrica para hablar de las islas, tanto fluviales como en mar abierto, estudia unas leyes específicas del *Corpus Iuris Civilis,* en particular del Digesto («De Adeo», C 41, 1, 7, 1-6), pero no se coloca en sus márgenes, sino que lo inunda y coloniza con su propio comentario, mientras el texto de derecho romano se convierte en meras referencias: el centro se ha pulverizado en un montón de islotes a la deriva que incluyen la propia glosa compilada por Accursio[40].

He examinado otras zonas de la bibliografía en publicaciones previas, y no creo que convenga ahora repetirme al respecto. Como ya he dicho, no es la exhaustividad lo que quiere caracterizar este trabajo, sino más bien cierto grado de análisis. La glosa o el comentario son un asedio invasivo al poder retórico y de conocimiento que supone el centro; siempre presentes, solamente dependen de la voluntad de quien participa en el acto de glosa o en el acto de comentario: son fruto del deseo, no de la necesidad ni de la argumentación. Están y podrían no estar. Pero lo cierto es que están y por ello son un desafío. Porque hay márgenes, hay filosofía; una voluntad de saber.

---

[40] El tratado se encuentra en centenares de ejemplares manuscritos e impresos de Bartolo. Hay una traducción española: Bartolo de Sassoferrato, *De insula.* Véase también, para la cuestión trigonométrica, y por el placer mismo de la lectura, Boureau, *Le Feu des manuscrits,* págs. 65-72.

Microliteraturas

CAPÍTULO PRIMERO

Orden y disciplina

Todo libro tiene múltiples inicios. Uno por capítulo, al menos. A veces más. Se abre el capítulo y aparece la promesa de una idea. ¿Sabrá este inicio cumplir la promesa, o, por el contrario, lo que parecía una idea quedará reducido a una pista de lectura? Este primer capítulo es una de las puertas con la que se abre este libro. El siguiente será otra. Por esas puertas se accede a sendas genealogías. Por un lado, una genealogía que está en relación con la formación y desarrollo de las disciplinas académicas. Por otro lado, una genealogía que está en relación con las características cognitivas y pedagógicas de la glosa y la escritura marginal desde una perspectiva material.

Ciertas ramas del conocimiento científico y profesional se constituyen, en la Edad Media, a partir de reflexiones marginales. En estas reflexiones marginales se representa el volumen y contenido de conocimientos sometidos a estudio, pero actualizados y convertidos en aproximaciones científicas, académicas, intelectuales y profesionales aceptables en el ámbito político, jurídico y teológico de su contemporaneidad. En las próximas páginas voy a concentrarme en algunos aspectos de la emergencia y desarrollo de un orden disciplinario en ámbitos relacionados con el derecho. Este orden disciplinario consiste en la evaluación, explicación y comentario de disciplinas científicas y académicas que, directamente o por afinidad, entroncan con el pensamiento jurídico. Me interesan aquí todas las ramas del derecho; y además me interesan la teología y los estudios bíblicos, pero solamente en tanto que ciencias que mantienen una relación de afinidad con el derecho, así que las trato aquí únicamente desde esta perspectiva.

Una cosa rara

La tesis central de este capítulo podría expresarse como sigue. La lectura de los márgenes, desde una perspectiva legal o no, es una tarea difícil. Requiere familiarizarse con el carácter laberíntico de la página glosada, un orden de lectura al que llamaremos estrábico. La lectura de los márgenes legales implica una habilidad específica para reconectar las diferentes partes de la página con el texto central o texto tutor, tanto materialmente (qué parte corresponde a qué parte) como en términos de crítica y temporalidad de la disciplina (de qué manera hacer contemporáneo lo que fue escrito en el pasado). Quien lee no puede soltar el texto central, aunque exista un impulso afectivo de serpenteo y deambulación, provocado por el propio objeto manuscrito y su manifestación física. Quien lee no puede abandonar los márgenes para poner en relación el presente de un modelo crítico con los instrumentos textuales heredados.

Las glosas son *cosas raras*[1]. Leer el texto bíblico, el texto jurídico (por ejemplo, las compilaciones del emperador Justiniano), o leer el

---

[1] El lexicógrafo francés Félix Gaffiot define la glosa como «mot rare, terme peu usité (qui a besoin d'une explication» *(Dictionnaire,* s. v. *glose).* Lewis y Short dicen que es «an obsolete or foreign word that requires explanation» *(A Latin Dictionary,* s. v. *glossa).* El *Diccionario de Autoridades* (accesible en línea a través de la RAE) ofrece cuatro definiciones de esta voz, aunque la primera es la que más importa, «La explicación, interpretación o comento de alguna proposición o sentencia obscúra, o de dificultosa inteligéncia». Este último está ya pensando en la glosa como género literario, mientras que los lexicógrafos latinos se apegan al sentido relativamente irónico de la palabra griega en su uso latino. La glosa, la aclaración de la palabra rara, sucede frecuentemente entre las líneas y también en lengua latina. Es decir, en este caso, la glosa es una traducción interlineal intralingüística. El método, sea intra- o interlingüístico, se emplea en numerosos manuscritos de distintos textos, no solo en la Biblia. Puede verse una muestra de la puesta en página de la glosa ordinaria de la Biblia, en este caso del *Cantar de los Cantares,* en el manuscrito Marston 2 de la Beinecke Library, de la Universidad de Yale, por ejemplo, en el siguiente *link:* <https://brbl-zoom.library.yale.edu/viewer/11377808>, que se corresponde con el fol. 1r. Las famosísimas *Glosas Silenses* o las *Glosas Emilianenses* se fundamentan en el mismo método de glosa interlineal, con ocasionales glosas al margen. Podrían acumularse casos, pero no parece necesario aumentar el volumen de esta glosa a pie de página.

cuerpo de investigación filosófica aristotélico (u otros) es una fuente constante de extrañamiento o de desautomatización de la percepción[2]. Las palabras, conceptos, instituciones, referencias, traducciones, ideas, teorizaciones, u otras innovaciones de los textos tutores llaman la atención de sus lectores y les invitan a intervenir: la *cosa rara* que suscita su curiosidad es un trampolín para el pensamiento crítico o para la mera explicación, ya sea entre las líneas del texto, ya sea en otro lugar donde se puede escribir más por extenso (el margen, por ejemplo, pero también unas tablillas enceradas en las que tomar notas para luego transportarlas a un material más estable)[3].

Muchas glosas interlineales son glosas léxicas que, como dice Quintiliano, requieren la «interpretatio linguae secretioris», la interpretación de las cosas más ocultas o secretas de la lengua, «quas Graeci γλώσσας vocant» (a las que los griegos llaman glosas)[4]. Para acceder a ellas, se necesita ser parte de un cierto orden sociopolítico, y haber recibido cierta educación y grados específicos por así decirlo. En la medida en que estas consideraciones lingüísticas interlineales se coagulan con el texto y se le hacen inseparables, adquieren un carácter ordinario: lo raro sería que la cosa rara no viniera aclarada entre las líneas. La *ordinariez,* como veremos en este capítulo es, en sí misma una institución.

Es una institución que se expande. La glosa es como un sistema vegetal que no solamente se extiende por polinización, sino también por el modo en que se interconectan las raíces fuera de nuestra vista. La institución de la glosa no se mantiene únicamente en el estrecho camino que separa una línea de la siguiente. Los márgenes continúan su trabajo crítico de muchas maneras diferentes. Quizá la glosa interlineal es más característicamente lingüística, una especie de traducción. Pero toda traducción propone una equivalencia que es problemática en sí misma. Como veremos en las últimas partes de este capítulo, las decisiones acerca de cómo interpretar en el siglo XII cristiano la amiga del *Cantar de los Cantares* lleva a una figuración de la misma como la institución de la sinagoga y su transformación en la Iglesia. Esta modificación es radicalmente jurídica. Así que la glosa no solo traduce o interpreta, sino que es un agente metamórfico: transforma todo lo que toca.

---

[2] Schkolvsky, «El arte como artificio».

[3] Roger Chartier analiza los poemas de Baudri de Bourgueil a sus tablas enceradas en *Inscrire et éffacer,* págs. 17-31.

[4] Quintiliano, *Institutio Oratoria,* 1, 1.35.

Interconectadas en los subterráneos de la tradición, las glosas marginales tienden redes teóricas más complejas. Se presentan como formas de la concordancia o como alegaciones, ciertamente. Se presentan también como modelos de referencia, como prontuarios para solucionar tal o cual problema, o para satisfacer tal o cual necesidad de un abogado, un juez, un predicador, un teólogo. Se presentan como analogías, como explicaciones plausibles, como modelos de comportamiento, de imitación, de reproducción, o como precedentes de algo. Están tocadas íntimamente, como veremos en este capítulo, por la figura y por la tipología. La figura es un artefacto retórico que permite desvelar las conexiones subterráneas entre una cosa y otra, la segunda de las cuales se presenta como la sublimación y perfección de la primera. La tipología es un sistema de analogías fractales, en cierto sentido también infinitas, que permite la reproducción de algo (una narración, un personaje, un acontecimiento) en la moral y en la historia.

Ordinarias y todo, muchas de estas glosas siguen siendo cosas raras para la mayor parte de la población católica. Es solamente el Concilio Vaticano II, celebrado entre 1962 y 1965, el que incluye la posibilidad del estudio individual de la Biblia en la lengua materna por parte de los laicos como actividad fundamental para la experiencia religiosa cotidiana, afirmando así las conclusiones de León XIII en su *Providentissimus Deus* de 1893 sobre la educación cristiana, y de Pío XII *Divino Afflante Spiritu* de 1943 sobre la producción de biblias en lenguas vernáculas. Nada dice, en cambio, acerca de las glosas o de su traducción.

Puede que las glosas y su fuerza interpretativa hayan sido tan ordinarias que incluso hayan inundado el mundo de la oralidad. ¿No son, acaso, fuente de estudio para la predicación? ¿No son las glosas ordinarias del derecho, bien compiladas en los grandes manuales de los cuerpos jurídicos, fuente necesaria para el litigio y el pleito en el espacio donde se imparte justicia?

Las glosas jurídicas y bíblicas no son meros instrumentos académicos. El orden de la disciplina podría hacernos pensar lo contrario. Podría hacernos pensar que fueron diseñadas para ser usadas en el interior de la torre de marfil. Pero esa es la trampa de la cosa rara: parece ser parte de un mundo reservado a unas pocas personas, que debaten sobre ello en términos de análisis intelectual, pero hacen, sin embargo, un trabajo público. A través de canales en los que no vienen sancionadas por títulos académicos, como el púlpito, el juzgado, la corte, la red municipal, o tantos otros de los espacios públicos, los márgenes se hacen ordinarios de otro modo: se integran en la forma normal de hablar de cosas que, hasta ese momento, eran raras.

UNA ORDINARIEZ

Toquemos su carácter ordinario en primer lugar. Una aspiración de la glosa o del comentario (marginal o no) es hacerse imprescindible. La palabra rara de origen puede ser reemplazada por su explicación o por su traducción, puede ser dotada de un significado nuevo, situada en un campo semántico diferente. La palabra rara queda de alguna manera en el pasado, y la glosa apunta a la contemporaneidad, produce un nuevo marco para el debate, abre puertas a una nueva interpretación de un cuerpo de conocimiento. Y, como quiero indicar en este apartado, es el fulcro de una creatividad institucional.

Ordinario es lo que es usual. Se puede usar. Se usa frecuentemente. Está dentro del orden de las cosas. Normal. No hay nada especial que ver aquí, puede usted seguir como si nada especial hubiera pasado. Frente a lo ordinario, no hay sorpresa. Si no lo ha notado antes, y ahora le llama la atención, no es porque lo ordinario no estuviera allí, es solo porque no estaba usted alerta. Las cosas ordinarias pertenecen al ritmo diario, su antes y después, su apariencia regular, su tiempo, su espacio. Esto es lo ordinario. Parece casi extraordinario.

Una forma de entender cómo suceden las cosas en un cierto orden. Eso es también ordinario, ya que viene ordenado. Si cambia este orden, las cosas en sí mismas pueden cambiar, pueden volverse difíciles de entender. Más oscuras. El orden en el que se pasan las páginas de un libro permite leer el orden de las palabras en su construcción sintáctica (ordenada, pero también constitucional)[5]. Todo eso también es ordinario.

Lo ordinario es también uno de los pilares del *ordo disciplinae*. Según Alain de Libera, especialista en el estudio de la filosofía y la

---

[5] *La sintaxis* es la subdisciplina lingüística que estudia el orden de las palabras en el lenguaje. Se deriva del sustantivo griego que designa el orden, *sintagma*. Ahora, en griego moderno, *Sintagma* significa primero y principalmente, *Constitución*. Πλατεία Συντάγματος o la plaza Syntagma, en Atenas, Grecia, fue el lugar del levantamiento de 1843 que llevó a que la Constitución griega fuera aceptada por el rey; en 2012, y más allá, la plaza ha sido el teatro de abundantes protestas políticas.

teología medievales, el *ordo disciplinae* es la búsqueda del «mot d'ordre de tous ceux qui vont essayer d'organiser le savoir théologique» (la consigna de quienes van a intentar organizar el saber teológico). El orden mismo de la disciplina no en términos de su contenido original, sino en términos de la incorporación del pensamiento moderno, es decir, el pensamiento científico, escolástico, lógico y filosófico de los pensadores medievales que se consideraban los *modernos latinos*[6].

El movimiento de la ordinariez consiste en desplegar un dispositivo de análisis contemporáneo. Ni teólogos ni juristas están interesados en la mera reconstrucción de un paradigma de conocimiento para colocarlo en una vitrina de museo y explicar cómo fueron las cosas en una época determinada. Antes, al contrario, lo ordinario es el proceso de liberación de cuerpos de conocimiento de la temporalidad en la que aparentan habitar, para poder pensar con ellos una disciplina en plena emergencia o constante renovación. En los siglos XII a XV, el derecho canónico, el derecho civil, la teología y los estudios bíblicos (estrechamente emparentados estos últimos con ambos derechos) constituyen la punta de lanza de la renovación y de la invención disciplinar al apropiarse de las teorías y prácticas del pensamiento filosófico, incluyendo la lógica y la retórica, la ética y la política, la metafísica y la psicología[7].

---

[6] Libera, *L'Archéologie philosophique*, pág. 57; Chenu, *Introduction a l'étude de saint Thomas d'Aquin*, págs. 258-259. *Ordo disciplinae*: «C'est ce qui explique que l'on va remettre en ordre le corpus d'Aristote mais aussi y ajouter ce qui n'y est pas et qui manque à la discipline, pour en faire non plus un corpus mais véritablement une science qu'on expose, développe et construit sur des bases nouvelles» (Libera, pág. 57). Como ya he señalado, la idea de «falta» no me parece tan oportuna en este caso, sino más bien la de plusvalía que he mencionado en una nota anterior. Cfr. nota 11, págs. 68-69, sobre la manera en que la *ciencia perfecta* de Alberto Magno compite para la construcción de una ciencia «par refonte, suture et retextualisation du corpus aristotélicien» (pág. 68). El resto de la nota es igualmente importante. Esta perspectiva ofrece una nueva sobre el trabajo de muchos intelectuales que transformaron las disciplinas de diferentes maneras a lo largo del siglo XIII, entre ellos Alfonso X o Ramon Llull.

[7] Libera, *Penser au Moyen Âge*. Para la vida universitaria en torno a la organización y el debate sobre las disciplinas, hay un número de publicaciones fascinantes en los últimos años, en especial König-Pralong e Imbach, *Le Défi laïque*, o König-Pralong, *Le Bon usage des savoirs*; véase también Elsa Marmursztejn, *L'Autorité des maîtres. Scolastique, normes et société au XIIIᵉ siècle*, París, Les Belles Lettres, 2007, y la tetralogía de Alain Boureau, *La Raison scolastique (1280-1380) (La Réligion de l'État; L'Empire du livre; Des Vagues individus*, y *L'Errance des normes*). El trabajo de Alain Boureau es una investigación casi detectivesca sobre las estructuras intelec-

La afinidad entre el orden de la disciplina y lo ordenado se manifiesta mejor que en ningún otro lugar en la producción de las glosas ordinarias. Esto sucede en varios campos o disciplinas, pero ante todo se hace visible en el cuerpo de estudios bíblicos y en el cuerpo de estudios legales. Como veremos hacia el final de este capítulo, ambas disciplinas a su vez funcionan en relación de afinidad.

La búsqueda de lo ordinario es en sí misma una estrategia de normalización. Las glosas ordinarias del derecho o de la Biblia establecen un canon de pensamiento a partir del cual se definen los desvíos críticos[8]. Es, por así decir, la ficción fundacional de lo normal. En el caso de la glosa ordinaria del derecho civil creada a mediados del siglo XIII, las cien mil glosas que rodean al texto constituyen el cuerpo de actualización, de experiencia jurídica y de debate teórico de los últimos doscientos años de lectura y enseñanza del derecho civil romano. Al mismo tiempo, constituye el grado cero de lo que será el proceso de comentario y discusión en profundidad de los temas jurídicos en los comentarios exentos de autores como Bartolo de Sassoferrato o Baldo de Ubaldis: en sus comentarios, la referencia intelectual es el pensamiento ordinario, con y a partir del cual renuevan críticamente los métodos del estudio y la heurística jurídicos. Es a partir de esa normalidad, de esa ordinariez como Bartolo introduce nuevos elementos, como la ciencia matemática, en particular la trigonometría, como sistema argumental para determinar la propiedad de las islas que, en el río o en el mar, surgen inesperadamente, tema que había ocupado a los glosadores de la parte relevante del *Codex Iustiniani*[9]; igualmente, Bartolo se fundamenta en ese orden disciplinario constituido por la glosa para volver a trazar una definición de lo que es la nobleza, haciendo una distinción fundamental entre nobleza teológica (o de linaje) y nobleza política[10].

---

tuales que sostienen durante un siglo, y proyectan a la historia del presente, los modos de pensamiento e interpretación de la razón escolástica: las formas de la casuística, la distinción y otros procedimientos racionales.

[8] Esta idea del punto de referencia para desvíos críticos no la he visto en la bibliografía, propiamente, pero surge de la lectura de las ideas de la *Raison scolastique* de Boureau (aunque no estoy seguro de que Boureau esté de acuerdo con ello).

[9] Ya he mencionado anteriormente su *De insula*, donde se ponen de manifiesto algunas de estas operaciones científicas y disciplinarias.

[10] Los tratados en que lleva a efecto estas consideraciones son *De insigniis et armis* y *De dignitatibus*. Bartolo, *De insigniis et armis;* Bartolo, «Sobre las enseñas»; Rodríguez Velasco, «El *Tractatus de insigniis*»; Bartolo, *De dignitatibus*. Véase también mi *Plebeyos márgenes*.

Con este último concepto, Bartolo introduce algo extra-ordinario, algo que no está en la glosa ordinaria, pero que los manuscritos e impresos sucesivos del *Corpus Iuris Civilis* no podrán evitar incorporar como suplemento a la glosa ordinaria. Las *Siete Partidas,* que son en gran medida un código en el que se somete a crítica sostenida el conocimiento jurídico contenido en la glosa ordinaria, toman decisiones específicas que, en este caso, resultan en un cuerpo legislativo. Por ejemplo, los títulos dedicados al tema de la *tabula picta,* tratados en la *Tercera Partida,* proponen una legislación definitiva que supera el estadio de debates ordinarios contenidos en la glosa del *Corpus Iuris Civilis.*

La glosa ordinaria, la propia ordinariez, se caracteriza, sin embargo, por su materialidad atravesada, por la ruptura de la linealidad. No hay glosa ordinaria sin una rareza más, a la que llamo aquí un orden estrábico.

Del estrabismo como virtud en la lectura

Hasta principios del siglo xx, los estudiosos habían atribuido la *glosa ordinaria* de la Biblia a un erudito y autor del siglo viii llamado Walafredo Estrabón, o Walafredo «el bizco»[11]. La Glosa ordinaria de la Biblia recoge el texto canónico de la página sagrada con anotaciones interlineales y glosas marginales extraídas principalmente de las obras de doctores y padres de la Iglesia. Es el producto de una minería textual intensiva y a cielo abierto. Como un prontuario, los manuscritos de la Biblia con glosa ordinaria (que son muy diferentes entre ellos, de todos modos) presentan el orden central de los libros, capítulos y versículos del Texto de los Textos, junto con el universo laberíntico de los comentarios, explicaciones, traducciones e interpretaciones pertinentes, cuidadosamente seleccionados entre los autores más fiables canonizados y promovidos, en el seno de la Iglesia, a ser padres y doctores de la misma. La presencia de este aparato llamado glosa ordinaria hacía imposible leer linealmente la Biblia, versículo tras versículo, capítulo tras capítulo, libro tras libro. En su lugar, los ojos tenían que vagar por la página, hallando que el texto central estaba puntuado por consideraciones interlineales o marginales. Uno tenía que volverse bizco, como el mítico compilador de la Glosa. La nueva forma de leer la Biblia era estrábica.

---

[11] Una biografía de Strabo puede verse en Wesseling, «Walafrid Strabo».

Es un infortunio que Walafredo Estrabón no fuera de hecho la mente detrás de la creación de este libro inaugurando esta forma de leer la Biblia que se convertiría en fundamental para los teólogos y otros eruditos a lo largo de los siglos. El nombre de Juan Teutónico, claramente más aburrido, es el que preside la creación de un texto cuya movilidad manuscrita, que es a su vez también multidireccional, quedó provisionalmente fijado en la edición de 1480-1481[12]. A partir de esa edición, sin embargo, comienza una historia editorial propia y no menos interesante que la de los manuscritos[13].

La glosa ordinaria no solo incluyó textos para poblar los márgenes bíblicos. También excluyó textos, cientos de textos, miles de ellos, que no llegaron a ser elevados al canon de interpretación habitual de la Biblia. Relegados por acción o por omisión, los textos que no habían sido estimados como fuentes normativas ya no estaban allí, pues los márgenes solo pueden albergar una cantidad limitada de contenido. Lo ordinario daba lugar a lo extraordinario, a lo que quedaba fuera del orden de la disciplina tal y como la venía a definir esta tesis material llamada glosa ordinaria. Los textos que se habían naturalizado, que se habían convertido en la norma interpretativa, y que hasta entonces podían considerarse ordinarios y ordenados podían, en efecto, habitar el mismo cuerpo que habitaba la Biblia. Inmigrantes, tal vez, a partir de otros textos y tratados, pero inmigrantes documentados[14].

El movimiento implicó una transformación en el mercado de la producción de manuscritos de la Biblia, y, desde finales del siglo XV en adelante, de la Biblia impresa[15]. Mientras que la producción de la Biblia se había convertido en los siglos XI y XII en una búsqueda de una producción cada vez más complicada y artística para clientes individuales (biblias microscópicas, biblias iluminadas, etc.)[16], la

---

[12] Froehlich y Gibson (eds.), *Biblia latina cum Glossa ordinaria.*

[13] Puede verse ahora *Glossa ordinaria,* ed. Morard *et al.,* así como Smith, *The Glossa Ordinaria.* Para la producción de biblias con glosa ordinaria y el comercio de libros, véase De Hamel, *Glossed Books.*

[14] El inventario provisional y todavía en construcción de los manuscritos bíblicos con glosa ordinaria comprende más de 4000 entradas. Puede verse una tabla en: <https://gloss-e.irht.cnrs.fr/sources/index/GLOSS_Instrumenta_03_sigles_manuscrits_glose.pdf>.

[15] Véase De Hamel, *Glossed Books,* así como Froehlich y Gibson (eds.), *Biblia latina cum Glossa ordinaria.*

[16] Sobre los usos, prácticas, estudio, producción e intercambio de la Biblia en la Edad Media, véanse los trabajos de: Smalley, *The Study of the Bible;* Boynton

glosa ordinaria se dirigía a un público de estudiosos que querían estar al tanto de los avances contemporáneos en la formación de la teología como disciplina universitaria con una presencia creciente en el mundo intelectual de la Europa de las universidades[17].

En otras palabras, las biblias también se estaban convirtiendo en una mercancía, producida por escribas especializados que pertenecían a talleres específicos. En estos talleres se producían evangelios, pentateucos u otras secuencias de libros para diferentes tipos de clientes. La mayoría de los talleres estaban ubicados en monasterios. Se trataba, pues, de mercancías que implicaban al mismo tiempo formas de lectura de la Biblia, formas de meditación sobre la Biblia y formas de sentir la Biblia, formas de apreciar la Biblia como un objeto estético. Como tal, este objeto, según se echa de ver en numerosas biblias iluminadas, puede contener otros objetos, imágenes para la meditación y la interpretación, incluso para comprometerse corporalmente con la experiencia de la lectura de la Biblia.

Pero estas biblias son demasiado lujosas. Si son mercancías es también porque hablan de las riquezas de sus dueños y comitentes, y de la compleja forma en que llegaron a poseerlas, a ordenarlas, a pagarlas, o a tener a alguien que las pagara en su nombre (un regalo, o una reciprocidad de un regalo de diferente naturaleza). ¿Qué son las biblias con la glosa ordinaria, entonces?

Tal vez son una especie de *incomodidad*. Sé que la palabra no existe en el sentido que quiero darle, un juego de palabras que deja de tener gracia una vez explicado *(commodity/incommodity,* o sea, mercancía/inmercancía). La mejor manera de proceder es simplemente inventar la palabra. Una incomodidad es, de hecho, una mercancía, en el sentido de que pertenece a una economía capitalista que implica valor, uso, espectralización y todo lo demás. Sin embargo, las in-comodidades son mercancías específicas de la historia intelectual, del mundo intelectual y, más en particular, del mundo académico. Como «commoditas», la *incommoditas* es también algo, una cosa, un artefacto, que es útil y oportuno, que tiene un valor y

---

y Reilly, *The Practice of the Bible;* Riché y Lobrichon, *Le Moyen Âge et la Bible;* Ruzzier y Hermand, *Comment le Livre;* Dahan, *Lire la Bible;* Nelson y Kempf, *Reading the Bible.* Para la iluminación de la Biblia románica, véase Cahn, *Romanesque Bible Illumination.* Por supuesto, hay muchos libros de divulgación sobre la producción e iluminación de las biblias medievales, incluyendo el de Fingernagel y Gastgeber para la Biblioteca Nacional de Austria, *The Most Beautiful Bibles.*

[17] La historia de la formación y transformación de la Biblia medieval es mucho más compleja, como lo demostró Van Liere, *An Introduction to the Medieval Bible.*

que puede ser utilizado y examinado inmediatamente. Sin embargo, siguiendo su prefijo *in-*, también implica un cierto grado de inconveniencia e inadecuación: se impone sobre los estantes de la biblioteca profesional, ocultando otros libros, excluyéndolos enteramente o en parte, haciéndolos extra-ordinarios. Pero no nos detengamos demasiado en el nombre, y centrémonos en la definición.

La glosa ordinaria abre un camino diferente de producción y recepción de la Biblia, y esto es lo que hace que el movimiento de «ordinarización» sea algo importante. En efecto, esta «ordinarización», esta forma de producción y recepción esenciales para la historia intelectual, implica el desarrollo de una industria que alcanza dos objetivos diferentes al mismo tiempo: el proceso mismo de normalización de los textos marginales e interlineales que florecieron dentro del texto bíblico y la reproducción manual de objetos tan similares que pretenden ser copias exactas del original o del ejemplar.

La normalización y la reproducción son dos elementos clave del *ordo disciplinae*. Por un lado, establecen los procedimientos y teorías de la propia disciplina, su modo de funcionamiento. Por otro lado, otorgan la difusión y coherencia de las cosas, textos, teorías, ideas, conceptos y métodos que constituyen la disciplina misma.

La disciplina es también parte del negocio. La ordinariez es el negocio mismo, la industria. Francesco Accursio, el jurista y empresario que inventa la glosa ordinaria del *Corpus Iuris Civilis*, Juan el Teutónico (ídem con la de la Biblia) y otros, consideraban que estaban produciendo glosas ordinarias, pertenecientes al orden de la disciplina, sancionadas por las autoridades cuyas iniciales o nombres completos firman cada glosa. Tal vez no pensaban estar creando la institución llamada Glosa ordinaria. Lo que esto quiere decir es que han sabido manejar los términos en los que el *ordo disciplinae* puede llegar a constituir el negocio. La glosa ordinaria no es solo un capital científico, sino también la industria que controla la vida económica y social de esas disciplinas. Sin esta afinidad entre las disciplinas de *ordo* y la industria, no habría corporaciones de teólogos ni corporaciones de abogados, las mismas que dieron a las universidades su creciente poder en las ciudades de todo el hemisferio occidental[18].

---

[18] En latín, *universitas* significa *corporación*. Son una y la misma cosa. Gilli, Verger y Le Blévec, *Les Universités et la ville au Moyen «Âge»;* Verger, *Les Universités au Moyen «Âge»;* Verger; *Les Gens de savoir.* El campo de la historia de las universidades es muy amplio. Desde la publicación de la monumental obra de Rashdall

Una industria fundamentada en una técnica estrábica de la lectura. Es una ordinariez, ya lo hemos dicho, dos veces rara. Y al mismo tiempo tremendamente útil. El orden estrábico de la industria dedicada a la constitución de glosas ordinarias se asegura la representación material (o tal vez no es representación, sino ficción fundacional) de dos aspectos que son necesarios en un orden de la disciplina que administra cuerpos de conocimiento del pasado, los sincroniza en la página, y los somete a diversas modalidades de traducción, interpretación y crítica contemporánea. El primero de estos aspectos es una estratigrafía del conocimiento: texto central, interlíneas, capas de glosas marginales, títulos, o signos abstractos de llamada (calderones, obeliscos, letras —ya veremos más en detalle en el capítulo siguiente—) escenifican estratos de conocimiento, que, por mor del módulo de letra, posición y, por supuesto, contenido, requieren distintos tipos de atención. El segundo aspecto es la temporalidad que, a su vez, también escenifica la página, y que permite, más allá de la edad de las cosas que aparecen ante los ojos, determinar la relación de orden que se da entre ellas. Es una temporalidad, y no un orden cronológico, porque la página rompe con la posibilidad de enviar ciertas cosas al pasado y otras al presente, al tiempo que, sin embargo, establece que el orden de lectura, por más que sea estrábico, es también un orden dentro de una cadena de acontecimientos científicos y textuales.

Hay varios procedimientos que revelan la estratigrafía intelectual y la temporalidad en el interior de la glosa ordinaria y su orden disciplinario. Tres de ellos me parecen especialmente importantes, porque además son también los más permanentes en todo ensayo microliterario como los que vamos a examinar en este libro. El primer procedimiento es el más general, y se compone de las técnicas exegéticas que son parte consustancial al orden disciplinario. El segundo procedimiento, la figura, es una teoría de la historia. El tercer procedimiento, la tipología, está íntimamente relacionado con los otros dos, se nutre de ellos, y, además, deja ver una ética (y, por ahí, una política), al tiempo que revela relaciones jurisprudenciales en el interior de los textos que se comentan según este procedimiento.

---

en 1895, los historiadores universitarios han tratado todos los aspectos de la vida universitaria, incluyendo las huelgas, los movimientos sociointelectuales, etc., como en las obras de König-Pralong o Wei.

Conocemos bien los procedimientos exegéticos. Los cuatro sentidos de la Escritura fueron estudiados por el cardenal Henri de Lubac en su monumental trabajo de finales de los cincuenta y principios de los sesenta, la referencia obligatoria para todo trabajo en relación con la exégesis medieval[19]. Henri de Lubac no solo quería entender la exégesis medieval. Quería entender la actualidad de los cuatro sentidos de la página sagrada desde la perspectiva de un sacerdote jesuita que había vivido uno de los períodos más convulsos de la historia, tras haberse unido a la Résistance durante la Segunda Guerra Mundial. Después del Holocausto, ¿había alguna manera de imaginar una lectura espiritual de la Biblia?

La obra de Frans van Liere, más reciente, y marcada por un carácter científico y técnico, es un espléndido prontuario de teorías y prácticas de exégesis de la Edad Media central[20]. Por su parte el volumen editado por Ineke van't Spijker reúne estudios sobre casos a partir de los que se extraen consecuencias teóricas[21]. Las investigaciones de Gilbert Dahan resultan, en mi opinión, fascinantes por motivos diferentes: mientras que los trabajos citados se centran ante todo en la exégesis cristiana, Dahan se interesa por la coproducción de modelos y prácticas exegéticas en un ámbito intelectual de interacción entre culturas de comentario cristiano, judío y musulmán[22].

En todos estos trabajos se hacen visibles los debates en torno a las artes de la exégesis. Esta se mueve entre los dos polos de la lectura histórica o literal y la lectura espiritual o alegórica. De cualquiera de las dos se pueden luego extraer interpretaciones de carácter ético o político, de acuerdo con técnicas de comentario tropológicas, o interpretaciones de carácter trascendente, usando técnicas de comentario anagógico. Hay una permanente ambivalencia respecto de la interpretación literal, que en ocasiones ni siquiera se considera una forma exegética, mientras que pensadores medievales tan influ-

---

[19] De Lubac, *Exégèse médiévale*.

[20] Van Liere y Harkins, *Interpretation of Scripture: Practice;* Harkins y Van Liere, *Interpretation of Scripture: Theory*.

[21] Spijker, *The Multiple Meaning of Scripture*.

[22] Dahan, *Lire la Bible;* Dahan, *L'Occident médiéval;* Dahan, *Études d'exégèse médiévale*.

yentes como Hugo de San Víctor, por el contrario, proclaman la primacía de la interpretación literal o histórica[23]. Las preguntas que vemos en este debate milenario son cruciales y emergen en el cristianismo de san Pablo, sobre todo en la dicotomía entre letra (que es deletérea) y espíritu (que, en cambio, da vida)[24]: ¿qué es lo espiritual? ¿De qué manera vivifica la interpretación espiritual? ¿Está la tropología o interpretación moral y política en el mismo pie interpretativo que la anagogía o interpretación trascendente? ¿Son todos esos esquemas de interpretación obligatorios o son opcionales? ¿Pertenecen a una jerarquía exegética, o bien no hay un orden necesario entre ellos? Estas preguntas han sido abordadas y estudiadas durante mucho tiempo, y los autores citados las tratan en sus estudios.

Quizá lo más visible en torno a la exégesis medieval es la distancia entre la necesidad teórica de crear una estructura intelectiva completa y compleja que dé cuenta de la totalidad del proceso exegético y de su orden interno y externo, por un lado, y, por otro, la resistencia práctica a completar o llevar a su fin más perfecto esta estructura teórica. En la teoría, la estructura carece de soluciones de continuidad, al tiempo que permite entender los distintos procesos epistemológicos que caracterizan cada paso exegético: el conocimiento de lo literal y el conocimiento de lo ético deben ser diferenciados claramente. Algunas de las personas que se benefician de esta perfección teórica son también los autores microliterarios que pueblan, o podrían poblar, este libro. Por ejemplo, cuando Enrique de Villena se propone glosar el salmo *Quoniam videbo*, o incluso la *Eneida*, lo hace estableciendo también la estructura exegética cuatripartita ya convertida en tradicional en el ámbito de la teología escolástica[25]. Pero estas prácticas son prácticas de la teoría: juegan al mismo tiempo con la coherencia de la estructura y con el carácter institucional del trabajo intelectual que llevan a cabo. La práctica

---

[23] Hugo de San Víctor, *Didascalicon;* en versión inglesa, Hugo de San Víctor, *Didascalicon of Hugh of St. Victor;* Illich, *In the Vineyard of the Text.*

[24] Pablo, 2 Corintios 3:2-6, que cito aquí por la traducción de Casiodoro de Reina, la llamada Biblia del Oso *(La Biblia, que es, los sacros libros):* «El cual [Dios] asimismo nos hizo ministros suficientes de un nuevo pacto: no de la letra, mas del espíritu; porque la letra mata, mas el espíritu vivifica [το γαρ γραμμα αποκτεινει το δε πνευμα ζωοποιει; *littera enim occidit, Spiritus autem vivificat].*

[25] Pueden ofrecerse otros ejemplos, como *Los doze trabajos de Hércules,* también de Enrique de Villena. Ya hemos citado las traducciones y glosas de la *Eneida* de Enrique de Villena; véase también Cátedra, *Exégesis, ciencia, literatura.*

glosadora no siempre se adapta a esta clase de teoría totalizadora, sino que deja más espacio a las necesidades o excepcionalidades del comentario, y nos obliga a pensar en la exégesis no solamente como una manera interpretativa, sino también como un espacio afectivo.

Así, una vez que damos por sentada la exégesis, y, a diferentes niveles, está ahí, en la superficie de la página, en los márgenes, entre las líneas, la cuestión no es solo cuáles son las teorías y prácticas de la interpretación, o cuáles son las técnicas de interpretación. La pregunta es ¿qué es lo que hace la interpretación? La respuesta más fácil a esta pregunta es que, en efecto, la glosa interpreta el texto que está en el centro. Pero esta es una respuesta muy parcial, porque se centra en los vínculos explícitos entre una intervención marginal que sigue teorías, prácticas y técnicas identificables, y un texto central, estable y canónico. La experiencia de leer el contenido de las diferentes glosas ordinarias no es solo una experiencia interpretativa del texto central. Aunque existe tal interpretación, sería legítimo preguntarse si la interpretación es el efecto primario que ejercen las glosas entre sus usuarios.

Pues, efectivamente, las glosas establecen una relación afectiva con el texto central, pertenecen a los márgenes del texto central, abrazan e interrumpen el texto, incluso se confunden, se entrelazan con el texto central. Y aun así, hacen sus propias cosas, crean su propio pacto de lectura, en el cual interactúan con el lector en una especie de diálogo imaginario. La experiencia de lectura de las glosas es un constante ir y venir entre lo que el intérprete quisiera subrayar y lo que este mismo intérprete supone que moverá a sus lectores a perplejidad, revelando sus sorpresas, sus miedos, tal vez sus deseos.

La exégesis no solo no impone una superestructura técnica obligatoria, sino que potencia, más bien, el espacio afectivo creado por la glosa. La página es una experiencia estética, y esta experiencia estética permite que la interpretación, la exégesis propiamente dicha, pueda ser desordenada o parcial, ya que es parte del diálogo imaginado entre lectores y textos.

Se ha postulado en ocasiones la idea de una comunidad interpretativa: espacios en los que los modelos y modos de interpretación de textos, o incluso de sueños, forman una construcción ordenada y estable, serial y predecible[26]. La comunidad interpretativa es una estructura ficcional que permite controlar la capacidad creativa en el

---

[26] Stock, *The Implications of Literacy;* para los sueños, Schmitt, *La Conversion d'Hermann le juif.*

interior de este espacio afectivo en el que se manifiesta la experiencia estética de la glosa y el comentario. Pero la comunidad interpretativa funciona únicamente en el momento en que se postula una *comunidad,* un grupo homogéneo reunido en torno a un capítulo con reglas ciertas. En el exterior de este grupo homogéneo ya no puede postularse una comunidad. Se puede postular, en cambio, un entramado impredecible de redes, así como de interacciones que tienen lugar en el interior de dichas redes. Estas redes son libres de enfrentarse a la experiencia afectiva de la glosa y a la propia exégesis. Es esto lo que vamos a encontrar hipertrofiado en los textos que examinemos en los capítulos III a VI.

Figura

Se podría pensar que un concepto como la *figura,* y el pensamiento tipológico que la acompaña, tendría poco que ver con las dinámicas sociales en el interior de lo que David Nirenberg llamó «comunidades de violencia»[27]. Se trata de espacios urbanos en los que la definición de lo que es la comunidad dominante se define por sus prácticas violentas frente a otras comunidades caracterizadas por ser minoritarias, y que se corresponden esencialmente con las categorías que Robert I. Moore había colocado en el punto de mira de la sociedad de persecución[28]. Como señala Nierenberg, los discursos de desinformación y manipulación, a través de acontecimientos interpretativos, como sermones, arengas, etc., son los que no solo deseancadenan el acto de ataque y violencia, sino que definen la violencia misma como artefacto que establece los modos de relación entre comunidades. En esas mismas comunidades, es la violencia, pues, la que constituye el modo de relación. Quizá podría esperarse que los credos vecinos y sus grupos de intelectuales públicos participarían colectivamente en prácticas intelectuales y métodos de conocimiento comunes y compartidos[29]. Pero sucede más bien lo contrario, y puede decirse que el artefacto interpretativo de la figura es un poderoso dispositivo de comentario que desencadena una gran cantidad de violencia dentro del texto legal, y en particular dentro del cuerpo de conocimiento legal-religioso.

---

[27] Nirenberg, *Communities of Violence.*
[28] Moore, *La formación de una sociedad represora.*
[29] Nirenberg, *Neighboring Faiths;* Schmitt, *La Conversion d'Hermann le juif.*

Uno de los trabajos pioneros sobre la figura es el artículo de Erich Auerbach, publicado por primera vez en 1938. Avihu Zakai y David Weinstein vieron en *Figura* el rechazo, por parte de Auerbach, de una dominante «filología aria»[30]. «Figura» fue un artículo extraordinario porque constituyó una reacción hacia violencias muy específicas. La primera aparece al final del primer tercio del artículo, donde apunta a Tertuliano como el primer pensador cristiano en señalar que la *figura* es un anuncio en el Viejo Testamento de algo que el Nuevo Testamento se encargará de completar; allí mismo también subraya Auerbach la declaración expresa de Tertuliano de que la figura no hace disminuir el valor histórico del Antiguo Testamento. En otras palabras, la figura y su realización, cada una de ellas a un lado de la historia bíblica, no están en relación de exclusión, y, en particular, la realización no hace innecesaria la figura: antes al contrario, la afirma y manifiesta[31].

Auerbach pretendía hacer muchas cosas con la genealogía de este concepto inicialmente gramatical y retórico, una de las cuales era crear los términos de la afinidad entre el judaísmo y el cristianismo basada en un dispositivo tipológico. En la teorización de Auerbach, la figura, en efecto, hace imposible la separación entre la Ley judía y la Ley cristiana, ya que, en el pensamiento de los padres cristianos de la Iglesia, la lectura del Tanakh, la comprensión de la Ley judía, era la forma de liberar el potencial legal y político del Nuevo Testamento. El arte de comentar comienza en el momento en que la figura misma queda identificada y precisa de un análisis genealógico.

Es obvio que el significado de este trabajo en el mundo de la filología aria no es el mismo que el que tiene hoy. Lo que fue presentado como una manera de establecer vínculos de afinidad entre dos pensamientos teológicos y jurídicos, es, hoy, una demostración del grado de violencia sistémica en la historia del pensamiento occidental con respecto al judaísmo, es decir, es uno de los pilares del antisemitismo. La figura es uno de los procedimientos que aseguran la apropiación de los conceptos políticos, jurídicos y teológicos del judaísmo en una historia cristiana de aspecto perfecto o acabado.

La *figura* es un componente importante del *ordo disciplinae*. Ayuda a encapsular el mundo interior de la disciplina teorizando y

---

[30] Zakai y Weinstein, «Erich Auerbach and his "Figura"».
[31] Auerbach, «Figura», págs. 28 y ss.

trabajando en la coherencia del sistema textual. Al igual que otros modelos de comentario jurídico-religiosos, incluido el *kalām* musulmán, tiene lugar dentro de los límites del texto legal[32]. *La figura* es un agente de consolidación de esos límites: expresa teóricamente, históricamente y en la práctica, cómo las ideas, los conceptos, los personajes, las narraciones, las profecías, deben ser traducidos y reinterpretados a ambos lados de la línea divisoria del calendario, entre una revelación y otra. Se parece mucho a la narrativa filológica de la continuidad y transformación de una tradición. Posiblemente ambas tengan las mismas bases jurídicas: la idea de que el derecho ni se crea ni se destruye, sino que se transmite y se renueva.

Hay muchos actos de violencia involucrados en esta serie de procedimientos que caen dentro del ámbito de la *figura*. El más obvio es el que anima el pensamiento retórico y tipológico. La Ley judía constituye, tal vez, una experiencia de previsión de la ley, pero en el momento en que el pensamiento figurativo y figurado entra en acción, hay una expiración inmediata de la Ley judía. Tal vez no expira su contenido histórico, pero sí su valor jurídico.

He aquí un ejemplo de la Glosa ordinaria al *Cantar de los Cantares,* a la que también dedicaré la parte final de este capítulo. En ella, el primer verso «osculetur me osculo oris sue» tiene una serie de glosas interlineales: el beso equivale al deleite, «me» es la naturaleza humana, pero también la encarnación del hijo. Aquí hay inmediatamente una transformación del paradigma, porque nada es lo que parece, y mientras unas cosas son universales (la naturaleza humana), otras anuncian ya un futuro de salvación (la encarnación del Hijo). Al margen, otra glosa llamada por este mismo verso anuncia, simplemente, que va a hablar de la Sinagoga. En efecto, la amiga es la Sinagoga. Esta, según el glosador, es una asamblea, pero solamente en tanto que «lapidum», piedras inanimadas, mientras que la equivalencia figural es la Iglesia, ahora considerada como la «conuocatio, quod rationabilium», es decir, la congregación de las criaturas racionales[33]. La congregación considerada en tanto que muros des-

---

[32] Véase el clásico trabajo de Zysow, *The Economy of Certainty,* así como Gleave, *Islam and Literalism.*

[33] La glosa está atribuida a Anselmo de Laon, y la editó Mary Dove, *Glossa Ordinaria in Canticum Canticorum.* También Mary Dove hizo una traducción al inglés de la glosa: *The* Glossa Ordinaria *on the Song of Songs.* Estas ediciones son excelentes, pero por supuesto no dejan ver claramente cómo funciona la página

habitados habla, por supuesto, del vacío de la institución, de su expiración en tanto que grupo humano dotado de almas racionales, pero también habla de su necesidad: esos muros son los mismos sobre los que se asienta la congregación eclesiástica y están cargados de la majestad divina que los hizo construir en primer lugar. Según el derecho romano comentado en la Edad Media, la congregación vacía sigue teniendo una personalidad jurídica propia que recae en los muros del edificio o de la ciudad. Esta personalidad jurídica queda actualizada por la congregación de almas racionales que la llegue a habitar en un futuro que será el presente de la nueva comunidad[34]. Es en ese momento cuando las piedras pueden ser liberadas de su personalidad jurídica.

La figura, como núcleo de interpretación, hace un trabajo específico. Cambia la cosa interpretada en sí misma, así como la relación entre los sujetos de derecho y la cosa interpretada. A estos, la figura les proporciona un significado específico que describe la realidad y sus agentes. La figura es un dispositivo hermenéutico: explica las reglas de interpretación de los conjuntos de conceptos, actores, instituciones o costumbres y limita el campo de conocimiento en el que se realiza la interpretación. La hermenéutica, aquí, es una idea interpretativa muy precisa que pertenece a la teorización del *Perí Hermeneías* de Aristóteles, capítulo 1, y a los debates que tienen lugar alrededor de este texto durante la Edad Media central y tardía. Este capítulo trata de las palabras y las cosas, y de los conceptos o *noematos* que vinculan esos conceptos y cosas. En este sentido, la *figura* es un cierto acercamiento lógico y semántico a un texto dado y sus redes lógicas y semánticas. La interpretación opera a nivel de esas redes lógicas y semánticas.

Pero la *figura* también es un dispositivo heurístico. Permite descubrir cosas y dejarse invadir por la sensación de sorpresa y asombro que viene con el descubrimiento. Basta pensar en el heurematógrafo por excelencia de la historia de la filosofía occidental, Arquímedes, gritando «eureka» (la misma palabra que heurístico, o heurematografía, etc.) y sintiéndose eufórico, fuera de sí. La figura es un dispo-

---

glosada, así que incluyo una ilustración (véase la ilustración 2, pág. 30) procedente del manuscrito Marston Ms 2 de la Beinecke Library, Yale University, fol. 1r. También puede verse en línea una imagen de la glosa según la edición incunable de la *Glossa Ordinaria*, por ejemplo, a partir del *website* de The Lollard Society.

[34] Sobre la ficción de la congregación sin personas y la personalidad moral de los muros, véase el magnífico trabajo de Thomas, «L'extrême de l'ordinaire».

sitivo que establece las reglas para descubrir cosas dentro de textos específicos. También es un dispositivo de ansiedad: funciona tan bien, ayuda tanto a la consolidación y coherencia de los hallazgos dentro del texto legal, que se expande a otros reinos, aunque permanezca dentro del ámbito del texto legal. Es una potencialidad, porque no ata a la interpretación dada y a los datos hermenéuticos, sino que permite practicar la caza furtiva, el *braconnage* del que habla Michel de Certeau, a través del texto, identificar los esquemas figurativos, desplegarlos, revelarlos[35].

La *figura* es un dispositivo literal[36]. Funciona a nivel de la apariencia física del texto. Incluso si conecta diferentes cosas (Josué/Jesús), lo hace con el fin de continuar la historia del punto *a* al punto *b*, subrayando su continuidad. Sin embargo, esta literalidad funciona muy bien no solo para la coherencia de la propia disciplina, sino también para las capacidades heurísticas de otras disciplinas[37].

La figura es, ante todo, un artefacto para una teoría de la historia. Dota al glosador de una capacidad para mirar la periodización histórica en tanto que reflexión acerca de personajes y eventos que anuncian cosas y personajes y eventos que culminan cosas anunciadas. En este sentido, es también un artefacto que determina una genealogía jurisprudencial: lo sucedido como figura indica el futuro de acontecimientos semejantes en el futuro. Para el glosador, la figura es una caza de altanería. En varios de los glosadores que vamos a estudiar en los próximos capítulos, esta caza les permite establecer vínculos figurales no entre un calendario judío y otro calendario cristiano, sino entre múltiples calendarios y los personajes o acontecimientos que viven en el interior de ellos. Para un glosador como Diego de Valera, por ejemplo, viajar por los calendarios romanos, judíos y cristianos le permite traer modelos históricos y jurisprudenciales de biografías femeninas para poder postular maneras de cul-

---

[35] Véase lo que dice De Certeau en su *L'invention du quotidien,* capítulo 12, dedicado a la lectura como caza furtiva *(braconnage).*

[36] Es uno de los elementos para construir el tejido de la continuidad narrativa de la exégesis bíblica medieval, que, como ha explicado Mary Dove, «normalmente se proporcionaba mediante la interpretación literal y no se esperaba que la interpretación alegórica tuviera un sentido continuo» *(The* Glossa Ordinaria *on the Song of Songs,* pág. xvii). Con la excepción del *Cantar de los Cantares* que, según Beda «tiene un sentido alegórico continuo» *(ibíd.).*

[37] Véase <https://chrisharrison.net/projects/bibleviz/BibleVizArc7mediumOrig.jpg>, donde Chris Harrison propone una visualización del sistema de concordancias y correspondencias figurales de la Biblia.

minar aquellos modelos y figuras. A través de la figura se construye el orden disciplinario, su estratigrafía y su temporalidad, al tiempo que se proyecta hacia la historia y sus teleologías. En conjunción con el pensamiento tipológico, constituye una parte fundamental de la experiencia estética de la glosa.

Tipologías

Eruditos e intelectuales como Tomás de Aquino o Gil de Roma son sendos gigantes de la teología parisina del siglo XIII. Sus nombres no representan solamente una persona. Son, como dijo Alain Boureau, una *mens,* un *taller*[38]. En otras palabras, su *modus operandi* es el de un co-laboratorio. En este colaboratorio el orden de la disciplina queda establecido por la «función autor» (la noción es de Michel Foucault), por el nombre propio de la *mens,* y luego de ser tratado y discutido, el material resultante podía ser puesto por escrito, copiado en decenas de manuscritos para su difusión. Como otras industrias marginales en las que la compilación y la reproducción de materiales constituyen una maquinaria bien engrasada de copistas y artesanos, Tomás o Gil eran, también, el origen mismo de su propia industria. Los escribas y *stationes* (comercios dedicados a la fabricación de libros universitarios) parisinas, situadas junto al río Sena y al servicio de las crecientes necesidades universitarias tanto de eruditos como de estudiantes, que desarrollaron el tipo de copia de libros conocido como sistema de pecias, eran el entorno perfecto para su trabajo.

Tomás conmueve un poco nuestra comprensión de lo que es el enfoque figurado del que hablábamos antes. En su *Sentencia Ethicorum,* un comentario no marginal sobre la *Ética a Nicómaco* de Aristóteles, explica lo siguiente:

> [...] oportet ostendere veritatem figuraliter, idest verisimiliter, et hoc est procedere ex propriis principiis huius scientiae. Nam scientia moralis est de actibus voluntariis: voluntatis autem motivum est, non solum bonum, sed apparens bonum[39].

---

[38] Boureau, «Peut-on parler d'auteurs scholastiques?». Véase también, para la noción de la «función autor», evocada aquí mismo, Foucault, «Qu'est-ce qu'un auteur?».

[39] *Sentencia Ethicorum,* I, l. 3, n. 4. Si tiene un poco más de 220 000 dólares, puede convertirse en el dueño de un precioso manuscrito del siglo XV de la *Senten-*

(Es preciso mostrar la verdad figuradamente, es decir, en términos de lo que es verosímil, y proceder a partir de los principios que constituyen su ciencia. Pues la ciencia moral trata los actos voluntarios: la voluntad, por su parte, es un movimiento no solo de lo bueno, sino también de aquello que aparenta ser bueno.)

El comentario de Tomás se ocupa tanto del contenido de la ética como de la organización y el orden de la disciplina misma. Así, lo que le preocupa ante todo es cómo construir esta «ciencia» moral, entender sus argumentos y la forma que estos adoptan. En este sentido, Tomás advierte una homología entre la forma de la ciencia y su contenido: puesto que la ciencia se ocupa no solo de lo que es bueno, sino también de lo que parece ser bueno, sus argumentos deben también conformarse a esta doble misión: hablar, pero considerando la transmisión y argumentación de la verdad en tanto que figuración, que Tomás considera sinónimo de verosimilitud. Es un desplazamiento importante, porque la figura apunta a la culminación de algo (una ética) en el futuro, pero al mismo tiempo establece las reglas de lo que es mejor, de lo que es correcto, y, por tanto, de lo que más se parece a la verdad en ese futuro de la ética.

El desplazamiento semántico en que se fundamenta lo *figuraliter* en *verisimiliter* es muy relevante, dado el papel que el concepto de *verosimilitud* desempeña en las artes retóricas y en el arte de la lógica. Ya sabemos que, para Tomás, en la ética la verdad debe *(oportet)* ser presentada, o exhibida *(ostendere)* no como la verdad misma, sino como *figuraliter,* es decir, actuando en tanto que verosimilitud

tia Ethicorum para hacer bonito en su mesita de noche. Viene con iluminaciones hechas por Leonardo Bellini o su taller en Venecia, incluyendo una con la efigie de Tomás, probablemente en el acto de escribir con su renombrada *littera illegibilis.* <https://www.lesenluminures.com/artworks/categories/11/9618-thomas-aquinas-sentential-libri-ethicorum-or-liber-c.-1470/>. Si alguien está interesado en conocer los precios de los *bestsellers* de 1275 en diferentes disciplinas, incluyendo los libros de Tomás de Aquino, puede verse <http://www.corpusthomisticum.org/l1275.html>. Estos precios fueron establecidos por la *statio* de la universidad. Los cambios entre 1275 y 1304 no son escandalosos. En la siguiente lista: <http://www.corpusthomisticum.org/l1304.html>, se pueden ver las diferencias de precio según las diferentes disciplinas, y, dentro de ellas, según los diferentes autores. El número de *peciae* dentro de cada libro determina el precio final, pero es solo una de las variables. Por supuesto, hay detalles que desconocemos, como la calidad del soporte de escritura y, sobre todo, el tipo de escritura o *littera* utilizada por los escribas. Algunos tipos de letra eran más caros que otros. Por ejemplo, en los textos jurídicos la *littera bononiensis* es una de las más caras (véase lo que dice al respecto Alfonso X en las *Siete Partidas,* 3.18.75).

o probabilidad. En la retórica ciceroniana, como *De inventione,* o en la *Rhetorica ad Herennium* tanto la verosimilitud como la verdad hacen la causa probable[40]. En última instancia, esta idea proviene de la *Poética* Aristotélica, párrafo1451b. Según Aristóteles, una de las razones por las que la poesía es *más filosófica* que la «historia» es porque la primera es más general y habla de verdades universales[41]. Las verdades universales, dice Aristóteles, no solo se articulan según lo que es necesario, sino también κατὰ τὸ εἰκός, es decir, según lo que es verosímil: sobre esta expresión griega se modela el concepto latino y ciceroniano de la verosimilitud. Se podría decir que la verosimilitud es el arte (retórico, en efecto) de mostrar la verdad sin cegar a los receptores con su luz extrema; la verosimilitud es la verdad tal como puede ser narrada, tal como puede ser explicada en relación con lo necesario, para crear un clima, un espacio afectivo donde las cosas pueden ser transmitidas y se hace posible filosofar. De alguna manera enrevesada, la verosimilitud es más filosófica que la verdad, en la medida en que, como la poesía, la verosimilitud permite hablar de las cosas como podrían haber sido, mientras que la verdad, como la «historia», solo se centra en las cosas particulares tal y como han sido. Esto es lo que hace la operación invocada con el adverbio *figuraliter:* permite al filósofo trabajar con la verosimilitud.

Esta operación teórica le allana a Tomás un camino en el terreno de las apariencias, de las acciones y voluntades que no solo son verdaderas o buenas (que es lo mismo), sino que también aparentan ser verdaderas, aparentan ser buenas. Esto es lo que la investigación ética figurativa le proporciona.

No resultaba sencillo aceptar la constitución de una nueva disciplina, denominada ética, basada en la *Ética a Nicómaco* de Aristóteles. No puede decirse que el texto de Aristóteles existiera propiamente ni para Tomás ni para sus contemporáneos. El acceso a este texto es a su vez figurado, probable, a través de la traducción que Hermann el Alemán había hecho, alrededor de 1240, del comenta-

---

[40] Cicerón, *De inventione,* 1.7: «Inventio est excogitatio rerum verarum aut veri similium quae causam probabilem reddant...» (Invención es pensar en aquellas cosas verdaderas o verosímiles que hagan la causa probable). Cicerón, *On Invention,* pág. 18. Para la difusión y conocimiento de la retórica ciceroniana en la Edad Media, véase Ward, *Ciceronian Rhetoric.*

[41] Pongo «historia» entre comillas para señalar que esta «historia» no es la narración histórica, sino, a lo que parece en la lectura de la *Poética,* esta «historia» es cualquier tipo de discurso de carácter científico sobre aspectos particulares (la «historia natural», por ejemplo).

rio medio de Averroes a la *Ética* de Aristóteles[42]. Tomás estaba, así pues, extrayendo sentencias, consecuencias, teorías de un comentario, para comentarlas a su vez, de modo que esas sentencias pudieran constituir el núcleo o los axiomas de la nueva disciplina. La actividad en sí misma es figurativa en sus propios términos teóricos[43].

Gil de Roma se convirtió con su *De regimine principum* en uno de los inventores de la ciencia política. La obra fue terminada en 1292 y dedicada a Felipe IV el Hermoso, rey de Francia y Navarra. Al principio de esta obra, Gil de Roma escribe:

> Cum enim doctrina de regimine principum sit de actibus humanis, et comprehendatur sub morali negocio, quia materia moralis (ut dictum est) non patitur perscrutationem subtilem, sed est de negociis singularibus: quae (ut declarari habet 2. Ethicorum) propter sui variabilitatem, magnam incertitudinem habent. Quia ergo sic est, ipsa acta singularia, quae sunt materia huis operis, ostendunt incedendum esse figuraliter et typo.

> (La doctrina que toca el gobierno de los príncipes tiene que ver con los actos humanos, y por tanto cae bajo los asuntos morales. Las materias morales, hemos dicho, no sufren una investigación teórica general, sino que hay que considerar los asuntos de manera particular; esto es debido a la incertidumbre que, como se dice en el libro 2 de la *Ética* de Aristóteles, se deriva de la variabilidad de los actos individuales. Así pues, los propios actos singulares, que son el objeto de estudio de esta obra, deben presentarse a continuación de manera figurativa y tipológica.)

El procedimiento es semejante al de Tomás. Ambos están haciendo cosas con el mismo tipo de palabras. Entre ambos tratados hay una estrecha relación, que, aun si se trata de una perspectiva algo restrictiva, puede ser considerada una relación de fuente. Ambos parecen tomar como modelo a Alberto Magno. Este último explica en su *Tractatus I: De Delectatione,* el primer capítulo de su décimo libro sobre la ética, cuáles son las causas que llevan a hablar de *la delectación* como parte de la ética. Su reflexión general sobre este

---

[42] Para la recepción de la *Ética a Nicómaco,* es fundamental considerar la tradición árabe. Véase Kasoy, «Arabic and Islamic Reception» y Woerther, «The Arabic Tradition».

[43] El libro de Tomás, normalmente conocido como *Super libri ethycorum* fue compuesto en París, y su *ejemplar* o manuscrito autorizado para su copia y difusión también se manufacturó en París (Tomás de Aquino, *Opera fratris Thome*).

tipo de investigación es que conviene analizar las cosas de manera esquemática («pertranseundo oportet dicere»), pintarlas de modo figurado y tipológico («figuraliter et typo pingere»), y no exigir discursos de gran sutileza general al respecto («de nullo requirere subtilem rationem»)[44].

Tanto para Gil de Roma como, antes de él, para Alberto Magno, *figuraliter et typo* es un tipo de exploración que no requiere la participación de la dialéctica formal, ya que la ética y la política, como disciplinas, no pueden hacer preguntas que se puedan responder con un sí o con un no, o cualquier otro tipo de respuesta polar. Implican muchas variables, de la misma manera que opera el pensamiento jurídico. Por lo tanto, requiere de un discurso que Alberto llama *pertransitum,* una perspectiva amplia, pero a la larga no analítica.

El procedimiento que implica el trabajo de figuración comprende formas específicas de abordar la creación y el desarrollo de nuevas disciplinas. La operación figural ayuda a establecer lo que pertenece al ámbito de la verosimilitud, es decir, al ámbito de lo posible y lo probable, una de las formas en que ciertas disciplinas pueden trabajar con la verdad[45]. Por otra parte, la obra de quien opera con los elementos propios de la figuración pertenece al ámbito de lo singular, al ámbito en el que los problemas deben ser planteados y matizados repetidamente porque no son universales y no pueden ser respondidos con una afirmación o una negación, sino que necesitan de una consideración teórica, *la contemplatio.* De este tipo de trabajo es de donde surgen las disciplinas éticas y políticas. No pretenden comentar algo para explicar algo, sino que con sus comentarios pretenden crear y discutir nuevas cuestiones, nuevos problemas, nuevas ideas, que al tiempo que responden al *ordo disciplinae,* lo empujan hacia nuevos horizontes.

---

[44] Alberto Magno, *Ethicorum Libri X,* pág. 599. «Rationes enim ethicæ necessitatem non habent, sed sub motu liberi arbitrii sunt: quod quamvis fortuiti movetur, eo quod in electione et ratione electionis posita frequenter avertunt. In ipso enim est facere vel non non facere, nec cogi potest ad sic vel non, nec agitur a natura nec communiter ratione. Et ideo per liberum arbitrium homo est dominus quorum actuum. Sub forte ergo et non sub necessitate determinare qui de moribus dicuntur: pertranseundo autem oportet dicere et figuraliter et typo pingere, et de nullo requirere subtilem rationem.»

[45] Leo ahora el precioso libro de Jimena Canales, *Bedeviled.* En este libro se analizan las ocasiones en que la investigación científica, humanística y social, tanto de la Edad Moderna como Contemporánea, utiliza el *demonio* como un agente de verosimilitud para invocar construcciones teóricas.

La perspectiva *figuraliter et typo* nos importa mucho en el proceso de construcción de las microliteraturas. La verdad aparece, en muchos de los textos microliterarios en vulgar, enmascarada bajo una práctica de la verosimilitud que a veces implica biografías específicas, como en Diego de Valera; a veces implica éticas jurídicas, como en Gregorio López; a veces ficciones con las que construir una nueva ética, como en Christine de Pizan. Esta perspectiva analítica se centra en lo individual, en una teoría de la historia que se manifiesta en la argumentación con casos que son, por su posible valor jurisprudencial, causas.

TEXTUALISMO ORIGINALISTA: LA GLOSA DEL «CANTAR DE LOS CANTARES»

En este trabajo me importa muy especialmente, como ya he señalado, la relación específica del orden disciplinario de la glosa o el comentario con el universo jurídico. El universo jurídico, a su vez, se mueve en un complejo equilibrio entre las fuerzas del originalismo textualista y la interpretación espiritual. Esto dice la letra de la ley, pero ¿era ese su espíritu? Esta discusión es tan antigua como el propio derecho en cualquiera de sus manifestaciones, pero, como se demuestra cotidianamente, sigue vivo en nuestra cultura jurídica contemporánea. Como escribo desde los Estados Unidos, vivo a diario este debate, que señala la frontera entre quienes leen la Constitución o sus enmiendas (en particular el llamado *Bill of Rights)* de acuerdo con su significante y su significado literal, y aquellos que se enfrentan a estos textos fundacionales desde la perspectiva de una semántica histórica y una exégesis espiritual. Inmediatamente, el derecho nos muestra su rostro teológico, incluso en aquellos supuestos en que hay una separación entre Iglesia y Estado, al hablar de los modos y modalidades de interpretación.

En su prefacio a la traducción inglesa de la *Glosa Ordinaria al Cantar de los Cantares,* Mary Dove demuestra tener poca paciencia con aquellos que tienen poca paciencia con la interpretación alegórica del *Cantar de los Cantares.* Para estos últimos, como David Aers, el *Cantar de los Cantares* trata del amor erótico y carnal en su totalidad, y Aers parece no dar la menor importancia al hecho de que los comentaristas (y, podemos añadir, los predicadores) comentaban (y predicaban).

Mary Dove va más lejos en su investigación. No fueron solo los glosadores los que se dedicaron al comentario alegórico sostenido del *Cantar.* Los propios lectores deben ser tenidos en cuenta. Para Dove, esos lectores se mueven «con más flexibilidad que los lectores modernos entre un tipo de interpretación [alegórica] y otro [literal]»[46]. Quizás se podría añadir que mientras que vemos los diferentes significados de un texto como conjuntos discretos de procedimientos que funcionan en relativo aislamiento unos con otros, los escritores medievales vieron el conjunto de herramientas de la exégesis como un tipo de dispositivo superpuesto e interdependiente, de una manera paradigmática, sinóptica y sincrónica, en lugar de seguir un procedimiento sintáctico, lineal y diacrónico.

Tal vez este carácter sinóptico de la página *glosada,* así como la sincronía del proceso exegético son importantes para comprender las técnicas de lectura y los usos de la glosa ordinaria, si podemos imaginar técnicas de lectura que no solo incluyan la lectura lineal, el tipo de lectura a la que estamos acostumbrados (o estábamos acostumbrados en los tiempos de los libros impresos), sino también el tipo de técnicas de lectura estrábica al que nos hemos referido.

En efecto, la página del manuscrito —y tenemos muchos ejemplos de los manuscritos de las diversas glosas ordinarias— están frecuentemente llenas de ilustraciones que muy a menudo escapan a nuestra capacidad de comprensión o nos dan la posibilidad de soñar con posibles significados muy modernos y tremendamente posmodernos. Podemos imaginar que son parte de complejos sistemas de interpretación, pero no sabemos exactamente cuáles. Esas son imágenes para especular, y tal vez eran de hecho imágenes especulativas en muchos sentidos, incluyendo la idea de que están al otro lado del *espéculo,* el espejo.

> Pedir que el lector medieval responda a la pregunta «¿Estás leyendo estas glosas literal o alegóricamente?» sería como intentar lo que [David] Aers argumenta que la Iglesia intentó hacer, es decir, «controlar la interacción entre la imaginación de los lectores y los diversos potenciales del texto» *(Medieval Literature,* 64). Si la Iglesia hubiera querido realmente ejercer este tipo de control (y no encuentro evidencia de ello), debería haber borrado la *Glossa Ordinaria*[47].

---

[46] *The* Glossa Ordinaria *on the Song of Songs,* pág. xix.
[47] *Ibíd.,* pág. xxv.

Estas palabras de Mary Dove parecen preñadas de sentido común. Dove también indica que la *Biblia cum Glossa Ordinaria (BGO)* no era necesariamente concebida como una obra de referencia. Así pues, estas son las tres tesis de Dove en relación con la *Biblia cum Glossa Ordinaria (BGO)*, y en particular con la *Glossa Ordinaria in Canticum Canticorum:* que la glosa representa una interpretación alegórica sostenida; que esta interpretación era más fluida de lo que los lectores modernos pueden imaginar, y, finalmente, que los usuarios medievales de la *BGO* no la consideraban necesariamente como una plataforma intelectual o académica a la que recurrir para hacer algo más con todo eso (esto es lo que *obra de referencia* significa para mí, en cualquier caso: libros que son esenciales para el desarrollo de una disciplina particular en manos de los profesionales de esta disciplina o de otras disciplinas vecinas).

Estas tesis se basan tanto en evidencias como en la carencia de pruebas. La existencia de evidencias no causa ningún problema. Sin embargo, un argumento basado en la falta de pruebas es un *argumentum ex silentio,* y esto es quizás más problemático. Por supuesto, Dove está contrarrestando a otros estudiosos, diciéndoles no que no tienen la evidencia para apoyar su tesis, sino que no puede ver ninguna evidencia que apoye sus tesis —o, en otras palabras, que Aers y similares son los que crean y defienden alguna variedad de *argumentum ex silentio*—. La interacción es muy breve, pero no importa cuán breve sea, apunta a la oposición polar entre ambas tesis.

En el caso de la obra de referencia, hay pruebas de que la *BGO* se utilizó como herramienta, como obra de referencia. Los eruditos medievales se refieren a la glosa como un lugar de autoridad. En su *Quæstio de Magistro,* 9.ª parte de su *Qæstiones disputatae de veritate,* Tomás de Aquino comienza refiriéndose a la *BGO* a Mateo 23:8-10. Este es su punto de partida, su referencia. De la misma manera, los predicadores, incluyendo a Bernardo de Claraval, obtienen alimento para el pensamiento de la *BGO* —en particular en su *Sermones super Canticum Canticorum*—. Hay una enorme evidencia del uso del *BGO* como referencia. La ordinariez significa referencia. Es lo mismo. Algo que es tan natural que uno necesita usarlo como trampolín para pensar y escribir.

La cuestión de si el *Cantar de los Cantares* en particular es un poema erótico o no es discutible. Su superficie literal es obviamente la de un poema erótico. Uno tendría que estar ciego para no ver el erotismo, los besos, los abrazos, el pecho, la aproximación nupcial, la consumación tardía del amor, la anticipación, el deleite. Si esas no son características de un poema erótico, que alguien me explique lo que es un poema erótico.

La pregunta que me parece más adecuada en estas circunstancias es la siguiente: ¿cuándo empezó la lectura alegórica? ¿Antes o después de que el manuscrito con el poema se convirtiera en parte de la Biblia? En otras palabras, ¿es el *Cantar* un poema alegórico desde sus orígenes? ¿O es solo la interpretación la que establece el sistema alegórico de un poema que no puede ser leído literalmente en el interior del texto bíblico basado en la figura? Otra forma de decirlo es ¿hay una exégesis en curso, y esta exégesis puede ser llamada exégesis alegórica? ¿Es la GO una lectura alegórica sostenida del *Cantar de los Cantares?*

Para lectores judíos de la Edad Media, como Rashi o Abraham ben Ezra, el *Cantar* está plagado de alegorías, y es imposible leerlo sin ellas. Según ben Ezra, este lenguaje de apropiación del amor erótico en el medio bíblico y teológico es el lenguaje de los profetas[48]. Su comentario del *Cantar* es una forma de establecer un vínculo entre el poema y la voz profética. En eso se asemeja al orden figural, pero en lugar de proyectarse hacia una finalidad establecida en otro texto jurídico (por ejemplo, el Nuevo Testamento), se proyecta hacia un futuro sin tiempo, cuya finalidad está prometida, pero carece de actualización.

En su Biblia glosada para Luis de Guzmán, maestre de la Orden de Calatrava, el rabino Moshé Arragel indica que «este libro de los *Cánticos* es tanto de obscuro, que los glosadores se retraen muy fuerte mente de tocar este libro, tantas son las glosas que figuratiua mente se le cargan»[49]. Arragel menciona algunas de las interpretaciones figurales, sobre todo para rechazarlas —como, por ejemplo, la idea de que la amiga y el amante se corresponden, respectivamente, con la Virgen María y Jesucristo— y se centra sobre todo en una lectura aristotélica del poema. Esta lectura aristotélica está contrastada con una interpretación de las alegorías legales en el *Cantar,* como, por ejemplo, los

---

[48] Del Valle, «El comentario de Abraham ibn Ezra», véase pág. 334; Tarradach y Ferrer, «El comentario de Rashi al *Cantar de los Cantares*».

[49] Hay un facsímil de este manuscrito, que cuesta una fortuna. Puede consultarse en la Biblioteca Nacional de España, donde lleva las signaturas MSS/622 y MSS/623. Existe una transcripción de texto y glosas que llevó a cabo Antonio Paz y Meliá, y que es por la que cito. Quiero agradecer mucho su ayuda a Andrés Enrique Arias, que me ha facilitado el acceso a numerosos textos e imágenes de este manuscrito, ya que la copia digital de la Biblioteca Nacional es de bajísima calidad y apenas legible. La cita en: *Biblia. Antiguo Testamento,* pág. 495.

besos, que son «los mandamientos de Dios afirmativos e negativos, los quales reuelo nuestro Señor Dios a Israhel en el monte Synay»[50].

Aceptando que la Glosa Ordinaria al *Cantar de los Cantares* constituye una lectura alegórica sostenida del poema, todavía se podría hacer una pregunta importante. ¿Qué le hace la Glosa Ordinaria al *Cantar* como texto legal? ¿Hasta qué punto representa la Glosa un pensamiento legal del *Cantar de los Cantares*? La pregunta no está exenta de problemas, ya que el *Cantar de los Cantares* pertenece a una de las fuentes del derecho (la *Biblia),* pero no parece ser un texto prescriptivo en sí mismo, pues no contiene mandatos específicos, derechos u obligaciones. Tampoco pertenece al texto más claramente jurídico del Pentateuco, que se corresponde con la Torah. ¿Afectan los márgenes de la Ley (la GO) a este texto que parece marginal a la Ley?

El prólogo de la GO indica que mientras los textos anteriores *(Proverbios* y *Eclesiastés)* tratan de las disciplinas de la ética y la física, una afirmación en sí misma bien audaz, el *Cantar de los Cantares* trata de la disciplina *teórica* o contemplativa. Contemplación es una buena traducción de «teoría», porque ambas se relacionan con la cuestión de la visión, y la puesta en escena de esa visión. Esta escenificación de una visión, es una especie de combinación entre teoría y teatro, palabras que comparten la misma raíz léxica, θέα, visión. En otras palabras, es bueno mirar este texto no desde la perspectiva de las acciones (que es, sin embargo, aquello de lo que se ocupa el derecho), o desde la perspectiva de la filosofía natural, sino más bien desde la perspectiva de las teorías: imágenes generales de tipo universal que tienen el propósito de poblar la mente con un *theatrum,* una representación, para fomentar la meditación.

Una de las visiones es la de la reorganización de la comunidad. La interpretación alegórica de la Glosa Ordinaria convierte a la amiga en la comunidad de los fieles, aquellos que aman colectivamente al amado. Hay, sin embargo, una transformación figurada que tiene lugar bajo la interpretación alegórica, y que fomenta una interpretación histórica secundaria o momento exegético: mientras que en el *Cantar de los Cantares* la única comunidad posible es la sinagoga, en la interpretación del *Cantar* como artefacto contemporáneo la única comunidad posible es la iglesia. Pues en efecto la Ley no tiene un tiempo unido a su textualidad, la Ley es a-temporal, universal, siempre está sucediendo en este momento.

---

[50] *Biblia. Antiguo Testamento,* pág. 498.

En este caso el comentario no se centra en la Sinagoga como figura y su cumplimiento en la Iglesia. Tampoco procede a una interpretación alegórica de la novia. Todo eso está ahí para suscitar una interpretación tropológica a partir de las preguntas ¿qué tipo de comunidad es la *ecclesia*, la Iglesia universal? y ¿cuáles son sus condicionantes políticas y legales?

Surge aquí una segunda pregunta. El elemento constitutivo de esta comunidad es también el concepto en torno al que se genera el *Cantar de los Cantares:* el amor. El último mandato normativo de la Biblia cristiana no es otra cosa que el de amarse los unos a los otros. Pero ¿cuál es la naturaleza de este amor? ¿Cómo filosofar este amor? ¿Cómo incorporarlo en una reflexión de tipo legal y político? Para estas preguntas, el *Cantar de los Cantares* representa una excelente respuesta. El desafío reside en entender este tipo de amor como la fuerza política que consolida una alianza, en este caso, las alianzas de solidaridad dentro de la propia *ecclesia*.

Más allá de las técnicas y prácticas de la exégesis bíblica, me gustaría plantear esa pregunta acerca de lo que hace la exégesis. En otras palabras, ¿cuál es la capacidad de la exégesis de hacer cosas —su actuación, eso que en inglés se llama *performativity*—? Y, por lo tanto, ¿qué tipo de cosas se pueden hacer con la exégesis? Para mí, el resultado más importante de estos «actos de exégesis» es la creación de un «paisaje legal» (estoy utilizando aquí el concepto de Andreas Philippopoulos-Mihalopoulos), es decir, un entorno en el que todo cuanto existe se convierte en ley, donde no hay nada que quede fuera de la ley. Es dentro de este paisaje legal donde son posibles operaciones legales y políticas específicas.

Este pequeño análisis basado en la Glosa ordinaria al *Cantar de los Cantares* pone en escena el propio funcionamiento del orden disciplinario, los límites de la exégesis, la función de la figura y la manifestación ética de la misma, cuyas consecuencias son, en último extremo, legales y cercanas al universo jurídico.

APRENDICES DE JURISTA

Joanot Martorell escribió *Tirant lo Blanch* antes de que Shakespeare pusiera en escena a Dick the Butcher y Jack Cade: «First thing we do, let's kill all the lawyers»[51]. En su larga conversación con un

---

[51] Pasaje bien conocido de William Shakespeare, *Enrique VI*, parte II, acto 4, escena 2. Como respuesta a la propuesta de Dick, Jack responde entusiasta, y añade

ermitaño excaballero, Tirant explica las maravillosas fiestas en la corte de Inglaterra con motivo de las bodas del rey, posiblemente el mismo Enrique VI de Lancaster frente al que Dick y Jack se quieren rebelar. Allí, narra Tirant, surge un violento debate acerca del protocolo y la jerarquía que han de seguirse, y que enfrenta a los gremios de tejedores y de herreros, con motivo del desfile (o alarde) en honor del rey. El rey y el duque de Lancaster determinan que los verdaderos culpables de este enfrentamiento no son sino los juristas; el duque hace, pues, apresar a tres juristas de cada uno de los dos gremios y los hace colgar boca abajo en sendas horcas, quedándose luego allí observando hasta que «agueren tramés les miserables ànimes en infern». Sabido esto del rey, le dice al duque:

> Mon oncle, en lo món no·m podíeu fer major plaer e servir del que fet haveu, per quant aquests hòmens de leys fan richs a si mateyx e destroexen tota Anglaterra e tot lo poble. Per què yo man que stiguen açí en la manera que stan fins a demà, e aprés sien-ne fets quartés e posen-los per los camins[52].

> (Tío, no me podríais haber dado más placer ni haberme hecho mejor servicio que el que me habéis hecho, pues estos hombres de leyes se enriquecen a ellos mismos y destruyen a toda Inglaterra y a todo el pueblo. Así que mando que se queden así como están hasta mañana, y que después se los descuartice y se los eche en el camino.)

No es la única vez que el texto de Martorell muestra su cruel desprecio por los juristas. Ni es el único texto que podría traerse como mero ejemplo de un creciente antagonismo hacia una profe-

---

una nota que está en relación directa con un comentario de Inocencio IV a las *Decretales* de Gregorio IX. En este comentario, el papa Inocencio señala que nadie debería creer la «piel de un animal muerto» si no viene acompañada de algún tipo de autenticación de carácter notarial («... charta animalis mortui non creditur sine adminiculo alio» [Inocencio IV, *Super libros quinque Decretalium,* 2.22.15]). Gregorio López utiliza una fórmula semejante en su glosa a las *Partidas* 3.18, que atribuye a Inocencio IV, pero la verdad es que enteramente transformada. Quizá Gregorio López estaba usando algún índice o compilación donde ya se había reproducido de manera infiel el pensamiento del papa. Roger Chartier utilizó una intuición de Marta Madero para analizar este pasaje de Shakespeare (pero sin referirse a la fuente original del papa Inocencio): Chartier, «Jack Cade, the Skin of a Dead Lamb»; Madero, «Façons de croire».

[52] Al final del capítulo 41.

sión que, como ha mostrado Patrick Gilli, se convirtió en algo semejante a una clase social a través de la búsqueda y obtención de privilegios nobiliarios[53]. Esta profesión y clase social es, además, responsable de todo un sistema verbal, de un lenguaje que invade los modos de expresión tanto pública como privada, así como los modelos de debate en el interior de la sociedad[54].

Las microliteraturas, las glosas marginales, no son independientes del prestigio específico de la disciplina jurídica y de sus profesionales. El océano de glosas recogido por Francesco Accursio en torno a 1250 no hizo sino crecer con los llamados posglosadores y comentaristas de los siglos xiv y xv, que manuscritos y ediciones de los siglos xvi y xvii aumentan hasta el límite de lo posible, juntamente con índices y otros instrumentos de investigación. Más que ninguna otra cosa, es la industria del comentario marginal jurídico la que inunda el panorama cultural europeo de la tardía Edad Media. Su lenguaje, referencias bibliográficas, abreviaturas, formas argumentativas, y otras técnicas son parte consustancial de las glosas más allá de la profesión jurídica.

Los profesionales del derecho que comentan en los márgenes y que escriben comentarios exentos a partir de conceptos o problemas específicos no son meros portadores de un prestigio. Son, sobre todo, portadores de acción. El problema que presentan los abogados de los tejedores y los abogados de los herreros es que sus alegaciones cambian el orden de los acontecimientos, modifican las acciones que iban a tener lugar, generando lo más temido que puede generar el mundo judicial, la imposibilidad de continuar un proceso, el callejón sin salida. Su capacidad de influencia pública y privada es tan grande que pueden transformar las cosas, las instituciones y los actos, interpretando y alegando en favor de una determinada aplicación de la ley. Ese es el verdadero poder de las glosas: dotan a sus usuarios de un arma para modificar el orden de las cosas y los actos.

Una premisa de la que parto, tesis que he sostenido en otras publicaciones, es que el mundo de las glosas marginales sistemáticas de los siglos xiv y xv está en relación directa con la escritura de glosas jurídicas, con su orden disciplinario, y en particular con los aspectos del orden disciplinario que he analizado en este capítulo. Las personas que se entregan a las glosas marginales de manuscritos en

---

[53] Gilli, *La Noblesse du droit*.
[54] Rodríguez Velasco, «Political Idiots and Ignorant Clients».

las bibliotecas semiprivadas de los ambientes burgueses y nobiliarios en los siglos XIV y XV, y que ocupan la mayor parte de este libro, entroncan con la necesidad de sus autores de adquirir una autoridad basada en las formas en que se expresaba la profesión jurídica. Al igual que sucede con las instituciones jurídicas, con las legislaciones y con la jurisprudencia, la clave de bóveda de la producción de glosas se nutre de la casuística, de las acciones y de los precedentes *(exempla)*, es decir, los constituyentes principales de toda jurisprudencia. Pero, sobre todo, lo que podemos ver en esta búsqueda de una afinidad, en esta *afinidad deseada,* más que electiva, es la ocasión de transformar el contexto, de impulsar acciones y de modificar el orden de las cosas.

He dicho que es una afinidad deseada. Y en este sentido, esta afinidad no hace acepción de las distinciones que operan o pueden operar en el interior de la profesión jurídica. Desean *toda* la acción jurídica, sea de carácter espiritual y moral, o sea de carácter civil y político. Pues, en efecto, el mundo profesional del derecho no es homogéneo. El derecho medieval y moderno no se ocupa únicamente de la vida civil, sino también de la vida religiosa, en la que se combinan los saberes teológicos, el estudio de los textos sagrados y el derecho canónico. Este último, si bien es eclesiástico en primer término, ocupa partes importantes de la vida cotidiana de las personas, como, por ejemplo, el bautismo, el matrimonio, la sucesión, el proceso jurídico, o las formas jurídicas de la inquisición. Al ocuparse de esto, define también quién es un sujeto jurídico, un sujeto de derecho, y, así, construye subjetividades y su manera de actuar ante un cuerpo de conocimiento. El concepto mismo de derecho, o, por así decir, el pensamiento jurídico, permea todas las formas de existencia en el mundo; las formas de la afinidad entre las disciplinas no son meramente casuales, sino un dispositivo complejo de colaboración solidaria entre ellas para establecer las reglas de juego de las personas en el interior de las estructuras de poder a las que llamamos jurisdicciones.

Desear esta afinidad es aspirar a decir lo que es justo y decir la justicia. *Decir lo que es justo* desde cualquier punto de la página es una conquista del pensamiento crítico. *Decir la justicia* aun no siendo parte de la profesión o de las profesiones que regularmente han recibido la autoridad y la autorización para establecer los términos de la jurisdicción, eso es un acto de valentía, por sencillo o humilde que este acto de valentía pueda ser. No siempre es posible, ni adecuado, correr el riesgo de *mourir pour des idées.* El parresiasta de

Foucault en *Le Courage de la vérité* (un seminario que él mismo enseñó en sus últimas semanas de vida) no siempre está disponible[55]. Y, sin embargo, la actividad política, la crítica política, la puesta en cuestión de las cosas que no parecen justas, requiere de ciertos grados diversos de valentía. Esta es la valentía de glosadoras y glosadores. No siempre, a veces no de manera coherente, o a veces no de manera tal que la crítica alcance su punto más elevado. Pero sí de modo que la voz se escuche y, en el proceso de juridificación del mundo, haga sonar el derecho de ciertos ciudadanos y de ciertas ciudadanas a decir algo, lo que sea, aunque sea poco, en el interior de ciertas redes de circulación de poder.

La práctica de esta teoría se entiende mejor, creo, atendiendo a algunos de sus aspectos, en los cuales se plantean el orden de las disciplinas y el carácter ordinario que desean alcanzar algunas glosas, y, posteriormente, los pies forzados y la flexibilidad en el interior de las prácticas. En especial, por lo que respecta a este último aspecto, me he concentrado en el poder de la figura y de los artefactos éticos y jurídicos que pueden desencadenarse a partir de la idea de lo figural y la tipología. En otras palabras, esta práctica de la teoría es una investigación en cómo opera la normalidad del proceso microliterario: qué es lo que se pone en juego en este proceso, cuáles son las estrategias disciplinarias y retóricas que activan el comentario marginal. Y en cómo muchos de quienes se entregan al ejercicio microliterario son, a su modo, aprendices de juristas.

---

[55] Foucault, *Le Courage de la vérité*.

Capítulo II

La producción del margen

A principios de este siglo, algunos psicólogos y pedagogos pusieron en práctica un experimento fenomenológico, cognitivo y de aprendizaje[1]. Tras establecer grupos de estudiantes adecuados para la experiencia, y en representación de distintos niveles de éxito en el aula, les distribuyeron varias series de textos. Unos iban impresos en una caja simple, y otros acompañados de glosas de varios tipos y de diversa extensión. La experiencia debía elucidar si se aprende mejor con textos sin glosas o con textos glosados. Las respuestas concretas dependen de cada encuesta, pero las conclusiones generales pueden resumirse en los siguientes cuatro puntos:

1. Los estudiantes con mejor disposición para el estudio (en la franja de notable y sobresaliente) no parecen aprender más cosas estudiando textos glosados que estudiando textos no glosados.
2. Los estudiantes menos hábiles, menos dispuestos o con peores técnicas para el estudio (entre suspenso y aprobado), en cambio, se benefician claramente del estudio de textos glosados.

---

[1] Bell y LeBlanc, «The Language of Glosses»; Ko, «Glosses, comprehension, and strategy use»; Stewart y Cross, «A Field Test of Five Forms of Marginal Gloss».

3. Los textos no glosados tienen menor capacidad de quedar en la memoria de manera duradera que los textos glosados, y eso en todos los casos.
4. Las preferencias de los estudiantes de todo grado, edad y preparación son concluyentes, pues el 99 % de entre ellos prefería con mucho estudiar sobre textos glosados que sobre textos no glosados.

La investigación deja ver la relevancia que tiene la materialidad de la comunicación en los procesos cognitivos. La puesta en página, el aspecto físico de los instrumentos de estudio, la relación entre centro y margen, y su interacción con todo ello forman parte, en efecto, de las materialidades de la comunicación. Además, la experiencia indica caminos pedagógicos en los que la preparación de los documentos de estudio no solamente debe cubrir el contenido de lo que se desea estudiar (lo que la página dice), sino también la localización que los contenidos ocupan en el espacio de estudio que se despliega ante los ojos y que constituye un desafío a los movimientos del cuerpo de quien está estudiando, leyendo o escribiendo (lo que la página hace)[2].

A una conclusión semejante se debió de haber llegado en distintos momentos de la Edad Media y de la temprana Edad Moderna, y tuvo una clara influencia dentro del proceso de creación de manuscritos y libros impresos. La materialidad de la comunicación fue objeto de análisis y de investigación en relación con la práctica de la lectura y con el desarrollo de las formas bibliográficas en toda su extensión, y condicionó las relaciones entre los distintos espacios

---

[2] Una conocida queja de un copista del siglo VIII llamado Martín nos ofrece una idea acerca de dichos desafíos: «O beatissime lector, lava manus tuas et sic librum adprehende, leniter folia turna, longe a littera digito pone. Quia qui nescit scribere putat hoc esse nullum laborem. O quam gravis est scriptura. Oculos gravat, renes frangit simul et omnia membra contristat. Tria digita scribunt; totus corpus laborat. Quia sicut nauta desiderat venire ad proprium portum, ita et scriptor ad ultimum versum. Orate pro Martino, indignum sacerdotem vel scriptorem sed habentem deum protectorem. Amen. Aymohenus inlustrissimus comes fieri iussit» (¡Oh, excelentísimo lector! Lávate las manos y toma en ellas el libro; pasa suavemente sus páginas y pon tus dedos lejos de las letras. Pues quien no escribe considera que hacerlo no lleva trabajo. ¡Qué duro es escribir! Los ojos pesan, los riñones duelen y el resto de los miembros se entristece. Tres dedos escriben, todo el cuerpo trabaja. Pues así como el marinero desea llegar a puerto doméstico, así el copista quiere llegar al último verso. Orad por Martín, sacerdote indigno, y también copista, aunque tiene a Dios como protector. Amén. Esto mandó hacer el ilustrísimo conde Aymon). *Leges Burgundionum*, S. 589.

textuales en que se podían organizar los contenidos[3]. Ciertas industrias, como la de la producción de textos de derecho civil en las *stationes* o talleres del siglo XII en adelante, dependen del modo en que ciertos profesores universitarios, como Francesco Accursio, que además era propietario de un taller de libros en Bolonia, se apropian de los márgenes de los libros en los que aparece su glosa ordinaria. Lo mismo sucede con muchos textos sagrados: los márgenes internos de la Torah o del Talmud son el espacio propio del comentario literal de rabino de la Champaña francesa Shlomo ben Itzak (Rashi), cuyo nombre se usó para denominar el tipo de letra y la tipografía en que fueron escritos e impresos sus comentarios[4].

La intuición cognitiva de la importancia del margen en el proceso de estudio de textos, demostrada empíricamente ahora por los psicólogos y pedagogos citados, explica claramente las razones por las cuales el margen de los libros es un espacio codiciado. Ocupar ese espacio, sentar los reales en el mismo, no es suficiente. Es preciso, también, producirlo, darle una nueva vida como artefacto epistemológico, hacer que en efecto tome carta de naturaleza. Hace falta convertir el margen en una institución.

Ahora bien, no basta con que la institución tenga una presencia industrial, como sucede con la glosa ordinaria de los textos sagrados o con la glosa ordinaria de los cuerpos jurídicos. Esta institución es un objeto de deseo por parte de individuos que, aun si practican alguna de las disciplinas que disfrutan de las producciones industriales de la glosa, sin embargo ven la oportunidad de construir esta intervención marginal en el exterior de aquella disciplina y frecuentemente en lengua vernácula.

Conviene estudiar algunos de estos problemas cognitivos y políticos a partir de la producción del espacio para la articulación de

---

[3] Mary Carruthers *(The Book of Memory; The Craft of Thought;* y Carruthers y Ziolkowski)* ha demostrado ampliamente la relación existente entre la fabricación de los objetos bibliográficos o materiales y su uso como «máquinas de pensar» (la expresión es del muy llorado Michael Camille). Las tesis de D. F. McKenzie permiten incorporar esta problemática dentro de los principios de análisis de una sociología de los textos. Paul K. Saenger *(Space between Words;* «Lire aux derniers siècles»)* ha tratado el problema desde las técnicas y procedimientos de lectura.

[4] Yardeni, *The Book of Hebrew Script.* Rashi no es, por supuesto, responsable del nombre que recibe su letra, sino que se corresponde con una denominación del siglo XV respecto de una letra sefardí en la que se imprime una Biblia y un Talmud con el comentario del champañés. Véase la reseña de Heller a la primera edición de Yardeni (2002).

glosas textuales en manuscritos medievales. Con producción de espacio me refiero, pues, a movimientos individuales en los cuales el proceso de escritura y estudio se manifiesta en una búsqueda multidimensional para organizar la localización y uso de los productos culturales en la superficie de la página. Aquellos individuos que aspiran a constituirse en una referencia pública e intelectual en el interior de las redes en que trabajan, lo hacen a través del uso intensivo de un espacio en blanco y sin roturar, el margen. Les compete a estas personas indexarlo en tanto que lugar desde el que entrar en diálogo con el sistema de autoridades y con el sistema doctrinal que permitió la construcción y ordenación del libro como tal.

Ingeniería cultural

Crear un manuscrito glosado es una obra de ingeniería. Hay que equilibrar las formas a fin de crear un producto autosuficiente para el lector, al tiempo que presenta toda la diversidad de significados que se quieren transmitir y configurar todas las anclas mnemónicas necesarias para el estudio. Hugo de San Víctor, intelectual, escritor y maestro del siglo XII (murió a los cuarenta y cinco años, en febrero de 1141), dedicó una gran parte de su obra a reflexionar en torno a las formas de comentario y a los soportes librarios, así como a su organización interna; lo que más le preocupa a Hugo es precisamente la situación del vulnerable joven que se ve obligado a leer con frecuencia en varios libros distintos («si sepius codicem inter legendum mutaverit»), lo que puede ocasionar problemas para que lo que lee quede impreso en su memoria («quod legitur memoriae imprimere possit»):

> Cuando leemos los libros, estudiemos la manera de imprimir en la memoria no solo el número y el orden de los versículos y de las sentencias, sino también los colores de los mismos, así como su forma, la localización y la posición de las letras, si tal o cual cosa la vimos escrita aquí o allá, en qué parte, en qué lugar de la página percibimos su colocación (superior, medio o inferior), hemos de tener presente de qué color era el trazo de la letra o el ornamento en la faz del pergamino[5].

---

[5] «cum libros legimus, non solum numerum et ordinem versuum vel sententiarum, sed etiam ipsum colorem et formam simul et situm positionemque litterarum per imaginationem memoriae imprimere studeamus, ubi illud et ubi illud scriptum vidimus, qua parte, quo loco (supremo, medio, vel imo) constitutum as-

La creación del manuscrito ha de tener en cuenta, pues, las marcas jerárquicas que permiten dirigir los grados de atención y aprendizaje a los distintos puntos de la superficie escrita. Crear el manuscrito es apropiarse de todo el espacio del escrito, al tiempo que se despliega una estrategia para la división funcional de los elementos que conforman la página considerada como un artefacto cartográfico. Se hace, así, necesaria la separación y especialización de cada uno de los puntos cardinales del pliego manuscrito; las técnicas de marcado de este mapa (colores, signos, tamaños de letra) indican utilizaciones diferentes del material cuidadosamente distribuido sobre la página.

El dominio sobre el territorio de la página no es solamente una preocupación teórica o de orden moral. El que fue condestable de Castilla entre 1400 y 1423, Ruy López Dávalos, tuvo un interés muy especial en la lectura del *De consolatione philosophiae* de Boecio. Entre las versiones disponibles, y según manifiesta él mismo, el condestable se hizo con un ejemplar que contiene las glosas de Nicolás Trevet (o Trivet), pero la experiencia le resultó especialmente frustrante[6]. López Dávalos percibe con claridad que se trata de un texto mixto de Boecio y el maestro Nicolás, y esto le hace incapaz de concentrarse o entender en todo momento la función de cada uno de los contenidos que se han ido juntando hasta componer el texto que está leyendo. La razón de esta incapacidad es que la voz del poeta y político romano, la del dominico inglés del siglo XIV y las inevitables voces de anónimos copistas que ordenan el texto, ocupan sin distinción el centro de la página. En efecto, las glosas no están separadas del texto de Boecio, sino interpoladas con él, como largos paréntesis o acotaciones que interrumpen la lectura central de manera obligatoria (en lugar de dar la opción de acudir voluntariamente al margen):

> E como quier que yo he leydo este libro Romançado por el ffamoso maestro nicolas no es de mi entendido ansi como querria. E creo que sea esto por falta de mi ingenio, y avn pienso fazerme algun estoruo estar mesclado el texto con glosas, lo qual

---

peximus, quo colore tractum litterae vel faciem membranae ornatem intuiti sumus» (Hugo de San Víctor, *De tribus maximis,* pág. 490).

[6] Para las versiones castellanas de la *Consolatio* de Boecio, es fundamental el trabajo exhaustivo de Doñas Beleña, «Versiones hispánicas de la *Consolatio Philosophiae* de Boecio»; Doñas Beleña produjo también tres entregas de su *«Bibliographia Boethiana»*.

me trae vna grand escuridat. E avria en especial gracia me fuesse por vos declarado en tal manera que mejor lo podiesse entender, guardando las palabras con que el actor se rrazona, señalando en la margen lo que vuestro ingenio podiere para que yo syn conpañero el texto pueda entender[7].

El condestable expresa muy bien el objetivo por el que se rige la ingeniería cultural y pedagógica del libro: ha de poderse entender *sin compañero*. La producción de los espacios de la página debería ser autosuficiente, o, al menos, deberían ser *compañeros* o incluso *maestros* suficientes. Es el supuesto del *guía* de Maimónides, que es un maestro remoto, por escrito y asíncrono, para acompañar al estudioso que no puede estar en presencia del maestro (en efecto, Joseph ben Judah está en Aleppo, mientras que su maestro, Maimónides, escribe desde Fustat, en Egipto, a cerca de 1500 km de distancia). Como en el clásico manual de Bobby Fischer sobre ajedrez, estos libros deberían poder constituir un programa tal que bastara la interacción semiautomatizada entre el libro, por un lado, y el estudiante que piensa con él, por el otro[8].

El interlocutor de López Dávalos recibe de esa manera el encargo, y para poder dar cuenta de él, incorpora al prólogo tanto la carta del condestable como su propia respuesta en forma de prólogo. Este prólogo es una suerte de manual de uso del libro:

E donde se tocare fiction o ystoria que no sea muy vsada, Reduzirse ha breuemente, no para vuestra enseñança, ca aviendo vos grande notiçia de muchas lecturas mejor podes dezirlo que Inclinarvos a lo oyr. Mas seruira a vuestra memoria que Instruyda

---

[7] MS 10220, fol. 1v. El 11 de mayo de 2010 estuve consultando otra copia manuscrita de esta obra, conservada en la Hispanic Society of America, manuscrito HC 371/173, que también transmite la carta del condestable. En la tarde de aquel mismo día, Gemma Avenoza (admirada filóloga que falleció el 22 de enero de 2021) y Lourdes Soriano vinieron a cenar a nuestra casa de Nueva York; Gemma me indicó (según mis anotaciones en mi diario), que «el pautado [de este manuscrito] ha sido hecho con lápiz de plomo desde el recto del folio. Los copistas sefardíes solían colgar las letras de las líneas del pautado (en lugar de apoyarlas sobre ellas), y en este manuscrito están, en efecto, colgadas de esa manera. Eso no hace necesariamente que el copista sea judío sefardí, pero es más que posible».

[8] «In preparing this book, I did not want to write just an ordinary Chess book —so I used a new method called *programmed instruction*. Instead of merely presenting information that you hace to try to understand, this book, called a *program*, actively teaches the material it contains», Fischer, *Bobby Fischer Teaches Chess*, pág. 16.

de cosas diuersas, seyendo de algo oluidada menbrarse ha mas de ligero. ¶E fallando alguna Razon que paresca dubdosa en sentençia, sera le puesta adiçion de las que el nonbrado maestro en su lectura ha declarado solo tocante [4r] a la letra. ¶E por que los titulos son claridad a la via del proçeder & no se entreponga al texto cosa agena, en comienço de cada libro se porna una Relaçion o argumento que señale algo de lo contenido en sus versos & prosas[9].

La preparación del texto obliga a la incorporación de adiciones y, sobre todo, a la eliminación de «toda cosa agena» del interior del texto, situándolo en zonas o mediante técnicas que permitan a los órganos de percepción distinguir entre aquello que es texto y aquello que es extraño al texto, ya que forma parte de los distintos niveles de adición. La glosa y los títulos tienen una capacidad de atracción formal que permite liberar el texto central, pero que también tiene la virtud de aislar cuanto pueda decirse en las demás formas textuales, manteniendo la «claridad en la vía del proceder» y evitando todo aquello que «se entreponga al texto».

El manuscrito es diáfano en la separación de sus elementos textuales y la relación que se establece entre ellos. Hay que considerar, además, las líneas imaginarias que vinculan el texto en el centro con el del margen a través de la señalización del espacio indicado por las llamadas a glosa. En este manuscrito en particular, las palabras que se glosan están subrayadas en tinta roja; las glosas mismas reproducen el texto glosado y subrayado en el centro, el cual copian en tinta más oscura y gruesa (como en negrilla), subrayado en rojo y precedido por un calderón rojo. La construcción del libro no envía al lector a un lugar diferente, sino que este queda invitado a concentrar toda su atención en la experiencia interior de la página escrita y cómo se relacionan entre ellas las formas creadas en su propia superficie. La superficie del libro es un *sistema* creado para promover el almacenaje cognitivo de los textos, contextos y grupos de ideas que aparecen relacionados en su propia faz, con especial atención a aquellas palabras que, marcadas mediante tintas o signos abstractos, son ahora parte de un diccionario de conceptos, nociones, o simplemente temas de conversación. Entender estos *glosarios,* estos léxicos, estos mapas conceptuales, es fundamental para entender un proyecto cultural específico.

---

[9] MS 10220, 3v-4r.

El interlocutor anónimo de Ruy López Dávalos forma parte de un círculo de intelectuales que tal vez acepta como explicación suficiente de la *sentencia* o significado último de un texto la exégesis literal. En efecto, este interlocutor manifiesta la oportunidad de añadir, donde haya algún problema de compresión de este significado último, las glosas que Trevet ha «declarado» o explicado «solo tocante a la letra». No es una posición cómoda en un entorno de trabajo en el que precisamente el por entonces canciller de Castilla, Pablo de Santa María, está componiendo sus adiciones críticas a las glosas literales o históricas de Nicolás de Lira a la Biblia. Las adiciones de Pablo de Santa María contienen de hecho una crítica del propio sistema de comentario literal que, como ha mostrado Yoshi Yisraeli, tiene como modelo de referencia el sistema de comentario conocido como *peshaṭ,* frecuentado por el influyente rabino de la Champaña, Rashi[10]. Por otro lado, la operación de este interlocutor incluye también la referencia abreviada de las historias o ficciones raras o poco «usadas», no tanto para que el condestable *sepa* cuanto para que *recuerde.* Finalmente, propone la incorporación de sumarios, resúmenes o argumentos que sirvan de títulos para dar claridad estructural al todo. De lo que se trata es de construir una página en la que cada sección pueda ser distinguida de manera sinóptica, y que la atención pueda dirigirse a cada una de manera especializada, para, en todo momento, *saber quién habla.*

Escribas y copistas se esforzaron por construir páginas manuscritas en las que signos abstractos y concretos, más o menos sistemáticos, organizaban el tráfico de la página, al tiempo que permitían un examen preciso de los contenidos y funciones de la misma. Las glosas de muchos manuscritos establecen sus relaciones mediante sistemas de llamadas que implican varios movimientos oculares en busca de la línea que une el concepto del centro con el concepto del margen. La única ayuda para esta localización es la marca gráfica de estos conceptos, frecuentemente un subrayado, a veces en la misma tinta que el texto, a veces en tinta roja, así como signos relativamente convencionales, como el asterisco, el obelisco o el *trigon;* no es infrecuente que otros signos sean endémicos del propio manuscrito, un idioma de un determinado copista en un momento dado. También la dirección de la escritura de las glosas en la página contribuye a la orientación; aunque la tipología es variada, es frecuente que las

---

[10] Yisraeli, «A Christianized Sephardic Critique».

glosas empiecen en el margen superior exterior. La percepción establece rápidamente la jerarquía de estos elementos subrayados, los cuales se convierten en un mapa conceptual del texto, los fundamentos para la lectura y el estudio, las bases interpretativas a las que se subordina el resto del texto no marcado.

La ordenación del material y la relación entre centro y margen juegan un papel fundamental para la formación de un mapa conceptual. Hay una relación simbiótica entre ambos aspectos. El orden es contenido, y no algo independiente de este. Las decisiones formales del libro no son mero entramado o marco que, como en las discusiones de la *tabula picta,* permitirían separar artificialmente la materialidad de la cosa del contenido en ideas de la misma[11]. Las personas que se acercan a leer el libro que aspiran a poseerlo intelectual y materialmente, que aspiran a usarlo en sus proyectos políticos e intelectuales futuros, buscan nitidez en la creación del espacio de lectura, del mismo modo que buscan la precisión en el vocabulario, una adaptación al uso vernáculo de lo que la retórica clásica llamaba *sermo purus,* es decir, una forma de codificación de la lengua que se sitúa en un ámbito en el que el uso de la lengua y el ejercicio del poder coinciden plenamente. Un lector de la traducción del *Imago Mundi* de Pierre d'Ailly lo expresa de esta manera:

> Vuestra merced me escreuió este otro día entre otras cosas que el libro de Mapa mundi o Ymagen del mundo se dize, el qual me enbiaua vuestra merçed, quanto en mi posibilidat fuese declarase por vocablos claros del nuestro ydioma e vulgar castellano e que fuesse del más pulido e elegante stillo que ser pudiesse segun el moderno vso de agora, e lo acotase non por la parte de dentro segun fue acotado el otro tractado que enbié al señor obispo de Çigüença este otro día, mas en el margen porque non le paresçió a vuestra merced conuiniente que los fundamentos en este libro fuesen con la letra inclusos porque la interposición dellos a los omnes non mucho letrados es cabsa que se les oluida lo que primero han leydo e non acaban tan bien lo que han de leer, segund dize Séneca en la epistola que enbió a Luçillo, ca avnque este libro ya sea romançado antes de agora, pero el maestro que lo romançó commo era de Galizia natural non supo bien declarar los vocablos del nuestro puro pulido e castellano vulgar[12].

---

[11] La cuestión jurídica de la *tabula picta* queda discutida en *Partidas* 3.27, entre las leyes dedicadas a la propiedad y la posesión de la cosa.

[12] MS Res. 35, fol. 1ra.

Comentar en el interior de un texto, dice el traductor, no es una práctica inusual. Es, sin embargo, una práctica tediosa. El traductor ha hecho antes este tipo de comentarios internos, esas acotaciones o pequeñas explicaciones que parecen estar relacionadas con el tipo de glosa interlineal, en la que las palabras complicadas reciben un equivalente inmediato o una breve definición. Esto no es suficiente para el individuo que pide un nuevo comentario de la *Imago Mundi*. Esta persona necesita poder distinguir fácilmente el texto de la explicación.

El glosador nos ofrece una pista sobre la intervención exegética y el papel que esta ocupa dentro del programa cognitivo del manuscrito que tiene entre manos. Si «la letra» es el texto mismo del *Imago*, las glosas o acotaciones son «los fundamentos en este libro». Las glosas constituyen las bases léxicas e interpretativas del texto central. Sin ellas, el edificio del centro se derrumbaría como una construcción a la que le faltan los cimientos. Este manuscrito en particular es una copia defectuosa de una versión más larga, y hay que suponer que le faltan muchas glosas. El manuscrito II/215 de la Real Biblioteca, en España, contiene también algunos fragmentos de esta obra entre los fols. 1r y 12v, pero no son más adecuados para ayudarnos a comprender el alcance real de las glosas marginales. Algunas de las glosas sirven para comparar el texto castellano con el original en latín, mientras que otras, acumuladas sobre todo al final del manuscrito de la Biblioteca Nacional de España, contienen algunas explicaciones en las que el glosador añade datos sobre España que Pierre D'Ailly no incluyó. No conozco otros manuscritos, y Philobiblon solo registra estos dos. Las marcas para conectar el texto central con las glosas son en su mayoría de la categoría del obelisco; tanto las glosas como las marcas que conectan a estas con el centro han sido añadidas después de que el texto hubiera sido compuesto, y tal vez esto es lo que el interlocutor quiso decir al exponer que «su merced» había enviado el libro al glosador: aquí está el texto, adelante, añade algunas glosas en los márgenes, no dentro de las líneas, porque no se pueden entender. Se trata de una estrategia de estudio en la que el texto no ha sido preparado para ser glosado, sino que, como en una industria ideada por Flann O'Brien, el dueño del texto lo envía a una persona en cuyos conocimientos y en cuyo estilo en el «pulido castellano» confía[13].

---

[13] Flann O'Brien imaginó, paródicamente, una industria dedicada a toquetear y comentar los libros de personas que tenían enormes bibliotecas, siendo, como eran, sin embargo, fundamentalmente iletrados. O'Brien, «Buchhandlung».

El patrón o simplemente cliente de esta traducción introduce el siguiente comentario sociolingüístico y retórico: quienquiera que haya sido que ha traducido antes este libro, el *Imago Mundi,* carecía del dominio preciso del vulgar castellano. Para este cliente, el castellano vulgar se caracteriza por ser de un estilo puro y pulido. Con estos dos adjetivos, el cliente se refiere a la prescripción retórica de un discurso sin barbarismos, es decir, capaz de mantener una registro castellano sin la introducción de palabras de otras lenguas *(sermo purus),* y cuya forma ha sido trabajada hasta tener la precisión deseada (supongo que adapta aquí la acción de pulido del discurso de que habla Horacio en la *Epistula ad Pisones,* y que es más o menos frecuente en la poesía provenzal (como Arnaut Daniel[14]) o incluso en Fernando de Rojas, que utiliza el occitanismo «dolar» («mis mal doladas razones») precisamente para señalar el cambio de registro con respecto al *antiguo autor,* al tiempo que lo indica con una marca gráfica, un signo no verbal («Y porque conozcáis dónde comiençan mis mal doladas razones y acaban las del antiguo actor, en la margen hallaréys una cruz; y es en fin de la primera cena. Vale»). La pureza y el pulido del estilo se oponen aquí a la imposibilidad de captar la riqueza conceptual del castellano (en este caso) por un traductor gallego.

ESTRATEGIAS DEL ORDEN

La capacidad de separación de espacios para la lectura forma parte de planes bien diseñados, como el que se presenta en uno de los manuscritos del *Epitoma rei militaris* de Vegecio en la versión castellana de fray Alonso de San Cristóbal titulada *Libro de Vegecio de la caballería y del arte de las batallas.* Este es autor tanto de la traducción como del comentario:

> (...) ayudandome el señor dios pense de partir esta obra en tres partes. La primera parte fablara & dira lo que dixo Vegeçio en sus

---

[14] «Ab gai so cuindet e leri / fas motz e capus e doli, / que seran verai e sert, / quan n'aurai passat la lima...», Arnaut Daniel, *Poesías,* pág. 142. Hay muchas variantes de este poema, que se transmitió abundantemente. Riquer elige «Ab gai so», aunque muchos manuscritos leen alguna variante de «En cest sonet cond e leri»; las variantes no afectan a los dos versos siguientes, donde se usa el verbo «doli» y el sustantivo «lima», que son los que se refieren al ejercicio de pulir el poema.

libros, romançandolos lo mas claramente que yo podiere. La segunda parte sera bien como glosa puesta en la margen del libro, que es de dichos de los sabidores que concuerdan con lo que dize Vegeçio & declaran sus dichos en algunos logares. E la terçera parte sera puesta ayuso, que fablara spiritualmente trayendo los dichos de Vegeçio a las vezes a las virtudes & a los pecados & a las costumbres desta vida en que bevimos[15].

La reordenación del material ofrece un significado nuevo al libro de Vegecio: el texto central se ofrece como apoyatura para otra cosa, que es la que está al margen. Igual que la *Consolatio Philosophiae* de Boecio, el *Epitoma* de Vegecio es uno de los tratados latinos más leídos, traducidos y extractados de la Edad Media. La oportunidad de una nueva traducción tiene que ver con la necesidad de adaptar el lenguaje al «moderno uso de agora», como indicaba el traductor del *Imago mundi,* así como con la posibilidad de construir, a partir de un texto conocido, un bloque de conocimiento que renueve conceptualmente las actividades para las que tradicionalmente se había usado el texto vegeciano, es decir, los entrenamientos y estrategias militares.

Alonso de San Cristóbal, maestro de Teología y miembro de la Orden de Predicadores, opera desde el interior de una disciplina que explora constantemente los regímenes de afinidad con otras disciplinas o campos de saber. Piénsese en el trabajo intelectual del también dominico Tomás de Aquino en la *Summa Theologiae,* en cuyo interior se articulan los procesos de apropiación de otras ciencias, desde la lógica hasta la ética, como parte de la disciplina teológica. La afinidad entre el campo de saber caballeresco, al que pertenece el estudio medieval del tratado de Vegecio, y el derecho eclesiástico, la religión y la teología no son novedades a fines del siglo xiv y principios del siglo xv. Coronaciones reales, investiduras caballerescas o géneros narrativos en verso y en prosa son manifestaciones de una teología política que afecta especialmente a la caballería como artefacto para la transformación de la sociedad y de sus estructuras de poder (por ejemplo, la nobleza)[16].

Alonso de San Cristóbal participa de esta exploración teológico-política, consciente de la centralidad que ocupa la caballería en la

---

[15] M-94, fol. 1v.
[16] He dedicado a esto algunos trabajos, de los que menciono aquí dos, *Plebeyos márgenes* y *Order and Chivalry.*

creación de modelos de conducta, códigos, moralidades, creencias y planteamientos de teoría política concebidos como ingeniería social. En el universo político y social que él ocupa, destaca la figura de Bartolo de Sassoferrato, quien declara que la caballería es el instrumento que, dominado por los príncipes, permite crear una persona noble a partir de una persona plebeya. Ese es el poder creativo de la caballería entre los siglos XIV y XV. Ese es el poder al que se enfrenta un texto de teologización del conocimiento caballeresco como es la lectura de Alfonso de San Cristóbal.

La separación de los bloques de conocimiento que propone el teólogo establece una jerarquía cognitiva que puede ser considerada inversa al modo en que lo expresa Alonso de San Cristóbal. El centro textual está constituido por la columna que contiene la traducción del texto de Vegecio, llevada a cabo por el teólogo dominico. Pero quizá esta traducción cede en importancia doctrinal a los dos grupos de elementos marginales que comparten el espacio de la página. Alonso de san Cristóbal empieza a describir su plan por la glosa que se sitúa más claramente en el margen lateral, y que contiene *alegaciones* y *concordancias;* estas funcionan de acuerdo con los sistemas de glosa y *ordenación* de la sacra página y de los textos legales. A Alonso de San Cristóbal le interesa que todo ello esté culminado por lo que queda «ayuso», situado, pues, inmediatamente después, o debajo de la primera glosa. Es difícil saber si quiere decir que la glosa espiritual va simplemente a continuación de las concordancias y alegaciones, o si es que pretende situarla claramente en el margen inferior de la página, como lastre doctrinal del texto, como conclusión formal de la lectura de Vegecio y de las autoridades concordantes. Los «fundamentos» (como dice el cliente de la traducción del *Imago Mundi),* las reglas hermenéuticas del texto y de todas las concordancias y alegaciones, se sitúan en esa zona en que se «fabla spiritualmente». No se pierdan aquí el *mea culpa* en nota al pie[17].

---

[17] *Mea culpa.* En 1993 cuando estaba redactando mi tesis doctoral, pude ver muy rápidamente el manuscrito M-94 de la Biblioteca Menéndez Pelayo de Santander, que contiene el *Vegecio* de Alonso de San Cristóbal. En mi apresurada visión del manuscrito, *me pareció* que el mismo tenía la forma diseñada por Alonso de San Cristóbal, pensando que esta era una columna de traducción y otra columna con dos tipos de glosas. Después no volví a ver el manuscrito hasta ahora, y me fie erróneamente de mi percepción. Por suerte, José Manuel Fradejas Rueda, en su reciente edición, nota y corrige mi error: Alonso de San Cristóbal, *La versión castellana medieval,* págs. 76-77. Perpetué mi error en algunas publicaciones y ahora me alegra poder dar cuenta de él.

Al igual que en los manuscritos de Boecio, en este manuscrito del Vegecio de Alonso de San Cristóbal es la jerarquía léxica y el modo en que se relaciona con el resto de la página lo que permite el establecimiento de un mapa conceptual y de un diccionario que, marcado para su percepción y almacenaje, permite la interpretación de los textos que no han sido marcados gráficamente de ninguna otra manera[18].

La articulación de estos espacios de percepción, de sus jerarquías y de sus relaciones o líneas imaginarias de unión, responde a una necesidad de control del espacio de la página, al que quizá se opusieron frontalmente sus copistas o tal vez los mismos clientes que encargaron las copias. Autores y traductores, así como patrones, proyectan movimientos para la dirección del orden de lectura que afectan tanto a la presencia del texto como a los modos de construcción de significados y reglas para la recepción de textos antiguos en otra lengua para el presente en el vulgar castellano. Tal vez donde más se percibe esta necesidad de apropiación del espacio de la página y de sus reglas de juego es en las iniciativas de autoglosa, es decir, en aquellas obras en las que los autores no solo crean el texto tutor, sino que también ocupan el resto de los espacios vacíos de la página mediante la inserción de glosas a su propio texto central. Más adelante tendremos ocasión de estudiar más despacio algunos ejercicios autoglosadores.

EL PRÍNCIPE Y EL RÉTOR

Voy a tomar prestado por un momento y de manera estrictamente analógica el concepto de satélite usado en semántica cognitiva. El cognitivismo semántico indica que el centro gravitatorio de la palabra (por ejemplo, la raíz léxica) es el que contiene el sentido conocido; el satélite, en cambio, que gravita en torno a ese sentido co-

---

[18] La traducción de Alonso de San Cristóbal se conserva en siete copias, en algunos casos con las glosas. Ningún manuscrito muestra el orden diseñado por su autor. Aparte del manuscrito M-94 de la Biblioteca Menéndez Pelayo, el códice de la Biblioteca Real de Madrid, II/569 copia las glosas, pero no mantiene la disposición ideada por Alonso de San Cristóbal; los códices MS Fonds Espagnol 211 y MS Fonds Espagnol 295, por su parte, copian únicamente el texto de Vegecio en la traducción de San Cristóbal, pero omiten totalmente las glosas. Para un estudio más detallado de todos los manuscritos, véase Alonso de San Cristóbal, *La versión castellana medieval*, págs. 35-61.

nocido, produce una fuerza de atracción que cambia su significado, forzando la interpretación semasiológica y onomasiológica. Para poder forzar esta interpretación, el satélite se convierte en centro de focalización del significado[19]. En otras palabras (quizá más sencillas) si bien el centro de la página contiene un significado basado en aquellos aspectos que confieren autoridad a un cuerpo de conocimiento y las redes intelectuales que lo sostienen a lo largo de la historia, las glosas ejercen una atracción especial, un foco de atención inesperado que transforma ese cuerpo de conocimiento.

Podría argumentarse que esta relación de satélite por parte de la glosa es parte del orden de una disciplina, es decir, la necesidad de construir una ciencia a partir de un corpus dado. La atracción no es la mera asignación de un significado diferente a algo conocido, sino más bien la oportunidad de proyectar hacia el futuro un conocimiento cuyo valor político debe ser sometido a crítica en el presente. Aquí, la actualización se mezcla con la actuación. Es un acto de glosa (como si dijéramos, un acto de habla con el que se *hacen* cosas), una manera de construir la contemporaneidad.

Algunas de las personas que se dedicaron a la escritura de glosas o acerca de las glosas en este período estaban también en proceso de descubrir la práctica de la alfabetización y sus efectos en su entorno. Me refiero a una alfabetización literaria. Y la estaban descubriendo no solo en sus propias personas, a través de las cosas que esta alfabetización les permitía hacer, sino también en aquellos para quienes trabajaban de manera frecuente u ocasional. El descubrimiento del poder de la alfabetización podía llegar a ser esencial para la construcción de su imagen pública y de su subjetividad e identidad política, es decir, para eso que Stephen Greenblatt llamó *self-fashioning*[20]. Algunas de estas personas tenían la intención

---

[19] Talmy, *Toward a Cognitive Semantics,* págs. 220-222. Podría haber usado otras analogías semejantes como la de tema/rema, o la muy hermosa de Roland Barthes en su estudio sobre la fotografía, acerca de la articulación del *studium* y el *punctum* en la construcción de la imagen. La analogía del satélite tiene la virtud de evocar una imagen mental en la que una cosa gravita en torno a la otra, como hacen las glosas en torno al texto central.

[20] Greenblatt, *Renaissance Self-Fashioning.* Esta forma de construirse a uno mismo, o a una misma, sigue modelos específicos para su imitación. Pero creo que más importante que los modelos y la imitación es la conciencia de cambio del individuo, y por tanto la construcción de una subjetividad que es al mismo tiempo respuesta y resistencia a los modos de vigilancia cultural y política en ciertos momentos y redes de poder.

de convertirse en intelectuales, es decir, en individuos cuyas expresiones discursivas podían tener un impacto en su mundo contemporáneo, como en la pacificación de los conflictos civiles, en la construcción de nuevas formas de asociación cívica para las ciudades cada vez más poderosas y, sobre todo, en la introducción de nuevos conceptos políticos que podían ser útiles para transformar las circunstancias sociales en las que vivían[21]. Convertirse en intelectuales pasaba, para ellos, por apropiarse de los márgenes, de los satélites, de los espacios de focalización necesarios para construir una ciencia nueva.

Estos glosadores, que se inspiraron en las glosas jurídicas o en las glosas bíblicas, así como en moralizaciones y comentarios tempranos de literatura en lengua vulgar, no se limitaron a injertar la lengua vernácula en una genealogía establecida de glosas académicas, y menos aún en las industrias bibliográficas de las *glosas ordinarias* en general. A través de su trabajo redefinieron el acto mismo de glosar, convirtiéndolo así en un desafío contemporáneo. ¿Cómo podemos entender los esfuerzos intelectuales que subyacen a las diferentes definiciones sobre el significado de la glosa que propusieron? Para estas personas, la glosa ni completa ni complementa (o suplementa) el texto central, sino que constituye algo diferente y diferenciado del texto central. Esta diferencia es lo que precisa de mayor exploración, porque la producción del margen es, en último caso, la producción de este tipo de diferencia.

El obispo de Burgos, Alfonso de Cartagena, miembro de una dinastía de intelectuales bien conscientes del poder público del trabajo intelectual, ofreció una definición de la glosa o del acto de glosar que explica —creo— la carga de subjetividad e identidad política que subyace a este ejercicio marginal y a su expansión hacia nuevos territorios de la práctica de la autoridad. En uno de sus textos acerca de teoría y prácticas de la traducción, que forma parte de sus intercambios acerca de la traducción de textos griegos al latín, y en particular relacionado con la amistosa polémica que mantuvo con Leonardo Bruni acerca de la traducción de la *Ética* de Aristóteles al latín, dice: «En efecto, así como a un príncipe conviene un discurso y a un orador otro, y es adecuado hablar de una manera a un juez y de otra a un abogado, del mismo modo no debe ser igual el estilo *[locutio]* de los textos y el de las glosas: el texto nos enseña

---

[21] Cfr. Rodríguez Velasco, «Diego de Valera, artista microliterario».

con concisión, mientras que las glosas suelen explicar lo que quiere decir el texto»[22].

El concepto central de este argumento es la relación especial entre las formas de poder central y el tipo de discurso que se emite *(locutio)*, en tanto que forma, a su vez, de circulación del poder. ¿Cuál es la autoridad de este discurso? ¿Qué tipo de cosas se pueden hacer con este discurso? El juez o el príncipe emiten discursos y estos, que son actos, hacen ciertas cosas desde el espacio soberano que rey o príncipe ocupan; el abogado o el rétor dicen y hacen otras. Cosa semejante sucede con el texto, que habla como el príncipe o el juez desde el centro, mientras que el discurso de la glosa, en el margen, tiene la capacidad persuasiva, diferencial que correspondería al abogado o al orador. La autoridad de la decisión recae todavía en el texto central, en el *príncipe* o en el *juez,* pero la responsabilidad de la actualización y actuación de las acciones políticas recae sobre la glosa, es decir, sobre la personalidad que, utilizando el margen, se ocupa de persuadir retóricamente o de abogar por otra cosa. Las glosas suponen, desde esta perspectiva, la posibilidad de un cambio con respecto a la autoridad tradicional de un centro textual. Abrir el significado, como señala el texto de Cartagena refiriéndose a la glosa, no significa meramente dar vida a la letra del derecho, sino explorar las posibilidades espirituales de esta letra para vivificar el texto central.

Así, puede decirse que las glosas constituyen espacios deliberativos y argumentativos que gravitan en torno a narraciones y discursos magistrales. Mientras que los discursos magistrales están apartados por el espacio y por el tiempo, son incambiables, las glosas traen a tierra estas narrativas y epistemologías, aproximándolas al pensamiento contemporáneo y, por tanto, haciéndolas más susceptibles a la transformación. A través de las glosas marginales se expresa también la invariabilidad del texto central: el mejor modo de hacer cosas con ese texto invariable es someterlo a esfuerzos teóricos y literarios que lo liberen de sus cadenas contextuales. El glosador, la glosadora, quienquiera que sea, en tanto que responsable del discurso retórico o de la abogacía, tiene una responsabilidad específica: construir for-

---

[22] «Nam sicut alia principem, alia oratorem decet oratio et aliter iudicem, aliter aduocatum congruit loqui, sic textuum ac glossarum non debet similis esse locutio: nam breuiter textus nos docet, glossule uero quid textus senserit aperire solent» (González Rolán, Hernández Moreno y Saquero Suárez-Somonte, *Humanismo y teoría de la traducción,* pág. 208).

mas de la persuasión que, fundamentadas en la jurisprudencia y la jurisdicción del texto tutor, permitan abrir sin embargo la puerta al significado, establecer canales con los que algo del pasado puede ser utilizado como si fuera presente.

El manuscrito como espacio de la vida civil

El libro manuscrito es uno de los espacios de la vida civil. No pocos manuscritos están hechos para ocupar un espacio concreto, y muchos son lo suficientemente voluminosos como para que el ritual de lectura esté definidamente adscrito al espacio en que reside el libro. Algunos libros manuscritos son el fruto de un encargo que solo tiene sentido en el interior de un espacio determinado, como la cámara regia, que es también el más hierático; muchos de estos manuscritos fueron creados para una comunidad de lectores o una comunidad interpretativa. Cierto que la comunidad de lectores en un espacio dado no equivale a comunidad interpretativa, y es precisamente en ese desplazamiento en el que el margen del libro se revela especialmente importante.

Sea el MS 10289 de la Biblioteca Nacional de España, titulado en Philobiblon *El More en castellano traducido por el maestro Pedro de Toledo*. Este manuscrito contiene la traducción de la *Guía de Perplejos* de Maimónides hecha por Pedro de Toledo. Es un folio hecho para el señor de Zafra, Gómez Suárez de Figueroa, fechado a 25 de septiembre de 1419. Esta fecha se corresponde con la primera parte del libro; la segunda carece de fecha, pero es posterior. El título que le da Pedro de Toledo contiene el doblete o título glosado que usan muchos traductores: *Mostrador o Enseñador de los Turbados*. Tanto el folio 1 que contiene el prólogo de Pedro de Toledo como el folio 2, que contiene el prólogo de Maimónides, están ornados con pan de oro y dos pigmentos, azul y rojo, describiendo motivos ornamentales y vegetales en el margen.

Dos manos diferentes hacen anotaciones entre las líneas y en los márgenes. Una de las manos corresponde al propio Pedro de Toledo o a sus instrucciones al amanuense. A través de esas notas percibimos una extraordinaria ansiedad en el proceso de traducción. A Pedro de Toledo no le basta con las disculpas que escribe en el prólogo, ni le parece satisfactorio el común expediente de traducir un concepto usando dos y hasta tres sustantivos para intentar cubrir

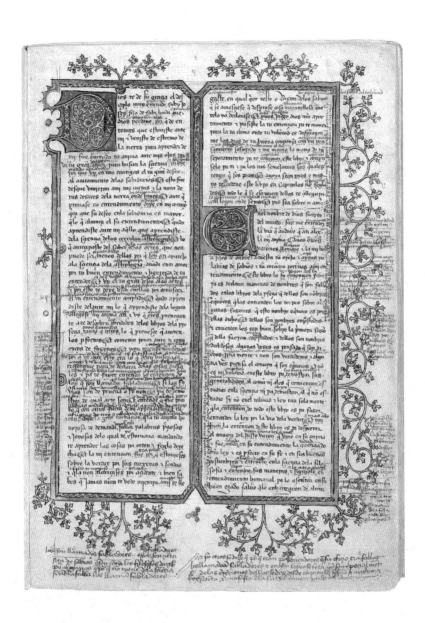

5 y 6 (véase pág. sig.). Un lector francamente enfadado.
Biblioteca nacional de España MSS 10289.

de plata · pon tu coraçon en me oyr · glosa desta
razon · q̃ dize q̃las redes son q̃las mançanas
enpedradas por buen logares sonles formadas
muchos menudos seguir q̃ es la obra delos orebzes
q̃ son llamadas redes por q̃ el ojo cata por ellas i
su color de atras es i en todas el sabio dize
q̃ como la semejança delas mançanas de oro en so-
baduras de plata q̃las sus aberturas son muy delgadas · asy es la cosa q̃ es dicha en dos maneras
q̃ agora mira i entiende en la fierte noble q̃ es
del enxenplo i mira la dentro · q̃ el dize q̃ toda
razon q̃ tenga los manejar · pero deuen q̃ toda
cosa descubierta i cosa encubierta · conviene que
sea lo de fuera fermoso como plata i lo de dentro
mejor q̃lo de fuera · tanto q̃ q̃ndo lo conparemos
lo de dentro alo de fuera sea po pryso seguir el
oro dela plata q̃est es menester q̃ sea lo de fuera fermoso por q̃ demuestre al q̃ auel catare ·
lo de dentro es como mançana de ojo abierta
en todo q̃ viene abiermejas de plata delgadas
mucho i q̃ndo se mirpan de luenie q̃ ssa no vari
en buen pureske sola mente mançana de plata i
q̃ndo bien catare fe · q̃ mucho aguisase jus ·
los adam sele ha lo lo esta dentro i saliera q̃
es oposida · asi son los conceptos delos pmero
el sus fuera sabiduria muy aprovechada en
muchas cosas asi como de repesentamyento i con
plimento delas conpañias delos oros seguir
q̃ es declarado enlo llano delos prouerbios de
salamo enlo de fuera i su semejançe · i lo de
dentro es sapiençias en conosçamiento dela ver
dat · i su fermosura q̃ sabe q̃los conçeptos de
la pfena toma amos conmo · el uno es po
vida de enxenplos i ada un vonblo q̃ es an
ese enxenplo demaestra sobre alguna cosa i
lo segundo q̃ sea todo el enxenplo demostrante
sobre toda la cosa enl enxenplada i derennan en
ese enxenplo muchos vonblos i ninguno dello
añade enla cosa enxenplada alguna cosa i dema
sada · saluo q̃ viene su fermosigan · el enxo
plo i reglas su dragon i ya profunda en enco
brir la cosa enxenplada por q̃ sea su dragon seg
da con fog el seguir q̃ perneçe alo llano de ese
enxenplo i pon tu coraçon bien aesta cosa
Aqui el enxenplo dela pmera espeçia delos

todo el espacio conceptual del original[23]. En ciertos momentos se da cuenta de que lo que está traduciendo, si bien puede ser puesto en castellano, no parece, en cambio, que pueda ser comprendido, no hay modo de someterlo a otra racionalidad diferente de la que implica la racionalidad de la cultura-lengua original. En momentos en los que Maimónides recurre a las técnicas exegéticas rabínicas, Pedro de Toledo traduce, pero se queja: «Esto non ha rrazón que se pueda Romançar»[24].

Algunas de sus observaciones son más bien interpretativas. Su propia traducción *de verbo ad verbum* a veces le produce dudas hermenéuticas. La anotación marginal, entonces, ensaya una explicación que no pudo dar manteniendo el principio de fidelidad al texto. Según Pedro de Toledo, el texto de Maimónides (dicho y glosado) se leería así en castellano:

¶Dixo el Sabio mançanas de oro en Redes | de plata por tu coraçon para me oyr. glosa desta Razon. que dixo que las rredes son que las mançanas enrredadas por que han logares sotiles foracados mucho menudos segunt que es la obra de los orebzes & son llamadas rredes por que el ojo cata por ellas & su caldeo de catar es & en Redo. ¶Et el sabio dize que como la semejança de las mançana de oro en Redadura de plata que las sus aberturas son muy delgadas, asy es la cosa que es dicha en dos maneras[25].

Pedro de Toledo acude al margen para intentar desenredar la intrincada frase: «nota que quiere dezir dos entençiones, una mejor

---

[23] La actitud traductora de Pedro de Toledo *de verbo ad verbum* es hasta cierto punto incomprensible desde un punto de vista teórico, si tenemos en cuenta el contenido de la carta de Maimónides a su traductor hebreo, Samuel ben Jehudah ibn Tibbon —a la cual se refiere el segundo glosador en cierto momento—. En esta carta, Maimónides aboga por una traducción radicalmente orientada *ad sententiam,* aunque ello pueda significar la transformación sintáctica, los cambios de orden del material, la eliminación total de partes del original o la utilización de dobletes u otros artificios de la traducción, con tal de que el producto resultante tenga personalidad propia. De la carta hay una traducción completa hecha por Herman Adler (Löwy, *Miscellany of Hebrew Literature,* págs. 219-228). Leo ahora el espléndido artículo de Fernández López, «An Intertextual Argument». Fernández López ofrece también una precisa puesta al día de la bibliografía y la filología al respecto de la traducción de Pedro de Toledo. Fernández López también ha terminado recientemente una edición del texto: Fernández López (ed.), *Mostrador e enseñador de los turbados.* Pueden verse otras referencias bibliográficas y ediciones en mi artículo «La producción del margen».

[24] MS 10289, fol. 32va.

[25] MS 10289, fol. 4rb.

de entre otra buena». Esta explicación, sin embargo, deja el problema casi sin resolver. Como ha mostrado Stern, la interpretación misma no es incorrecta, ya que implica que tanto el exterior de la manzana, una redecilla de orfebrería, como el interior, la manzana misma, precisan de la misma atención hermenéutica[26]. Pero el segundo glosador, que tiene derecho de acceder a la página y expresarse sobre ella, no parece igual de satisfecho.

Este segundo glosador hace un sinnúmero de correcciones interlineales a la traducción de Pedro de Toledo. Por ejemplo, en el texto recién transcrito, donde Pedro de Toledo había puesto «dos», el segundo glosador escribe «sus». El segundo glosador no solo se rebela frente a la traducción, sino contra todas las posibles personalidades del traductor Pedro de Toledo, cuyo trabajo le parece de todo punto intolerable. A la altura misma en que Pedro de Toledo ha incorporado el notable sobre las dos «entençiones», el otro introduce un comentario para criticar tanto la traducción como la anotación al margen: «non ha de dezir aqui dos saluo sus maneras que ansi lo dize el texto mas adelante en las palabras del actor onde dize que todo dezir segun dos maneras etc. Ally convenia este notable»[27].

Nada de lo que hace el traductor puede satisfacer a este segundo lector y quizá estudioso, conocedor tanto de la versión original en judeo-árabe como de la traducción hebrea de Samuel ben Judah ibn Tibbon (y posiblemente también de la de Judah al-Harizi). Su crítica particular en torno a la colocación de los notables es una crítica a la incapacidad del traductor de organizar bien el espacio interpretativo, a su incapacidad por comprender el proceso de lectura y apoyo marginal que necesita el estudioso a la hora de enfrentarse con un texto filosófico como el de Maimónides.

En ciertos momentos los notables de Pedro de Toledo merecen más bien el ridículo por parte del segundo glosador, quien, dibujando una caja de dos celdas, deja en una de ellas el notable del traductor y en la otra su exclamación:

nota que quier dezir tanbil en abrayco.	non se que quiere dezir en esto que dize del ebrayco tanbil[28].

---

[26] Stern, «The Maimonidean Parable».
[27] MS 10289, fol. 4rb.
[28] MS 10289, fol. 5r.

La página se convierte en un campo de batalla. Al menos hasta el folio 20v, en que desaparece para siempre jamás la voz polémica de este lector, estudiante, estudioso y anotador: o no ha querido o no ha podido seguir adelante. O quizá el trabajo que se había propuesto y que le ha llevado hasta ahí ha sido tan intenso que ha decidido no continuar para poder dedicarse a otra cosa. No sabemos si se trata de alguien del *studium* o de la *schola* (es decir, la corte) de Gómez Suárez de Figueroa, pero es en todo caso un buen conocedor del hebreo y del árabe, quizá un intelectual judío a quien se le ha encargado revisar el texto de Pedro de Toledo, y que se ha convertido (acaso sin llegar a conocerlo) en un rival de este.

En cualquier caso, sus glosas son más bien no-glosas, y eso por tratarse de glosas en el sentido más genuino del término (pues se ocupan de cosas raras). Esta aparente paradoja permite hacer una precisión conceptual importante. Son no-glosas porque renuncian a establecer los criterios de explicación del texto en tanto que centro de gravitación del contenido. Rechazan de plano que pueda darse autoridad a ese texto central, porque carece de significado. Pero son glosas propiamente. Son glosas por el modo en que se distribuyen en la superficie de la página y practican el espacio del texto, recorriéndolo en todos los sentidos desde el interlineado hacia los márgenes, en un movimiento de llamada y desarrollo, de corrección y comentario. Son glosas por como vienen a establecer las lindes y el marcado del territorio, el sistema de señalización del texto al que se enfrenta, mediante llamadas consistentes en puntos, rayas, celdas, formas, al cabo, de recomponer la dirección y el orden de la lectura, la comprensión del texto, tanto en su centro como en los márgenes. El glosador lee y, al leer, llama a reorganizar el espacio de la lectura. Como el texto central le resulta inservible al glosador, este necesita explotar al máximo el resto del espacio del manuscrito.

La señalización del texto es crucial en el proceso de apropiación del espacio de la página y la capacidad para redirigir la atención a los distintos lugares en que se desarrolla el debate. El obelisco le sirve para llamar a una corrección situada, por lo general, junto a la columna, escrita en perpendicular al texto. Otro obelisco coronado con un círculo, sirve para llamar al margen, donde se reproduce la llamada con el mismo signo, ahora invertido. El corchete (tal vez un calderón) señala el final del fragmento sobre el que quiere comentar, que viene señalado en su inicio por medio corchete (otro calderón). Además señala todas y cada una de las palabras que forman parte del fragmento que comenta, poniendo sobre cada palabra un *trigon* (∴).

La referencia en el margen se señala con un subrayado, según el sistema habitual en las referencias marginales de los manuscritos glosados. Inserción y supresión se señalan también de modo convencional, con una flecha como signo de inserción o con el punteado bajo la palabra que se quiere suprimir.

La intervención de este estudioso no puede ser calificada de experiencia lectora. Es ante todo una tesis sobre la producción y la emisión del texto, y sobre la responsabilidad del traductor en tanto que filólogo y en tanto que filósofo. Esta intervención cuestiona los principios básicos del ejercicio de traducción y su interpretación: cuestiona, pues, el principio de que la intraducibilidad del concepto pueda solventarse mediante una explicación; cuestiona la práctica de solucionar problemas de una traducción con el apoyo de otra traducción diferente; cuestiona, por fin, que los errores de interpretación en el ejercicio de traducción tengan motivos ecdóticos, pues estos pueden ser controlados por la cultura lingüística, literaria y filosófica de quien lleva a cabo la traducción. En suma, claro, produce una pragmática de la lectura destinada a arruinar la autoridad del traductor y a no dejar duda sobre las precauciones que el lector debe adoptar a la hora de enfrentarse a este libro. Este segundo glosador transforma el libro, lo convierte, con su acto de glosa (o de no-glosa) en un objeto diferente.

Cualquiera que se enfrente a este códice se dará cuenta de que tiene el aspecto de un dédalo. Por esta razón el marcado espacial es un instrumento esencial, pues es también un instrumento para la cognición, un vehículo que ayuda a restablecer la jerarquía de la cantidad y diversidad de piezas de que está formada la página. La señalización es el hilo de Ariadna, o tal vez las migas de pan, tan frágiles, de Pulgarcito.

El glosador trata a Pedro de Toledo con desdén y con ironía. A menudo simplemente añade notas como «no sé qué quiere decir con esto», minimiza sus notables y le echa en cara sus errores. En otras ocasiones es mucho más largo en sus consideraciones, como si estuviera participando en una conversación que tiene lugar en el espacio cívico del papel. En el prólogo, Pedro de Toledo, al hablar de la traducción, dice:

> ... yo fare lo que deuo & seguire la Regla & costunbre delos trasladadores letrados que amj son antiçipados ¶Et por quanto los traslados son diuersos & de diuersos letrados buenos & comunales & ningunos:. ¶ Et los escriuanos otro sy todos por ser non

letrados erraron yerros manifiestos yo lo que fare sy errare non sea en culpa & delo que bien dixiere a dios las graçias sean dadas[29].

Esta excusa sirve al glosador para poner una llamada (un *trigon)* tras la palabra «ningunos» y emprende su comentario para comentar ahí subiendo por el lado derecho de la columna y escribiendo en perpendicular al texto: «non se que quiere dezir aqui ningunos si sera error de scriuano». La ironía se torna en comentario irritado contra la actitud de Pedro de Toledo, y el glosador sigue escribiendo, esta vez entre las líneas del propio prólogo del traductor:

> non son todos los escriuanos non letrados nin todos erraron, nin mucho menos los trasladadores, como dize segunt parecera luego adelante, que el autor mismo vio la trasladacion de abin tabbon e la ouo por buena, aun que este trasladador diga que todos erraron como lo dize luego de aqui adelante que amos trasladadores e rrazono mal sy penso descargar de si e cargar sobrellos.

Quizá el propio lector es a su vez copista y traductor, pues parece que su sensibilidad ha sido herida. El asunto le parece tan importante para poder comprender la actividad traductora y el texto de Pedro de Toledo, que no se conforma con dejarlo en el interlineado, sino que llama al lector a que vaya a ver «en el margin de yuso lo que dize» para volver sobre el mismo asunto:

> quanto mas que amos trasladadores erraron. salua su graçia que el mismo conponedor Raby moysen vio la trasladaçion de abin tabbon & la auctorizo. verdad es que la del harizi es errada & la suya mas. Luego fiiar en dios buena cosa es mas non se quito por todo esto non es su trasladaçion errada & non de poco mas como dixo el sabio salemon por muchedunbre de palabras non se quita el yerro[30].

Y luego baja al margen inferior para continuar su argumento:

> por ventura sera la tal trasladacion como esta que quando el trasladador non entyende la yntençion del componedor puesto que entyenda las sygnificaçiones de los vocablos no pudo ser seguro

---

[29] MS 10289, fol. 1ra.
[30] MS 10289, fol. 1r, margen superior exterior.

de yerro & non satisfaze aun que tome la mejor trasladaçion como dize que la ha tomado se non entiende[31].

Al contrario de lo que sucede con la mayor parte de los glosadores, este no quiere concordar, no quiere alegar, no quiere notar, no quiere establecer doctrina, no quiere elaborar una exégesis, no quiere interpretar, ni, probablemente quiere (y esto sería insólito en un glosador, que tiene siempre la ambición de ser el responsable de una glosa ordinaria) que sus glosas sean en el futuro copiadas con cada nueva copia del texto. Lo que quiere es que el texto de esta traducción desaparezca. Al postular la desaparición del texto central en su forma actual, el proceso de estudio se convierte en un movimiento crítico por el dominio del territorio de la página y la orientación en torno al mismo.

Un margen para la glosa

¿Qué es, entones, la producción del margen? Ante todo, se trata de un trabajo llevado a cabo en el ámbito vernáculo para cambiar la dinámica que asigna valor intelectual a los comentarios marginales y al propio objeto libro que forman parte de la economía académica en lenguas no vulgares. La glosa no es solamente un texto paralelo, o un simple contenido anejo. Podría decirse que esa es la menor de sus características. La glosa tiene un efecto mucho más profundo sobre la percepción, y esa intuición existía claramente en los textos teóricos, en los tratados sobre la lectura y en los discursos sobre la memoria[32]. Más que nada, la intuición existía en las manifestaciones individuales de los autores y en sus actitudes e iniciativas.

Frecuentemente, los casos aquí estudiados se han visto solo desde la perspectiva del contenido y su relación con la glosa literal, lo que ha conducido a interpretaciones relacionadas con movimientos tradicionales e industriales, con movimientos para la creación del *autor,* o como forma de creación de elementos ornamentales para la exhibición más o menos acrítica de conocimientos humanísticos de moda.

---

[31] MS 10289, fol. 1r, margen inferior.
[32] Saenger, *Space between Words;* Saenger, «Lire aux derniers siècles»; Illich, *In the Vineyard of Text;* Carruthers, *The Book of Memory;* Carruthers, *The Craft of Thought;* Carruthers y Ziolkowski, *The Medieval Craft of Memory.*

El primero de los argumentos que he presentado es precisamente el de la ordenación del margen, el de la necesidad de deslindar qué es lo que debe ir y cómo debe ir en el margen, y cuáles son los efectos que tiene sobre el lector. El segundo argumento versa sobre la necesidad de ciertos autores de apropiarse de todo el espacio de la página con objeto de modificar determinadas tendencias culturales y, sin duda, con objeto de vigilar su propio texto protegiéndolo de toda interferencia hermenéutica, al tiempo que imponen sus propias reglas interpretativas. El tercer argumento está en relación con la necesidad de producción de espacio marginal —y su señalización o *bornage*— como procedimiento para la creación de un movimiento de estudio basado en redes y en polémicas.

He restringido mis observaciones a cuestiones de carácter formal, y al modo en que estos elementos formales permiten la orientación por entre la jerarquía de textos que pueblan el libro manuscrito en lengua vernácula producido durante el siglo XV. Con ello he pretendido exponer el modo en que la producción de presencia es un elemento crucial para todo proceso de construcción de significado. La creación del espacio y sus consecuencias cognitivas constituyen el centro de gravitación para la elaboración no ya de la interpretación concreta, sino de las reglas perceptivas que hacen posible la misma. El análisis de la producción del espacio textual tiene una clara relevancia para la comprensión del modo en que se forma, transforma y experimenta con la creatividad codicológica, cuestión central de la historia del libro y de la lectura.

CAPÍTULO III

Glosas centrípetas

Hasta aquí he querido mostrar que el orden creativo e histórico de una disciplina está marcado por los modos en que opera el comentario. No un comentario cualquiera, sino en especial el que manifiesta su deseo de compartir la superficie de la página con el texto que comenta, adaptándose a los espacios libres, viviendo entre sus escasas fronteras, a veces creando a la fuerza un margen en el que poderse expresar. Este deseo de convivencia material, de compartir el mismo hogar o la misma propiedad inmobiliaria que otro texto frecuentemente muy anterior en el tiempo, está rodeado de grandes muestras de violencia. Esta violencia pone al descubierto el funcionamiento de la disciplina, su paradigma epistemológico.

La página multifocal, estrábica y polifónica es un desafío al pensamiento y a los sentidos. En eso consiste el valor de su fabricación, de su ficción constitutiva. De su industria. Industria tiene aquí el doble sentido de algo cuyo artificio es inmensamente productivo y algo cuya capacidad productiva pertenece a un modelo de desarrollo económico, social y laboral. Ni una ni otra forma de esta industria escapan a posiciones políticas o jurídicas. No son neutras. Propenden a imaginar, aunque sea de manera fragmentada, cómo puede funcionar una sociedad (o una comunidad, si es que esta existe), cuáles son sus valores políticos o morales, cuáles aquellas de sus acciones que deben ser consideradas legales y cuáles no.

La glosa ordinaria, su carácter usual, su inevitable presencia junto a un texto dado, su carácter intemporal, permanente, abunda en el universo microliterario independientemente de si este es religioso o jurídico. Independientemente de si este se refiere a formas de la vida espiritual o a formas de la vida y la experiencia civiles. Algunas glosas son promovidas por la historia al rango de glosa ordinaria. Otras se presentan en público identificadas como tales. Otras desearían alcanzar esa categoría y distinción, y algunas, pudiendo no exhibir el título, parecen conseguirlo. En las páginas que siguen se trata de una de estas ultimas.

LA SOMBRA DE UNA INDUSTRIA

En connivencia con la industria que lo sostiene, impulsa y alimenta, el glosador tiende a veces una trampa. Con la sagacidad propia de un cazador, traza notas en los márgenes de un texto. Como hiciera Robert Walser, el glosador usa una letra pequeña, a veces microscópica y difícil, pero al cabo reconocible[1]. Otros, como santo Tomás, escriben en una *littera illegibilis*. Tomás escribe y corrige hasta alcanzar una lógica que funcione como un mecanismo de relojería. Como sus obras no deben resultar manifiestas al público mientras no hayan sido sancionadas por el propio autor, la letra es un escudo defensivo hasta tanto el texto no haya tomado la forma final[2]. San Bernardo de Claraval sabía las complicaciones a que podía conducir que sus obras fueran lanzadas al mundo antes de tiempo; son testigo de ello sus numerosas quejas y *retractationes*[3]. Tomás y Bernardo constituyen en ellos mismos sendas industrias. Son como

---

[1] Susan Bernofsky explica en su introducción a los *Microscripts* de Walser el uso de esta letra manuscrita germánica tradicional. El código es reconocible, o, como dice Bernofsky, no es secreto, pero sí mágico. En la historia editorial de Walser, algunos de sus microescritos fueron de hecho publicados en vida, otros en cambio solo han salido a la luz ahora.

[2] Véase Carruthers, *The Book of Memory*, págs. 4-5; Dondaine, *Sécretaires de Saint Thomas*, págs. 10-25.

[3] Véase, como ejemplo, la *retractatio* que incluye el propio Bernardo en una de las redacciones de su *Liber de gradibus humilitatis et superbiæ* (Bernardo de Claraval, *Liber de...*) en el que da cuenta de cómo en el tiempo empleado en hacer una comprobación escrituraria, su libro ya se ha dado al taller y copiado en numerosas ocasiones: «Sed quia talem errorem meum multo post, quam a me idem libellus editus et a pluribus iam transcriptus fuit, deprehendi, cum non potui per tot iam libellos sparsum persequi mendacium, necessarium credidi confugee ad confessionis remedium» (Bernardo de Claraval, *Liber de gradibus humilitatis et superbiæ*, pág. 170).

talleres, *mentes*, «funciones autor», cuyo peso cultural puede proyectarse a la vida pública de la cristiandad[4]. O incluso al enfrentamiento bélico ultramarino, pues no hay invasión y conquista en América sin Tomás, y Bernardo es un responsable central en la creación de eso que Marisa Galvez ha llamado el idioma de la cruzada[5].

Los márgenes más practicados por los glosadores son los del *Corpus Iuris Civilis*, el cuerpo jurídico de Justiniano, o los del derecho canónico (digamos las *Decretales* o *Liber Extra* de Gregorio IX, editadas y glosadas por Raimundo de Peñafort). Estos glosadores también consideraron como modelo las glosas y comentarios a la Biblia, que varios estudiosos a lo largo de la Edad Media habían antologado, compilado y ordenado hasta constituir, en los siglos XII y XIII, la glosa ordinaria de la Biblia. En otras palabras, se trata de modelos de escritura marginal que están en relación directa con el derecho, sea civil, canónico o divino. Las glosas de estos márgenes se coagulan, quedándose a vivir con el texto a lo largo de los siglos. Del texto central, al que a veces voy llamando texto tutor, toman el flujo de la vida, pero las glosas quieren llegar a ser tan imprescindibles como él[6]. Algunos de esos comentarios marginales hechos por los glosadores se llegan a considerar consustanciales al propio texto tutor hasta convertirse en *glosa ordinaria*. Las compiladas por Juan el Teutónico para la Biblia o por Francesco Accursio para el *Corpus Iuris Civilis* son las más notables entre las glosas ordinarias. Estas aspiran a ser la ciencia oficial en torno a la doctrina.

La glosa puede haber partido de la voluntad de una persona por explicarse a sí misma, o a sus alumnos, textos difíciles de entender, tanto oralmente como por escrito. O para hacer aclaraciones lexicográficas, o acaso para señalar alegaciones (casos paralelos) y concordancias (pasajes paralelos) con los que poder navegar por un códice formal, contextual y doctrinalmente. Pero algunas glosas llegan a convertirse en parte de una industria bibliográfica lucrativa. El promotor de la *Glossa Ordinaria* del *Corpus Iuris Civilis*, Francesco Ac-

---

[4] Boureau, «Peut-on parler d'auteurs scholastiques?»; Foucault, «Qu'est-ce qu'un auteur?».

[5] Francisco de Vitoria es quizá el caso más a mano para mostrar hasta qué punto Tomás de Aquino y otros escolásticos aristotélicos son fundamentales en las operaciones de conquista y expansión españolas en las Américas. Véanse, por ejemplo, sus *relectiones*: Vitoria, *Relecciones jurídicas y teológicas*. Para el idioma de la cruzada, Galvez, *The Subject of Crusade*.

[6] El concepto o noción de *texto tutor* lo retomo de Compagnon, *La Seconde main*.

cursio, no solo organiza el acto de comentario como un movimiento intelectual, sino, sobre todo, como una actividad empresarial e industrial. Accursio abre su propia *statio* en Bolonia, un taller en el cual a los copistas se les distribuyen, por un lado, cuadernillos de amplios márgenes con el centro ocupado por el *Corpus Iuris Civilis;* por otro, se les dota de cuadernillos con las glosas que distintos comentaristas habían ido produciendo a lo largo de los dos últimos siglos, desde Azo de Bolonia (en realidad hay glosas que le preceden) quizá el más notable de los glosadores, cada glosa identificada con las iniciales del maestro responsable de la misma. La *statio* trabaja con pecias (esos cuadernillos hechos para ser reproducidos independientemente y luego compilados en un volumen) para que los copistas empleados en el taller puedan producir copias completas de texto y glosa[7]. Los sistemas de referencias y abreviaturas de carácter profesional producirían mareos al mismísimo don Ximio, alcalde de Bugía[8].

La glosa es parte del universo del conocimiento, de la pedagogía y de las industrias asociadas a ambos. En estas industrias es difícil separar lo intelectual de lo económico. Quizá sea no ya difícil, sino inútil. La pedagogía es una empresa, de acuerdo con la cual una serie de personas se dotan de una magia social que las autoriza a comprender, explicar y transmitir lo que contienen ciertos textos hieráticos a los que nuestras culturas han ido confiriendo, a través de la industria misma, diversas formas de autoridad. Cuando quienes formamos parte de esta industria alargamos la mano para alcanzar algo que cae fuera del canon de cosas ya establecidas, es para agrandar el canon, para incluir nuevas voces en la discusión que mantiene vivas empresa e industria. Esta magia social, según el concepto articulado por Pierre Bourdieu, forma parte de la constitución de una clase sociológicamente crucial a la que él da el nombre (cierto que para el alambicado sistema educativo francés) de nobleza de Estado. Bourdieu hace un análisis sociológico de la relación entre las *Grandes Écoles* y el desarrollo del Estado francés, en particular durante la V.ª República; en este sistema, las élites que constituyen la cúpula

---

[7] Soetermeer, *Utrumque ius in peciis;* Murano, *Copisti a Bologna (1265-1270).*
[8] Conte, «L'istituzione del testo giuridico». Sobre el problema concreto de la pecia y su funcionamiento en la industria jurídica del renacimiento romanista, véase también el trabajo de Dolezalek, «La *pecia* e la preparazione dei libri giuridici». Y para quien se vea con energía para enfrentarse a don Ximio, *Libro de Buen Amor,* estrofas 321-371.

política y económica del Estado son las mismas que se formaron en un tipo específico de grandes escuelas de enseñanza superior[9]. Extendiéndolo, el problema puede situarse en el esquema de una genealogía de los estamentos intelectuales y su papel central en la creación de los modelos políticos y de Estado a partir, sobre todo, del siglo XIV.

He dicho que se trataba de textos hieráticos. El hieratismo es causa y consecuencia de la glosa. La glosa admite la autoridad que surge del texto que comenta, al tiempo que le otorga una nueva autoridad procedente del presente que pretende transformar el futuro de este texto y su posible aplicación. Sin la glosa (un comentario sostenido que mantiene los principios vitales del texto tutor) no podría existir esta economía de la autoridad. Pensemos en el caso de Irnerio, el mítico (pero no el único) responsable de la recuperación y sistematización del *Corpus Iuris Civilis,* a instancias de Matilde de Canossa[10]. Irnerio está para siempre asociado a ese momento heroico en que el texto lleno de su autoridad imperial resurge ahora digerido, ordenado, legible y comentado para su uso en el ámbito pedagógico. De modo similar, Graciano, con sus comentarios y ordenación del *Decretum* da vida a un *Corpus Iuris Canonici* renovado[11]. Uno podría preguntarse incluso cuál habría sido la suerte de Virgilio de no haberse transmitido con un cuerpo de glosas como el de Servio. Cuando en los primeros años del siglo XVI se imprime la obra de Virgilio, esta viene a menudo acompañada no de uno ni de tres aparatos de glosas, sino de diez, más algunos comentarios historiales

---

[9] Pierre Bourdieu ha tratado el problema de la *noblesse d'État* académica y la crítica de los medios universitarios y académicos (y de un *homo academicus* como artefacto sociológico de transformación del tejido del poder), así como los problemas de *distinction* derivados de la práctica del conocimiento, el canon y el juicio. Véanse sus obras *Homo academicus, La noblesse d'État* y *La Distinction. Critique sociale du jugement.*

[10] Véase Conte, *Tres libri Codicis.* Por supuesto, la bibliografía sobre Matilde de Canossa debería ser inmensa, y eso quiere decir que es breve, repetitiva y anticuada. No obstante, conviene referir el esfuerzo por recomponer la vida y el proceso de consolidación de poder de esta noble feudal toscana en el libro de Hay, *The Military Leadership.*

[11] Winroth, *The Making of Gracian's «Decretum».* Por supuesto Graciano no es el fundador del derecho canónico, sino el sucesor de una larga serie de compilaciones y discusión de cánones, como los de Anselmo de Lieja o Ivo de Chartres. La obra de Graciano se conoció en varias versiones, que Anders Winroth ha estudiado con detalle en su obra citada.

en forma de grabado xilográfico[12]. Y, por otro lado, ¿qué función tiene el aparato de glosas de Pietro Alighiero a la *Commedia* de su padre? ¿Es una forma de construir la autoridad del padre o el linaje intelectual y la legitimación del hijo?[13]. ¿Qué sucede cuando alguien en la posición socioadministrativa de Juan de Mena (secretario y cronista real) glosa su propio poema (la *Coronación)* para construir la majestad política y social de una personalidad como la de Íñigo López de Mendoza, marqués de Santillana?[14]. Las preguntas podrían seguir acumulándose, pero lo cierto es que no puede responderse a todas ellas desde un solo punto de vista; cada cual requeriría, a su vez, ser tomada de manera individual.

Uno de estos puntos de vista, quizá no el más espectacular ni el más conceptuoso, consiste en intentar comprender de qué modo se plantearon estas preguntas y sus respuestas los responsables de construir una pragmática de la lectura: los creadores de los manuscritos, primero, y de los impresos, después. Sería necesario intentar comprender la investigación que artesanos e intelectuales llevaron a efecto para poder dar una respuesta práctica (una práctica de la teoría) a tales cuestiones. Parcialmente, el capítulo anterior se hizo esta pregunta.

Para seguir interrogándonos a este respecto, vamos a analizar ahora las *Siete Partidas* y su relación con las glosas marginales. Nos detendremos sucesivamente en la historia editorial de este código jurídico, en su forma de difusión y en una de las glosas producidas en esta historia editorial, a cargo del jurista y miembro del Consejo de Indias Gregorio López. La edición, en la que López estuvo trabajando durante años, se publicó en 1555. La historia de las características editoriales y los aparatos de glosas a las *Siete Partidas* son también un desafío a las formas tradicionales de la periodización histórica. De hecho, la larga glosa sobre la guerra que López incluyó en

---

[12] Mencionaré solamente la edición veneciana de 1514 (Virgilio, *Omnia opera),* que contiene diez comentarios marginales más los grabados xilográficos. Los talleres de Aldo Manuzio y de sus descendientes, o del taller parisino de Simon Collines, entre fines del siglo XV y mediados del XVI, producen ejemplares semejantes.

[13] Véase ahora Alighieri, *Commentum super poema Comoedia Dantis.*

[14] Me refiero a la *Coronación.* Mi libro no dedica más espacio a la *Coronación,* porque merecería un libro en sí mismo. El comentario de Mena a su propio texto es el reconocimiento del valor teórico de los elementos ficcionales y metabólicos de la poesía. Mena *trunca,* es decir, divide y así establece el régimen de llamada al margen, para luego extenderse en cómo funcionan las relaciones entre verdad, ficción y aplicación moral y política de lo que expone a partir de la relación entre texto tutor y glosa. Véase la edición del texto con su comentario en Mena, *La coronación,* ed. Kerkhof.

su edición de 1555 es un intento de elaborar una reflexión trans-histórica en torno a la guerra justa, la conquista, la colonización e incluso el capitalismo y sus reglas de juego. Esta glosa, que toma su jugo vital de un texto del siglo XIII, y que se complace en discutir textos de toda la Edad Media, estará desde ese momento sujeta a la vida de este código jurídico. Las *Siete Partidas* de 1555 se publican en medio de un vacío, el proceso de abdicación de Carlos en beneficio de Felipe, y el Consejo de Regencia presidido por la infanta Juana de Austria. Y, a decir verdad, la historia editorial de las *Partidas* está vinculada a los vacíos de poder y ha jugado un papel político importante en esos vacíos.

Según he venido diciendo desde el principio, mi interés en estas glosas no está guiado por el afán de exhaustividad. Este capítulo está marcado por la finalidad de explorar el modo en que ciertos problemas relativos a la justicia social que son endémicos y sistémicos en el pensamiento y la práctica política y jurídica occidentales encuentran su lugar en un aparato específico de glosas. Como también me propongo desde el principio, quiero señalar hasta qué punto estos temas o problemas resultan inseparables de las materialidades de la comunicación y de los problemas filológicos que rodean su producción, lectura y transmisión. Una de las tesis que puede presentarse rápidamente, y que encontrará justificación en las páginas de este capítulo, es que más allá o en conjunto con los conceptos jurídicos, teológicos y políticos que hacen legible una línea de preguntas o de investigaciones, existe un universo de conceptos de carácter material, de carácter visual, que, como la construcción del libro o la producción de margen, mantienen una relación de afinidad directa con aquellos conceptos textuales o verbales.

Detener a un monstruo: las «Siete Partidas»

De las *Siete Partidas* de Alfonso X hay una pequeña infinidad de manuscritos. En total, supera el centenar[15]. Las *Partidas* segunda y tercera son o bien las que más veces se han copiado, o bien las que mejor se han conservado. Las razones tienen que ver con el conteni-

---

[15] Para un registro completo de los manuscritos, véase Craddock, *The legislative works of Alfonso X;* José Manuel Fradejas Rueda dirige el proyecto de *7Partidas Digital,* que hará mención de todos los testimonios, manuscritos e impresos, directos e indirectos, en la lengua original o en traducción: <https://7partidas.hypotheses.org>.

do técnico: la *Segunda* es un tratado de derecho administrativo que se revelará de enorme utilidad en el proceso de construcción de la monarquía absoluta hasta pasado el siglo XVIII; y la *Tercera* se dedica al derecho procesal, así como a las técnicas relativas a la producción y administración de la documentación pública y privada. De cada una de ellas se conservan más de veinte manuscritos, y de la *Séptima*, que está consagrada al derecho penal y a las reglas de derecho, solo unos pocos menos.

Propiamente, ninguno de estos manuscritos es de época de Alfonso X. Es como si a los que salieron del taller de Alfonso X los hubieran barrido de las bibliotecas. Y quizá haya sido así. El aspirante a código quedó pronto reducido a códice. Las razones son posiblemente las mismas que explican el destronamiento del rey Alfonso a manos de su hijo segundogénito, Sancho, en 1282[16]. El exceso monárquico de las *Partidas* limitaba las capacidades jurisdiccionales de la nobleza y de las ciudades, que veían peligrar sus privilegios y su autonomía. Sancho centra su rumbo jurisdiccional y legislativo ateniéndose al *Fuero Real* y a los aspectos procesales contenidos en las *Leyes del Estilo*[17]. El *Fuero Real* continuará siendo un instrumento jurídico y político a lo largo de los siglos, y será usado como conjunto legislativo y, asimismo, como artefacto para la negociación de formas de jurisdicción y circulación del poder soberano[18].

No hay, por lo demás, comentarios marginales de peso a ningún texto legislativo o jurisprudencial. Esto es, hasta cierto punto, raro.

---

[16] Los pormenores del enfrentamiento entre Alfonso y Sancho pueden seguirse en las más recientes biografías de Alfonso, por González Jiménez y Martínez, así como la de Sancho IV por Nieto Soria. Martin, por su parte, ha incidido en la construcción de una ciencia política en el espacio liminal de las relaciones entre Alfonso y Sancho en sus trabajos «Alphonse X maudit son fils» y «Alphonse X ou la science politique». Para las cuestiones de la construcción de la legitimidad de Sancho, central en el proceso de creación de su ciencia legal y jurídica, véase Bautista Pérez, *La Estoria de España en época de Sancho IV*. Las cuestiones técnicas de historia del derecho han sido exploradas magistralmente por Pérez-Prendes y Muñoz de Arracó, *Curso de historia del derecho español*. Está en producción el libro de Francisco J. Hernández, *Los hombres del rey*, dedicado a la sucesión de Alfonso X por Sancho IV; Francisco Hernández ha tenido la inmensa amabilidad de permitirme leer el último capítulo del libro, que será un hito en los estudios alfonsíes y sobre el reinado de Sancho IV.

[17] La edición de las *Leyes del Estilo* es un trabajo por hacer. Véanse ahora las dos transcripciones, de acuerdo con las normas de Madison, Hispanic Seminar of Medieval Studies, de Mannetter (Mannetter, *Text and Concordances*, 1989; 1990).

[18] Véase Rodríguez Velasco, *Order and Chivalry*, págs. 138-144.

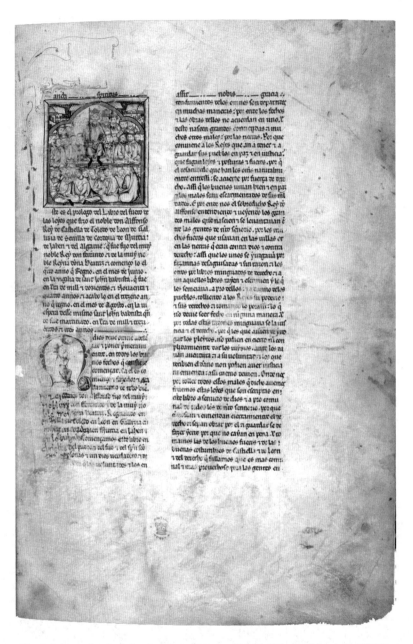

7 y 8 (véase pág. sig.). Las leyes en pintura. British Library Mss Add 20787.

tove el mundo. Por q̃ tenemos por bien
τ mandamos que se judguen por ella.
τ no por otra ley nin por otro fuero. Onde
qui contra esto fiziesse: dezimos q̃ erra
rie en tres maneras. La primera contra
dios cuia cosa es complidamente la iusti
cia τ la verdat: por que este libro es fe
cho. La segunda contra señor natural
despreciando so fecho τ so mandamiento.
τ La tercera mostrando se por soberuio τ
por torticero nol plaziendo el derecho τ
nol sabor τ prouechoso comunalmente
a todos.

Aqui comiença el primero libro que
muestra q̃ cosas son las leies. τ fabla de
la sancta Trinidat τ de la fe catholica.
τ de los articulos della. τ de los sacramen
tos de sancta eglesia. τ del apligo τ de los otros e
ñalos q̃ los pueden dar. τ en q̃ manera de
uen seer creidos τ guardados. τ de los
eligios τ de los religiosos τ de otras
cosas tan bien de buenos como
mo delos otros derechos q̃ pertenescen a
sancta Eglesia. Titulo primero de las leyes. L. j.

[A]l seruicio de dios τ a pro comunal de
los de nuestro señorio
queremos de suso e
l Prologo q̃ fazemos leies τ mostra
mos muchas razo
nes por que conuiene q̃ las fiziessemos

[columna 2]

[E]Por ende tenemos por bien de fazer en
tender a las gentes que leies son estas
que fazemos. τ quales deuen seer. τ qui
las puede fazer. τ qual deue seer el faze
dor dellas. τ a que tiene pro. τ por q̃ han
nombre leies. τ como se deuen entender
τ obedecer τ guardar. Ille leies son estas. L. ij.

[E]Stas leies son posturas τ estable
cimientos τ fueros como los
omnes sepan creer τ guardar la
fe de nuestro señor iesu christo complidamente
assi como ella es. τ otrossi que biuan
unos con otros en derecho τ en iusticia.
Quales deuen seer las leies. L. iij.

[C]Omplidas dezimos que deue
seer las leies τ muy apuestas τ
muy catadas por q̃ sean vere
las. τ prouechosas comunalmente a to
dos. τ deuen seer llanas τ paladinas.
por que todo omne las pueda entender τ
aprouechar se dellas a su derecho τ deue
seer sin escatima τ sin punto. por q̃ no
pueda uenir sobrellas. disputacion ni
contienda. Quien puede fazer las leies. L. iiij.

[N]Inguno non puede fazer leies
si non emperador. o Rey. o otro
por su mandamiento dellos. Y
si otro las fiziere sin su mandado: non
deuen auer nombre leies. nin deuen
seer obedecidas nin guardadas por leies.
nin deuen ualer en ningun tiempo. Qual
deue seer el fazedor de las leies. L. v.

[E]L fazedor de las leies deue a dios
amar τ temer τ tener le ante
sus oios quando las fiziere. por
q̃ las leies q̃ fiziere sean complidas de
verdas. τ deue amar iusticia τ verdat
τ seer sin cobdicia. por a qer a cada
uno lo suyo. τ deue seer entendudo por
saber departir el derecho del tuerto. τ a p
cebuse por razon por responder ciertami
entre a los q̃ demandaren. τ deue seer
fuerte a los crueles τ a los soberuios. τ
piadoso por a auer merçet a los culpados
τ a los mesquinos q̃ couiniere. τ deue

Por toda Europa, en las universidades y estudios generales (y tanto Alfonso como Sancho habían confirmado estatutos de varias universidades y estudios generales) el comentario legal se ha inventado a sí mismo como una pieza marginal, como comentario sistemático a los grandes textos jurídicos en latín, los dos *corpora* civil y canónico[19]. Ni las *Partidas,* ni el *Fuero Real,* ni las *Leyes del Estilo,* ni ningún otro de los códigos jurídicos castellanos en castellano fueron estudiados en las universidades y estudios generales de la península ibérica entre Alfonso X y la muerte de Fernando IV en 1302, aunque es casi seguro que podemos extender la fecha hasta, al menos, 1348. Lo que se estudia en las universidades en esta época es el derecho civil romano y el derecho canónico, ambos en latín. Lo mismo que en Bolonia y lo mismo que en Orleans[20].

Dije que no hay manuscritos de las *Partidas* datables en época de Alfonso X. Pero hay una posible excepción que, por serlo, es también un monumento. Se trata de un manuscrito conservado hoy en día en la British Library[21] y que parece una versión de la *Primera Partida,* la cual se dedica a la teoría del derecho y al derecho canónico[22]. El códice dice de sí mismo ser el *Libro del Fuero de las Leyes,* y conviene conservar ese título, pues al compararlo con los otros manuscritos de la *Primera Partida,* salta a la vista que se trata de dos textos en estado de redacción muy diferente.

El *Libro del Fuero de las Leyes* es un códice con imágenes. Tiene 27 miniaturas que son otras tantas *estorias* o imágenes narrativas; se trata también de comentarios gráficos que establecen una relación complicada con la legislación en cuyo interior se encuentran. Como las imágenes narran algo, lo hacen en paralelo al texto y de manera diferenciada proponen su propio argumento. Estos argumentos no se corresponden necesariamente con las tesis contenidas en el texto de la ley, o ensayan maneras de referirse a estas tesis legislativas de un modo distinto. En algunos casos, estas imágenes ofrecen un concepto visual acerca del espacio en que actúa la ley misma, la ponen en acción. En todo ello precisamente se parecen a una glosa: comentan,

---

[19] Cfr. Simonds, *Philosophy and Legal Traditions* y Kantorowicz, *Studies in the Glossators of the Roman law.*

[20] Véase Kabatek, *Die Bolognesische Renaissance.*

[21] MS. Add. 20787.

[22] Arias Bonet emprendió una edición en Alfonso X, *Primera Partida.* Los problemas de este texto, sin embargo, son mucho mayores de lo que allí se presenta, como demuestra Craddock, *The Legislative Works.*

actualizan, escenifican, ejemplifican, concuerdan, y, sobre todo, re-dirigen y cambian la lectura. El ejemplo más evidente se encuentra en la parte dedicada a la teoría del derecho, en el título 1 del *Libro*. Allí Alfonso, en el texto, explica cuál es el origen de las leyes, para qué sirven y cómo deben usarse. Esta parte está contrapunteada por cuatro miniaturas. La primera representa la jerarquía del reino, una foto de familia con el rey en majestad, rodeado de sus oficiales, es decir, juristas laicos y allá atrás los obispos y abades mitrados[23].

La segunda miniatura es una A, inicial del nombre del rey, la alfa en que se cifra todo principio; esto podría parecer una mera casualidad, si no fuera porque en otros lugares Alfonso explica cómo su nombre empieza por Alfa y termina por Omega y tiene siete letras, como los siete planetas y el resto de las cosas que se funda-mentan en el siete, como las *Partidas*, sin ir más lejos[24]. Dentro de esa A está Alfonso arrodillado mientras Dios mismo le está dictan-do las leyes.

La tercera miniatura muestra el modo en que el rey está trans-mitiendo esas mismas leyes a los oficiales que han de convertirlas en libro. Por último, la cuarta miniatura, otra A, representa a Alfonso enseñándole el libro de las leyes a Dios para que este las ratifique.

La interpretación de la serie ha de tener en cuenta tres cosas. La primera es que la idea de que el rey es intérprete directo de las leyes en contacto personal con Dios quizá no se podía escribir en tanto que artefacto legislativo, pero sí parece que se podía pintar. La se-gunda es que la ley, aunque habla del origen de las leyes, jamás men-ciona esta posibilidad de comunicación directa entre Dios y el rey. En tercer lugar, toda esta parte se sitúa precisamente antes de codi-ficar el derecho canónico, si bien quien lo está codificando no es ningún poder eclesiástico, sino el monarca mismo. Las miniaturas, en este caso, constituyen su propia tesis de interpretación del texto legal, situándolo en un ámbito de poder que el texto ni siquiera llega a insinuar. En otras palabras, la teoría del poder y de la circulación del mismo están cuidadosamente construidas en cuatro imágenes

---

[23] Para las imágenes de Alfonso X como monarca, o como «Justiniano», véase ahora Fernández Fernández, «Folios reutilizados y proyectos en curso».

[24] Todo ello, por ejemplo, en el *Setenario,* así como en el prólogo «Setenario», segunda redacción del prólogo de las *Partidas,* tal y como aparece, por ejemplo, en la edición de 1555 de Gregorio López (Alfonso X, *Las Siete Partidas).* Como es bien sabido, por otro lado, cada una de las *Siete Partidas* empieza con cada una de las letras de que se compone el nombre de Alfonso. La inicial de la *Primera Partida* es la A, la de la *Segunda* la L, y así sucesivamente.

que no solamente establecen narrativas internas, sino también una narración que abarca las cuatro.

Estas imágenes son jurisgrafismos: expresiones imaginarias que ofrecen su propia tesis sobre la teoría del poder y su manifestación a través de la creación y difusión del código jurídico[25]. Estas imágenes precisan que, como ha argumentado Sonja Drimmer para las imágenes de los manuscritos literarios ingleses de la tardía Edad Media, estemos atentos al «acto de alusión», es decir, al modo en que «los iluminadores dieron forma visual a ideas y preocupaciones propias» de la cultura, tanto literaria como no literaria, en el universo vernáculo en general, y no «exclusivamente propias del texto en sí»[26]. Drimmer indica que las imágenes de ciertos textos para los que no hay propiamente una tradición anterior suficientemente válida no son meramente reacciones ilustrativas, sino que tienen carácter constitutivo[27]: crean un concepto visual.

Incluso estos jurisgrafismos son extraños. Se parecen, como dije, a glosas con conceptos visuales, pero al mismo tiempo no lo son, y, de todas maneras, vienen producidas en el taller regio, son la voz del rey. La teoría del derecho alfonsí, la que se contiene en el título I de la *Primera Partida,* así como sus extensiones en otras leyes de la *Tercera Partida* y de la *Séptima Partida* son claras a propósito de la integridad de las leyes tal y como se presentan en el código: estas no han de ser comentadas, enmendadas ni glosadas. Solo el rey tiene potestad para ello, y, en todo caso, los márgenes de las *Partidas* han de quedar clausurados[28]. Solo el rey, dice la ley, puede *espaladinar* el texto, explicarlo.

Después de examinar los manuscritos que contienen las *Partidas* puedo asegurar que, en efecto, ninguno de ellos está dotado de glosas. Algunos tienen textos marginales, que se corresponden con correcciones y ocasionalmente con contaminaciones: un lector que está en disposición de consultar dos manuscritos completa lo que considera que son las lagunas de uno con el texto del otro. Otros ma-

---

[25] Tomo la noción de jurisgrafismo de Teissier-Ensminger, «La loi au figuré». Teissier-Ensminger considera el jurisgrafismo como un acompañamiento visual al texto jurídico. Para mí, el jurisgrafismo solo es tal (y no una mera figuración de un texto jurídico) cuando el propio objeto visual construye un concepto jurídico que el texto no es capaz o no está capacitado para construir. Dicho de otro modo, lo importante del jurisgrafismo no es el *grafismo,* sino el *juris-.*

[26] Drimmer, *The Art of Allusion,* pág. 12.

[27] *Ibíd.,* pág. 14.

[28] Puede verse Rodríguez Velasco, «Theorizing the language of the law».

nuscritos tienen indicaciones de carácter profesional, de fechas muy variadas, pero en su mayoría posteriores al siglo XV, para ayudarse a concordar y alegar el texto del derecho. Muchos de los manuscritos tienen marcas abstractas de lectura, como llaves, subrayados u obeliscos[29]. Y algunos, la menor parte, tienen también algunas imágenes, como el manuscrito hoy en las vitrinas de la Biblioteca Nacional de España, que perteneció a los Reyes Católicos (aunque tiene una vida anterior a ellos). Muchos de los manuscritos están sorprendentemente limpios. Los comentarios marginales más parecidos a glosas dan comienzo con la edición escolar de Alonso Díaz de Montalvo en 1500 y con la edición preparada por el miembro del Consejo de Indias, Gregorio López, en 1555.

En 1348, Alfonso XI intenta invertir la suerte de las *Partidas* en dos artículos del *Ordenamiento de Alcalá*. En el primero determina la prelación de las fuentes del derecho, incorporando a la misma a las *Partidas* para todos los casos en los que no pudieran usarse ni las leyes contenidas en el propio *Ordenamiento de Alcalá* ni en el *Fuero Real*. El ámbito de acción de las *Partidas* en esa posición es el de un derecho supletorio que, por tener un carácter constitucional tan amplio, es susceptible de mantener una gran actividad jurídica.

En ese mismo punto explica cómo ha hecho concertar las *Partidas* y crear dos ejemplares para la cámara regia, uno con un sello de oro y otro con un sello de plomo, para que puedan servir como fundamento legal. No prevé el envío de ejemplar alguno a las diversas administraciones locales, al contrario de lo que hace con el *Ordenamiento*[30]. Pero hace algo más importante en segundo lugar: establece, por ley, que las *Partidas* se conviertan en uno de los textos del currículo de la Facultad de Leyes. De este modo, las *Partidas,* que no habían sido recibidas como ley ni estudiadas en las escuelas, pasan a convertirse en centro del canon[31].

Alfonso XI comprende bien la doble sujeción a la que le obligan las *Partidas*. Por un lado, no puede comentarlas en los márgenes, pero, por otro, como rey tiene la potestad de cambiarlas. En el cuaderno de cortes que acompaña al *Ordenamiento de Alcalá* de 1348 atiende algunas quejas de los procuradores de las ciudades, quienes se sienten impotentes a la hora de aplicar el derecho de las *Partidas,*

---

[29] Véase Rodríguez Velasco, *Dead Voice,* capítulo 4.
[30] Discuto estos problemas documentales y de estética jurídica en Rodríguez Velasco, *Ciudadanía, soberanía monárquica y caballería.*
[31] *Ordenamiento de Alcalá,* BNM Vitr. 15-7, Título XXVIII, ley 1.

así que Alfonso responde que hará en las leyes las enmiendas necesarias para que les resulten aplicables[32]. ¿Las hizo? ¿Afectaron enormemente al texto? En realidad, no podemos estar seguros de la respuesta a ninguna de estas preguntas, pero todo deja suponer que, verosímilmente, introdujo cambios. Eso sí, incuantificables[33].

Independientemente de su uso concreto, las *Partidas* formaron parte de los estudios generales y particulares, y se revelaron como una fuente de argumentación de primer orden, tanto en la escena política como en general en el uso de una retórica y de una cultura jurídicas[34]. Las *Partidas* supusieron la consolidación de un estilo dialéctico y retórico del derecho castellano, y posiblemente no solo de la escritura del derecho. Se hizo preciso hacerlas salir del callejón sin salida en que se habían metido durante los siglos XIV y XV. Si hoy conservamos más de un centenar de manuscritos, cabe la posibilidad de que el número de manuscritos producidos en aquel período haya sido mucho mayor. El problema representado por las *Partidas* era solo equiparable al que suponía otra de las grandes fuentes de derecho, el archivo jurisprudencial de los *ordenamientos reales* y los *cuadernos de cortes,* transmitidos en pesadísimos volúmenes desde, al menos, finales del reinado de Juan I (r. 1379-1390).

Cada nuevo monarca se apodera de alguna manera de las fuentes del derecho. En algunos casos, de esa ansiedad de apropiación depende la legitimidad misma de los monarcas. Estas son algunas de las razones por las que los Reyes Católicos dieron al jurista Alonso Díaz de Montalvo dos órdenes a la salida de las Cortes de Toledo de 1481[35]. La primera, depurar y compilar los ordenamientos reales y cuadernos de cortes que aún fueran útiles y que no hubieran sido derogados por otros. La segunda, que preparara una edición de las *Partidas*. El proyecto tenía algo nuevo: el resultado de cada una de esas empresas se ofrecería en letra de molde. La primera se publicó en 1484 bajo el título de *Copilación de las leyes del reyno*. La segunda en 1491 simplemente con el título de *Las Siete Partidas*. Montal-

---

[32] *Cortes de los Antiguos Reinos de León y Castilla,* vol. 1, págs. 593-626, sobre todo el punto 3, pág. 595.

[33] Las investigaciones y doctrina al respecto de García-Gallo «El *Libro de las leyes*» y «Nuevas observaciones» fueron puestas en duda, a la vista de todos los manuscritos, por Craddock, «Cronología».

[34] La bibliografía crítica de las obras legislativas de Craddock, *The Legislative Works,* reúne además numerosos estudios sobre el uso de las *Partidas* a ambos lados del océano Atlántico y hasta el siglo XIX.

[35] *Cortes de los Antiguos Reinos de León y Castilla,* vol. 4.

vo tuvo a su alcance los códices de la cámara regia, y seguramente el manuscrito perteneciente a la reina Isabel, que antes había sido propiedad del Justicia Mayor del reino, Alonso de Zúñiga[36]. Montalvo hizo dos cosas más. En primer lugar, concertó sus fuentes con otros manuscritos para elegir las mejores lecturas, o lo que él consideró que eran las mejores lecturas. Podemos decir, tras la colación de todos los manuscritos en varias secciones de la *Segunda Partida*[37], que Montalvo, por lo general, eligió plausiblemente, aunque quizá a veces tomó partido por lecturas o difíciles de explicar, o quizá luego alteradas por los cajistas y componedores y no detectadas en ediciones posteriores[38].

Lo segundo que hizo es aún más interesante. Por primera vez en la tradición textual de las *Partidas* incorpora algún tipo de comentario. Pero lo hace esquemáticamente. En realidad, sus comentarios no son glosas. Nadie hasta este momento se había atrevido a hacer tal cosa, y Montalvo tampoco considera que sea ese el lugar para ilustrar los márgenes de sus *Partidas*. Es verosímil pensar que en el manuscrito que preparara para la imprenta sus *adiciones,* que es como él las llama, estuvieran al margen. Pero en el producto impreso no sucede así en ningún caso. Sus adiciones sencillamente se sitúan al final de la ley o título correspondiente, en la misma caja y en el mismo cuerpo que el resto del texto, precedidos por la rúbrica «adiçion».

Todas estas adiciones tienen como propósito el de situar las *Partidas* en la tradición del derecho castellano. Son una forma de concertar las *Partidas* con la *Copilación de las leyes del reyno,* en un ejercicio de autorización paralela de ambas fuentes legales. La imprenta se ha constituido aquí en un instrumento fundamental para crear algo inédito, que es la unicidad y paralelismo de las fuentes del derecho castellano. El poder que representa la imprenta tiene algo de irreal: da por moneda jurídica corriente lo que, en realidad, es solo un apoyo de autoridad. Las adiciones indican que hay que leer las

---

[36] Biblioteca Nacional de Madrid, Vitrina 4-6.

[37] Dicha colación se presenta en Cradddock y Rodríguez Velasco, *Alfonso X, Siete Partidas 2.21.* Se puede acceder al mismo a través del repositorio de la University of California, Berkeley.

[38] Mencionaré solo dos que confluyen en el título IX de la *Segunda Partida,* una la de la metáfora de la brújula y la corte, que en la edición de Montalvo se dice «agua» en lugar de «aguja», y la de los caballeros ancianos, a los que se llama verosímilmente «pros caballeros», si bien en la lectura original probablemente decía «por caballeros».

Partidas en función de los *ordenamientos* y de los *cuadernos de cortes,* puesto que estos son los que de verdad imponen las restricciones jurídicas al código más extenso que sigue teniendo carácter de ley supletoria.

UNA COSA AUTÉNTICA

No quiero minimizar la edición de las *Partidas* que el mismo Alonso Díaz de Montalvo dejó preparadas para que se publicaran por primera vez en 1492. Se imprimieron numerosas veces, tanto en España como en la imprenta internacional, incluida la ciudad de Venecia, uno de los grandes centros de impresión de textos ibéricos durante el siglo XVI. En 1550 se publica la última edición de esta obra con glosas, a costa de Alonso Gómez de Sevilla y Enrique Toti de Salamanca, en una imprenta de Lyon (tal vez la de los Portonariis, que imprimían en varias ciudades, incluidas Lyon o Salamanca). Es la otra cara de la moneda con respecto a la anterior: extensas glosas en latín pueblan los márgenes de cada página, y está claro que, si la edición anterior estaba dirigida a un público de juristas profesionales, esta otra está dedicada al estudio en las universidades, y también incluye las adiciones de la de 1491. Es la otra parte de la empresa regia y su indisoluble unión con la universidad como artefacto industrial para la construcción del reino, o del Estado, si se prefiere; no me preocupa mucho la inexactitud en este caso[39]. Estas glosas son una manera de establecer la conexión directa entre el derecho vernáculo castellano y las tradiciones del derecho romano y canónico que conforman el inmenso poder del llamado *ius commune,* ese exclusivo derecho común sobre el que se sostiene la idea de

---

[39] Es bien conocido el medallón central de la Universidad de Salamanca (claustro antiguo), de época de Carlos V, en que se ve una imagen en relieve de los Reyes Católicos, rodeado por el lema griego (con algunos diacríticos, que reproduzco, pero no incluyo los que no existen en el grabado): «οι βασιλεις τη εγκηκλοπαιδεία, αυτή τοῖς βασιλευσι». La innovación más importante es la creación del neologismo εγκηκλοπαιδεία para designar la universidad. La traducción sería algo así como «los reyes para la universidad y esta para los reyes», aunque suele traducirse como una dedicatoria mutua (los reyes a la universidad y esta a los reyes). La primera traducción me parece más adecuada, ya que supone también una palinodia con respecto al apoyo que muchos escolares salmantinos, alumnos y profesores, habían prestado a los comuneros frente a Carlos V. Véase Hinojo Andrés. «ΟΙ ΒΑΣΙΛΕΙΣ».

Europa a lo largo de los siglos[40]. Además, esta edición será la fuente más importante para la edición que, puede decirse, cambia radicalmente la transmisión y dominio del monstruo textual de las *Partidas*.

Formalmente inspirada en la edición de 1550 con las glosas de Montalvo, la de 1555 (hecha en Salamanca por Andrea de Portonariis) es la más universal y conocida de todas las ediciones de las *Partidas,* y es presumible que ninguna edición futura consiga contener la influencia que esta tuvo (y aún tiene)[41]. Ni siquiera la que preparó la Real Academia de la Historia en 1807 (el año mismo en que se firma el Tratado de Fontainebleau entre España y Francia) ha podido evitar que la mayor parte de juristas e investigadores sigan leyendo las *Partidas* por la edición de López. Cuando el dictador Francisco Franco designa a Juan Carlos de Borbón como sucesor, hace escoltar este momento clave por una reimpresión facsímil, con una ley de acompañamiento, de las *Siete Partidas* de 1555, todo ello en las prensas del Boletín Oficial del Estado.

Así pues, en 1555 sale de la imprenta salmantina de Andrea de Portonariis una singular edición de las *Siete Partidas* del «Rey Alfonso Nono»[42]. El editor utiliza aquí el cómputo castellano de los reyes, aunque en los textos del siglo xv, a Alfonso el Sabio siempre se le ha dado el ordinal de acuerdo con el cómputo castellano-leonés, o sea, el décimo. Esto parece también una herencia de la edición de 1550 de Montalvo, en la que al editor le interesa mantener la línea de poder castellano. El editor de 1555 es Gregorio López, del Consejo de Indias. El contrato de edición de las *Partidas,* firmado entre López y Portonariis en julio de 1553, indica que el licenciado del Consejo de Indias supervisaría toda la edición, de la que se imprimirían hasta mil ejemplares, y que todos ellos serían entregados a López para que este los firmara de su propia mano[43]. Gregorio López, de Guadalupe, ahora miembro del Consejo de Indias, casado con una

---

[40]   El *ius commune* es, tradicionalmente, la combinación del derecho canónico, el derecho civil romano y los llamados *iura propria,* que comportan reglamentos y normativas locales. Tal vez el más claro ejemplo de la articulación de un *ius commune* como derecho común al mundo europeo es el libro de Bellomo, *L'Europa del diritto commune.*

[41]   Hay al menos once ediciones diferentes (sin contar reimpresiones directas) de la edición de Gregorio López entre 1555 y 1844.

[42]   Acaba de publicarse una historia editorial de las *Partidas* en el siglo xvi. López Nevot, «Las ediciones de las *Partidas*».

[43]   Guilarte, «Capítulos de concierto».

mujer trujillana de apellido Pizarro (quien, a pesar de los descendientes de López, no tenía relación con Francisco Pizarro), ha sido estudiante en Salamanca y ha estado envuelto en el estudio y debate jurídico iniciados por el dominico de San Esteban Francisco de Vitoria. Su obra no es únicamente la de un jurista, sino que se aproxima más a la de un profesional que percibe en profundidad los efectos públicos de su intervención. Esto no puede escapar al examen del largo proceso editorial de las *Partidas* «según López», que permanecerán en la historia de España y de otras entidades políticas a lo largo de la historia hasta el día de hoy[44].

Desde 1555, y hasta que en 1829 se empiezan a construir los grandes edificios legales modernos, las *Partidas* y su enorme poder legal a ambos lados del Atlántico, se leen sistemáticamente por la edición de Gregorio López. En 1969, cuando el *Boletín Oficial del Estado* publica el facsímil de las *Partidas* indica que: «Aún hoy es preciso acudir en algunos casos a Las Partidas para conocer el Derecho vigente, pero solo la edición de 1555 glosada por Gregorio López y aquí reproducida, puede considerarse como texto auténtico»[45].

Y más adelante, al comparar las diferencias entre la edición de López y la de la Real Academia de la Historia de 1807, la voz del *Boletín Oficial del Estado* (pues este colofón es institucional y no viene firmado por nadie en concreto) señala que: «Resulta obvio, pues, que el *Boletín Oficial del Estado,* preocupado exclusivamente por la autenticidad del texto, no podía por menos de atenerse a la edición de 1555»[46].

El concepto clave es el de autenticidad del texto. La persona jurídica llamada *Boletín Oficial del Estado* determina que este estatuto pone para siempre en relación el texto central de las *Partidas* con la historia del derecho español, y que esto no puede tener lugar sin el ejercicio de autentificación elaborado en forma de glosas marginales que soportan el texto y su interpretación. En el prólogo del título 18 de la *Tercera Partida,* la dedicada al derecho procesal, Alfonso establece el mecanismo por el cual se comunica la autenticidad jurídica o notarial a través de una *persona autentica* (que el glosador, Gregorio López, traduce en el margen como «honrada»): la

---

[44] Como muestra, un botón: Real Decreto-ley 1/2015, de 27 de febrero.

[45] Alfonso X, *Las Siete Partidas,* glosadas por Gregorio López, «Nota del Editor»; esta nota se hallará sin foliar ni paginar, al final del volumen tercero de esta obra.

[46] *Ibíd.*

persona auténtica tiene la capacidad de decir la autenticidad de un texto, y, al mismo tiempo, de transferirla o transmitirla en el archivo de manera permanente. Esta es la operación de Gregorio López: con el privilegio de la regente de Castilla, su texto manifiesta al mismo tiempo la autenticidad del cuerpo legislativo de las *Partidas,* y con sus glosas produce su contemporaneidad. En otras palabras: la autenticidad del texto consiste en extraerlo de la historia y devolverle su actividad presente y futura.

La edición de Gregorio López conoció numerosas reimpresiones, y se hizo acompañar por índices o notas sucesivas, en las que contribuyó también su nieto, Gregorio López de Tovar a partir de 1576, dieciséis años después de la muerte de Gregorio López[47]. El uso de la obra de Gregorio López se generaliza como fuente de conocimiento de las *Partidas,* incluso más allá de la edición más científica de la Real Academia de la Historia. Cuando el 27 de marzo de 1860 el Tribunal Supremo tenga que sentenciar acerca del uso de las ediciones de las *Partidas* (en lo relativo a secciones de la *Cuarta Partida),* acabará por decantarse por la del licenciado López, «que tiene a su favor la sanción del largo tiempo que rige y la jurisprudencia establecida»[48].

La impresión ordenada por Alonso Díaz de Montalvo tuvo un efecto crucial de estabilización del texto de las *Partidas.* La comparación entre esta y la de Gregorio López arroja una primera consecuencia: las variaciones textuales introducidas por López son en su mayor parte errores del editor o de los cajistas y en lo demás parece estar usando el texto estabilizado por Montalvo, el texto hasta entonces canónico de las *Partidas,* mientras que dice compararlo con otros códices más antiguos («antiquissimos Partitarum libros de manu conscriptos») para poder solventar los problemas de lectura («in multis locis deficiebant integrae sententiae, et in multis legibus deficiebant plures lineae in ipsa contextura litterae multae mendositates...») sin que tengamos idea de cuáles son estos, con objeto de de-

[47] Pérez Martín, «El aparato de Glosas a las Siete»; ver págs. 486-487 para López de Tovar. Gregorio López de Tovar dejó escritas unas memorias, en las que se refiere al tedioso trabajo acerca de las glosas de su abuelo, y se conservan en el manuscrito mss/19344 de la Biblioteca Nacional de Madrid. López Nevot transcribe las páginas relevantes en el artículo citado, como apéndice documental. Hasta leer este artículo no sabía de la existencia de esta *Vida y memorias del licenciado D. Gregorio de Tovar, caballero de Valladolid,* y debo decir que son fascinantes.

[48] Tribunal Constitucional, «Sentencia del Tribunal Supremo a 27 de Marzo de 1860», pág. 2051.

terminar el mejor texto («quantum potui, veritaten litterae detegi»)[49]. La imprenta, así, ha detenido el proceso entrópico de los manuscritos anteriores, y ha construido un fantasma, la ilusión de que existe un texto de las *Siete Partidas*. López ha recogido este fantasma para darle nueva vida y autenticarlo.

UNA GLOSA MUY LARGA

López, como había hecho Montalvo en su edición escolar, concluyó que dominar el monstruo de las *Partidas* venía necesariamente acompañado de los severos contrafuertes de un aparato de glosas. Considerado el texto alfonsí como una fuente clásica del derecho, el editor construye a su alrededor el más apabullante peristilo de comentarios que se pueda imaginar. El texto alfonsí, a dos columnas, está enmarcado y rodeado por las glosas envolventes o *en cebolla* de Gregorio López en latín, con todas sus abreviaturas.

También como Montalvo, el glosador ha decidido buscar sus modelos en las tradiciones romanísticas de glosadores y comentaristas procedentes de las escuelas de estudio del derecho civil, el *Corpus Iuris Civilis*, en la época que va de Irnerio (quizá siglo x) a Azo de Bolonia (siglo xii), de Francesco Accursio (siglo xiii) a Bartolo de Sassoferrato (siglo xiv) y de Baldo de Ubaldis a Giovanni Andrea (ambos en el siglo xiv). Estos son los autores que durante los siglos xii a xiv ocupan los márgenes de los textos jurídicos, convirtiéndose en las fuentes de argumentación centrales en toda Europa. Las ediciones impresas del *Corpus Iuris Civilis* durante los siglos xvi y xvii se preocupan por reproducir sus glosas y comentarios. No son los únicos, pero sí el centro del canon. Es a ellos a quienes quiere parecerse Gregorio López. Lo cual requiere hacer que su texto glosado se parezca al texto glosado por aquellos. La glosa de López supone un acto discursivo que impone una nueva pragmática de la lectura de la mayor importancia: su glosa sitúa el texto alfonsí dentro del estudio del derecho romano no en el interior de las escuelas, sino en la esfera pública de un imperio global cuyas lenguas son tanto el castellano como el latín.

Sin embargo, con respecto a Montalvo, López introduce una variación mayor. Mientras que Montalvo suele detenerse en Gio-

---

[49] *Siete Partidas*, I, fol. 9v.

vanni Andrea (quizá siguiendo en ello una pragmática dada por Juan II de Castilla en 1427) y el estilo italiano del siglo xɪv, Gregorio López hace continuar la conversación jurídica en varias direcciones adicionales[50]. Por un lado, incorpora nuevos comentaristas jurídicos, más modernos, a la obra que está componiendo, todos ellos de entre el romanismo jurídico, como Bartolomé de Saliceto (muerto en 1412), Juan de Ímola (muerto en 1436), o Felipe Decio (1454-c. 1535), autor de un comentario al *Digesto Viejo* de Justiniano publicado varias veces a partir de 1523. Igualmente, establece líneas directas de discusión del derecho con los cuerpos teológicos, desde Tomás de Aquino hasta Francisco de Vitoria, y con los jurisconsultos españoles como Rodrigo Suárez (activo a principios del siglo xvɪ)[51].

Montalvo había tenido su audiencia contenida entre los muros donde se formaba a futuros profesionales del derecho, o en los juzgados. Pero López tiene una perspectiva política sobre su actividad. Para empezar, la obra se publica en medio de una circunstancia política insólita e inédita en la historia: durante un Consejo de Regencia presidido por la princesa Juana de Austria (quien, de hecho, firma el privilegio de las *Partidas),* con la particularidad de que este Consejo de Regencia ha sido convocado a causa del largo y laborioso proceso de abdicación del reino y sus partes compuestas por parte de Carlos, y la correspondiente investidura de todos aquellos fragmentos de poder imperial sobre su hijo Felipe. Además, Gregorio López es alguien implicado muy directamente en la administración política del reino más allá de las fronteras de la península ibérica. Está al corriente de las disputas políticas y jurídicas que forman parte de las conversaciones en el interior y en el exterior de la península. Desde su despacho y biblioteca en Castilla o en Extremadura, desde donde ejerce su influencia como trabajador remoto para constituir un imperio, Gregorio López mantiene su investigación de la historia jurídica y de los desafíos del momento presente.

---

[50] Para la pragmática de 8 de febrero de 1427, véase Pérez de la Canal, «La Pragmática de Juan II».
[51] Pérez Martín, «El aparato», págs. 492-493; Gibert y Sánchez de la Vega, «La Glosa de Gregorio López», pág. 448.

Un momento clave de esta implicación por parte de López es el aparato de glosas al título 23 de la *Segunda Partida,* dedicado a la guerra. El aparato ocupa diez páginas enteras de glosa a dos columnas. No es el único tratado en forma de glosa en esta edición (hay otro dedicado a la sucesión real), pero sí es uno de los que más influencia ha tenido a lo largo de los siglos. El glosador analiza el derecho de la guerra alfonsí para ponerlo en relación con las teorías de la guerra justa y el pensamiento de san Agustín en *De Civitate Dei.* Gregorio López, por otro lado, había estudiado derecho en Salamanca y había estado en contacto directo con los debates académicos y públicos en torno a la enseñanza de Francisco de Vitoria y otros miembros de la llamada Escuela de Salamanca, tanto en el Colegio de San Esteban como en otros espacios de la academia salmantina. Para cuando López escribe la glosa al título 23 de la *Segunda Partida,* ya se ha publicado gran parte de la obra de fray Bartolomé de las Casas, incluida la *Brevísima* y la disputa con Juan Ginés de Sepúlveda. Todo esto es material crucial para su intervención política, en la que administra decisiones y opiniones jurídico-políticas (como si fueran *responsa* o *consilia)* en torno a las disputas al respecto en el ámbito, sobre todo, de los dominicos y el desarrollo del derecho de gentes. En el proceso, resume y comenta los textos canónicos de esta disputa, incluyendo las *relectiones* de Francisco de Vitoria.

Todo esto puede parecer una discusión académica. En cierto modo lo es. Cuando calificamos algo de discusión académica, solemos darle cierto tono despectivo: estas ocurren como fuera del mundo, en una proverbial torre de marfil; su impacto es escaso y suceden en un universo de élites socioculturales y políticas que no comprenden los verdaderos problemas de la gente real[52]. No es este el lugar para poner esto en cuestión: las estructuras educativas y académicas cubren muchos años del calendario vital de todas las personas, sean las estructuras educativas del capitalismo occidental, o sean las de otras formas de la educación. La academia es a su vez un universo multiforme y en crisis constante. Así que, desde ese

---

[52] Asad, *Genealogies of Religion,* págs. 6-11.

punto de vista, una *discusión académica* no parece estar fuera del mundo o fuera del modo de existencia de las personas reales. Las discusiones académicas, por otro lado, pueden tener duraciones muy diferentes; pueden permanecer durante largos períodos de tiempo, continua o fragmentariamente en el foco del debate y la crítica, o por el contrario consumirse en ellas mismas en una décima de segundo, aun así, con la potencialidad de resurgir. Quizá la característica más importante de esta discusión académica específica que continúa Gregorio López en los márgenes de este punto de la *Segunda Partida* es que ha seguido manteniendo su vigencia durante siglos, y que posiblemente (y desgraciadamente) siga vigente durante mucho tiempo.

Rolena Adorno ha detallado, en una profunda investigación, el modo de funcionamiento literario, retórico e histórico de la polémica de la posesión. Su trabajo pone de relieve los tropos de la conquista y la posesión entre las narraciones coloniales y la persistencia de lo colonial en la narrativa moderna y contemporánea[53]. Para Adorno, esta persistencia tiene como centro de gravedad la disputa entre Bartolomé de las Casas y Ginés de Sepúlveda. Adorno persigue la polémica de la posesión en la literatura contemporánea, en una institución que se manifiesta con claridad en la esfera pública. Lo que voy a exponer a continuación es un suplemento a esta investigación, la muestra de que esta polémica de la posesión y sus argumentos coloniales se manifiestan de manera intemporal e intempestiva en los subterráneos (la glosa) del derecho.

Una de las preguntas clave de la polémica sobre la posesión cuestiona el estatuto jurídico, político y antropológico de los nativos de la América en proceso de invasión por los conquistadores españoles. Las consecuencias históricas de esta discusión no son ajenas a las formas del racismo sistémico de las sociedades capitalistas, sino que forman parte de los paradigmas sociopolíticos y culturales de la contemporaneidad. La discusión que Gregorio López se propone continuar trata sobre el modo en que las formas de racialización y la supremacía del cuerpo blanco y cristiano se sobreponen a las otras manifestaciones de la civilización y justifican la fundación y la preservación de derecho a través de una nueva forma de violencia[54]. El mero hecho de que la posibilidad de la servidumbre involuntaria y

---

[53] Adorno, *The Polemics of Possession in Spanish American Narrative.*
[54] Benjamin, *Crítica de la violencia;* Rabasa, *Writing Violence in the Northern Frontier.*

la esclavitud, el mero hecho de que las cuestiones de raza y diferencia social sean puestas sobre el torno alfarero de la lógica jurídica, escolástica, teológica y política, es suficiente para percibir el modo en que la discusión académica inunda la vida cotidiana, la empíricamente perceptible y la que no lo es, de las personas[55].

Estas largas glosas de López no han pasado, ni mucho menos, desapercibidas a la investigación. En 1992, como parte de los fastos en torno al quinto centenario del inicio de la invasión y conquista de América por los españoles, el magistrado del Tribunal Supremo Antonio Agúndez Fernández publica su libro *La doctrina jurídica de Gregorio López en la defensa de los derechos humanos de los indios*[56]. Me resisto a calificar el estilo de este libro, pero reconozco que me resultaría poco menos que imposible incorporar ninguna cita textual del mismo sin ruborizarme. Empieza por narrar la vida de Gregorio López, a partir de las investigaciones conocidas y de documentos nuevos, procedentes en su mayor parte del Archivo General de Simancas. Establece el momento clave de la toma de conciencia de Gregorio López en torno a los nativos americanos en tanto que sujetos jurídicos durante la visita del dominico Bernardino de Minaya a Valladolid en 1536, como emisario del también dominico Julián Garcés (1452-1542), obispo de Tlaxcala. La misiva traída por Minaya es considerada como el desencadenante de la bula de Pablo III «Sublimis Deus» (y sus documentos satélites) datada a 29 de mayo de 1537 (el mismo día que el *Pastorale officium,* que prohíbe la esclavitud de los pueblos originarios) y dada el día 2 de junio de ese mismo año. Por su parte, Ana María Barrero García publicó en 2005 su trabajo *La 'glosa magna' de Gregorio López: sobre la doctrina de la guerra justa en el siglo XVI*. En este trabajo edita y traduce al castellano el texto latino de la glosa de López (que también había traducido, plagado de errores y de problemas tipográficos, Agúndez Fernández), establece las fechas de redacción de la glosa, con sus interrupciones y posibles momentos de inspiración (entre febrero y julio de 1544, cuando cae en manos del glosador el texto de Vitoria; 1550, tras escuchar a Bartolomé de las Casas en San Gregorio de Valladolid, opina Barrero, etc.), y expone las fuentes y conclusiones de Gregorio López.

La ley 2 del título 23 de la *Segunda Partida* legisla «Porque razones se mueuen los omes a fazer guerra». Una primera glosa, sin apa-

---

[55] Mbembe, *Critique of Black Reason.*
[56] Agúndez Fernández, *La doctrina jurídica de Gregorio López.*

rente llamada, y precedida por un asterisco, indica las palabras *Bello iusto* («acerca de la guerra justa»), si bien es la ley anterior la que habla de la guerra que «llaman en latín justa, que quiere decir tanto en romance como derechurera», y que recibe su propia glosa *e*, en el margen interno del fol. 78v. Así que esta glosa con asterisco es una especie de transición, o reclamo, en que centra el tema de la ley anterior al tiempo que lo conecta con la ley presente. Dos breves glosas más indican alegaciones jurídicas acerca de los beneficios de la guerra justa, con Baldo de Ubaldis (1327-1400) y Luca de Penna *(c.* 1325-*c.* 1390), para determinar que los tres beneficios mencionados por Alfonso comprenden otras tipologías posibles (Luca de Penna, por ejemplo, sostiene que hay trece beneficios). La ley indica de inmediato tres razones para la guerra, la primera de las cuales es «por acresçentar el pueblo su fe, e para destruyr los que la quisiesen contrallar»[57]. López coloca ahí una llamada, la glosa *g*, en el margen interior del fol. 79r. Esa glosa, que se llama «¶ *Acresçentar el pueblo su fe*», se prolonga, entonces, desde la parte inferior de esa columna izquierda hasta el folio 83v. Al hacerlo, se concentra en la primera cláusula de la frase, dejando de lado «e para destruyr los que la quisiesen contrallar».

Aunque de lectura laboriosa (letra que desafía las mejores gafas de cerca, miles de abreviaturas profesionales y otras que no lo son, lengua latina), el texto de la glosa es muy transparente. El interior está perfectamente balizado para su estudio, mediante el uso de calderones para señalar las distintas conclusiones a cada una de las tesis presentadas para su discusión. Gregorio López actúa aquí como un jurista escolástico, y sus referentes no dejan duda al respecto. Su argumentación se beneficia especialmente de la dialéctica y los conceptos de la teología. Su interlocutor más importante es Tomás de Aquino, pero no es el único de entre los teólogos. La mayor parte de sus otros interlocutores son canonistas (especialistas en derecho eclesiástico), con Enrique de Segusio o de Susa *(c.* 1200-1271; el Hostiense, como siempre le llama López) a la cabeza, que discuten la potestad papal, su jurisdicción universal, la *plenitudo potestatis*. López se opone a la justificación de la violencia del Hostiense, y, como señalará al final de su glosa, prefiere que la violencia sea un movimiento de reacción, no de acción, es decir, de preservación del derecho, más que de fundación del mismo[58]. Los argumentos siguientes

---

[57] *Partidas* 2.23.2, fol. 79r, col. b.
[58] Benjamin, en su *Crítica de la violencia,* hace la distinción entre violencia fundadora de derecho y violencia para la preservación del derecho.

proceden de Francisco de Vitoria y sus *Relectiones de Indis:* «¶ Et postea quam haec scripseram venit ad manus, quod in materia ipsa scriptis tradiderat Franciscus a victoria, Frater ordinis predicatorum...». Así, las *relectiones* de Francisco de Vitoria llegan a las manos de López una vez ha escrito todo lo anterior, una vez ha articulado toda la teoría teológica y el derecho canónico en torno a la potestad papal, por un lado, y a la comparación entre los no cristianos nativos de América y los no cristianos de la península ibérica o el Mediterráneo, con el horizonte de las diversas guerras santas, bulas de cruzada, conversiones forzosas masivas, pogromos y expulsiones de la historia medieval de Europa. En su cuidadosa exposición, las tesis de Francisco de Vitoria merecen también una crítica por parte de López.

Gregorio López expresa, al final de su glosa, en medio de la sexta de sus conclusiones, su *angustia decidendi,* la angustia de expresar decisiones o sentencias jurídicas. Nueve conclusiones retoman, así pues, la posición y las decisiones de Gregorio López. Primera conclusión: son los reyes de España quienes tienen derecho de conquista en América. Segunda conclusión: nada de hacerlo por las armas, sino a través de la predicación. Tercera: establecer y reforzar claras diferencias entre quienes han sido convertidos y los que aún no lo han sido. Cuarta: si se declara la guerra, ha de hacerse como reacción a actos de violencia por parte de los nativos. Quinta: no se puede declarar la guerra por el mero hecho de no aceptar la conversión, pues esta no puede venir por la fuerza, sino voluntariamente. Sexta: no es recomendable usar la violencia contra los idólatras, aunque en el pasado se hubiera recomendado. Séptima: es lícito declarar la guerra a aquellos que hacen sacrificios humanos. Octava: la causa de la guerra es la violencia de los otros, una vez cesa esta, debe detenerse la guerra. Novena conclusión: la única sin elemento productivo, es un rechazo íntegro de las doctrinas del Hostiense.

Estas conclusiones no pueden, en ellas mismas, borrar la argumentación contenida en la glosa, es decir, el proceso crítico que la alumbra. Cierto que, según anunciaba la glosa con asterisco sobre la guerra justa, la glosa-tratado de López puede ser considerada en su totalidad una exposición y debate sobre este tema desde las doctrinas teológicas y canónicas de la escolástica hasta este momento en torno a 1544 en que las relecciones de Vitoria caen en manos de López. López se siente más cómodo, quizá, exponiendo y criticando que decidiendo —esto, al menos en una ocasión, le provoca angustia—. Pese a su general acuerdo con las conclusiones de Inocencio IV sobre la administración de la violencia, y las decisiones de Pablo III sobre la personalidad de los nativos y el rechazo a cualquier forma de esclavitud o expolio de los mismos, López se ve obligado a criticar algunos de los temas que constituyen el universo sistémico que somete a distintos tipos de exclusión o discriminación a los nativos y a su descendencia, sin dejar de lado la descendencia fruto de las relaciones entre nativos y conquistadores, e incluyendo los abusos y violaciones perpetrados por estos últimos.

Nada de esto puede ser considerado como una manera de defender los derechos humanos de los indios. Lo que hace esta glosa es cubrirse con una serie de discursos acerca de la humanidad y plenitud intelectual de los nativos, mientras que, al mismo tiempo, asegura que las formas de violencia que consisten en conquistar el territorio y en promover la fe y el capitalismo de la empresa española no son en realidad formas de violencia, ya que, si se sigue su consejo jurídico, se evitará la guerra. Lo que propone Gregorio López es una guerra sin guerras. Por eso la glosa con asterisco para esta ley venía repitiendo el concepto mismo de guerra justa.

Fuerza centrípeta

La glosa tiene una capacidad específica de incorporar en su interior, atrayéndolos, textos enteros de procedencia diversa. No constreñida por el tiempo ni las temporalidades del texto tutor, la glosa ejerce una fuerza centrípeta que a veces se sobrepone al valor mismo del texto tutor. En su estudio sobre las *Partidas,* Gibert señaló que en ocasiones los abogados, procuradores, jueces y otros profesionales del derecho se servían en su argumentación de las glosas de Gregorio López antes que del texto de las *Partidas,* hasta que en 1887 «el Tribunal Supremo declaró que la Glosa no formaba parte del texto legal y su no seguimiento no era motivo para pedir la casación»[59]. La invasión de la glosa en el universo jurídico no es exclusiva de las *Partidas.* Desde los orígenes medievales del derecho romano, la fractura de temporalidades entre el texto tutor y la glosa hacen de esta última un recurso fundamental.

Esta fuerza centrípeta tiene un valor de potencialidad histórica. Gregorio López usa la glosa como un artefacto jurídico. Su valor de autoridad queda sustentado por el texto de la letra jurídica que co-

---

[59] Gibert y Sánchez de la Vega, «La Glosa», pág. 446.

menta. Desde esa posición de privilegio, López administra los textos fundamentales con los que a lo largo de la historia se han ido construyendo los argumentos sobre la guerra justa, sobre si la interrupción de las exploraciones comerciales y el beneficio económico pueden o no ser causa de una guerra, sobre cuándo debe cesar la guerra, sobre qué es lo que significa no ser cristiano y si hay varias maneras de no serlo, sobre si una perspectiva racializada de los pueblos indígenas es o no es factible en el proceso de conquista, sobre qué es lo que significa poseer raciocinio, estar humanizado o estar animalizado, y otras muchas cosas. Todas ellas, con sus argumentos a favor y en contra, están ahora compendiadas en esa glosa que a lo largo de años, siglos, impresiones, reimpresiones y traducciones, está disponible para profesionales y no profesionales del derecho, pero siempre dichas desde la voz de quien tiene una autoridad jurídica, un poder (por angustiado que se halle) de decisión. Y su angustia no es injustificada: está haciendo posible la fundación y la preservación del derecho a través de actos de violencia que, aunque sean menos visibles que la guerra abierta, son los creadores de un sistema de opresión propio de la lógica colonizadora imperial.

La teoría de la glosa es su práctica. Es flexible, puede ser una sola línea o diez páginas a dos columnas. Puede referirse a una llamada, o puede construir una llamada que en ese momento no existe, pero que la glosa convoca como necesaria. En su interior se agregan datos y argumentos, y se solventan diálogos que ocurren en un tiempo superior al de las vidas biológicas de los actores que tomaron parte en el debate. Al hacerlo de esta manera, la glosa organiza un debate contemporáneo.

Capítulo IV

Activismo

Gregorio López, al igual que los talleres responsables de establecer la glosa ordinaria, actúan desde una posición privilegiada de oficialidad. Están apoyados por las disciplinas que practican en el interior de las estructuras de poder desde las que emiten materiales doctrinales o decisiones jurídicas. Algunas de las personas que se dedicaron a glosar manuscritos durante los siglos xiv y xv, preferentemente en lengua vernácula, lo hicieron desde posiciones que, aunque no pueden considerarse carentes de privilegio, no venían acompañadas de cargos o títulos de autoridad. Son glosadores voluntarios y, en cierto modo, vamos a explicar a continuación, activistas a través de estas glosas.

DESDE EL MARGEN

La capacidad de combinar el activismo con la articulación de un cuerpo de conocimiento define el compromiso intelectual. Quienes se consideran intelectuales en el ámbito público ponen en práctica un saber, que a veces extraen dolorosamente de los espacios e instituciones en los que se crea y cultiva el conocimiento de acuerdo con métodos, practicas y teorías de carácter científico. En los espacios de construcción del conocimiento, en las instituciones creadas al efecto, fortalezas, o «torres de marfil», espacios protegidos de otras dinámicas sociales y políticas (especies de islas utopías, o de falansterios, ajustados a planos urbanos y educativos en los que prima la ilusión de la libertad de pensamiento y acción), el error ante el ensayo no está solamente permitido, sino que está sacralizado: es parte necesaria del método. El trabajo intelectual público pone en acto el conocimiento allá donde el protocolo de recepción y de discusión funciona de acuerdo con lenguajes enfáticamente no académicos e incluso antiacadémicos. Salir de la fortaleza o de la torre de marfil es desnudarse de las distintas formas de protección que otorga la institución para refugiarse únicamente en la capacidad de poner en escena una magia social que en muchas ocasiones se revela como ilusionismo o prestidigitación[1].

¿Cómo emerge una figura intelectual pública en ciertos períodos históricos en que el conocimiento formal de la cultura universitaria tiene una presencia pública diferente a la de una sociedad con medios de comunicación de masas? En estas circunstancias, conviene preguntarse de qué manera se puede proponer la existencia de un intelectual público, preferentemente secular o laico, y cuál sería la «poética de lo público» ensayada por este intelectual. En otras palabras, ¿de qué manera puede ese intelectual público crear su ámbito de expresión y su ámbito de acción en el interior de la sociedad por la que se siente especialmente concernido?

¿Cuál puede ser el interés de localizar a un intelectual público en la períodos más o menos remotos de la historia, que parecen a día de hoy inactivos, o tal vez desactivados? Ninguno, en efecto, si solo se tratara de localizarlo y de identificarlo para compararlo con otros, estableciendo así una línea genealógica basada en repeticiones y diferencias. En cambio, puede tener alguna si podemos establecer otra genealogía diferente: aquella que permite transformar al intelectual público en una poética del pensamiento crítico, es decir, en una manera de modificar, o de volver a pensar, las relaciones entre las humanidades, su carácter público y académico, y la acción social y política.

Para poder plantear, y acaso empezar a responder, a esta serie de cuestiones, voy a analizar ahora parte de la obra de Diego de Valera (Cuenca, 1412-Puerto de Santa María, 1482), un individuo al que considero, juntamente con otros contemporáneos suyos, y en espe-

---

[1] Véase ahora Behm, Rankins-Robertson, y Duane Roen, «The Case for Academics as Public Intellectuals». El número entero está dedicado al académico como intelectual público y a la libertad de cátedra. El concepto de magia social lo tomo de Pierre Bourdieu, tal y como la utiliza en su libro *La Noblesse d'État*.

cial juntamente con mujeres escritoras, como Christine de Pizan o Teresa de Cartagena, que volverán a las páginas de este libro en el último capítulo, un intelectual público de esa época a la que, de manera insidiosa, se ha llamado con frecuencia *premodernidad* o *nomodernidad*. En esto, hago mía la discusión de Kathleen Davis sobre la «Política del Tiempo», en donde analiza la hegemonía de la modernidad y las consecuencias de establecer una oposición binaria entre la nomodernidad o la premodernidad, por un lado, y la modernidad, por otro[2]. La cuestión que me interesa aquí es que, independientemente de las condiciones de posibilidad de los sistemas de comunicación y los momentos de inscripción de una serie de individuos concretos (Valera, por ejemplo), es preciso extraer el análisis histórico de sus producciones, actitudes y afectos de una «política del tiempo», es decir, de la atribución de ciertas características homogéneas a un período dado por la historiografía[3].

El intelectual público que comparece en estas páginas es un artista microliterario. El artista microliterario a que me refiero es propiamente un escritor o escritora de los siglos XIV y XV. En términos técnicos y formales, el artista microliterario pone a su disposición y uso la totalidad de la página, centro y margen. Así, ensaya la poten-

---

[2] Para la discusión entre premodernidad, no-modernidad y otras periodizaciones que suponen una visión y práctica hegemónicas de la modernidad, me remito a la obra citada de Davis, *Periodization and Sovereignty.*

[3] En el volumen segundo de *La Fable Mystique,* publicado veintisiete años después de la muerte de su autor, Michel de Certeau define el «effet d'inscription». Se trata del efecto mediante el cual la historia del pasado se graba en nuestra historicidad. Es, así pues, un efecto de muy largo alcance, en el que nosotros, como historiadores contemporáneos, no podemos evitar que exista una doble inscripción de nuestro objeto de estudio: una que parece estar muy lejos, como separada del todo de nosotros; y otra que en cambio está casi en el código genético de nuestra propia historia, y cuyo modo de actuación no sabemos y sin embargo debemos descubrir, no de una, sino de muchas maneras diferentes —tantas como historias sea posible escribir—. Este efecto de inscripción tiene de hecho una doble vertiente: por un lado, el modo en que la manera de estudiar el pasado transforma nuestra experiencia de la historia contemporánea; por otro, la manera en que la experiencia contemporánea busca trabajosamente volver a narrar el pasado con métodos y teorías que nos permitan no solo estudiar el pasado, sino también *pensar con el pasado* (De Certeau, *La Fable mystique).* Para Denise Baker de lo que se trata es de saber cómo una fuente histórica habla de un acontecimiento mientras también habla a dicho acontecimiento (Baker [ed.], *Inscribing the Hundred Years War).* El «effet d'inscription» indica un camino levemente diferente, pues no coloca el acontecimiento en el centro de gravedad, sino más bien la constelación de ideas que se ponen en discusión.

cial polifonía de su pensamiento, bien en tanto que «príncipe», bien en tanto que «rétor», como se señaló en el capítulo anterior. El artista microliterario crea un discurso central para luego abrir los sentidos de su propio discurso en los márgenes. La glosa es autoglosa, el resultado de una escritura que explora al mismo tiempo los límites formales del texto que compone (un tratado o una epístola), los límites políticos de la sociedad a la que se dirige y la flexibilidad material de la escritura manuscrita con que lo lleva a efecto.

Estas intervenciones son, pues, una investigación acerca de lo público. El debate se manifiesta en la superficie misma del manuscrito, frecuentemente en tiempos de escritura y tiempos gramaticales diferentes, configurando así una periodización propia de la escritura pública como un proceso lento y de autorreflexión. Esta periodización interna no es meramente la vuelta del escritor a cierto viaje textual, sino más bien el fruto de una serie de actos de violencia en los que el tema sobre el que se discute o el propio texto sometido a discusión han sido estigmatizados y extirpados de la economía de la recepción a la que fueron enviados por primera vez. En lugar de replegar las velas y volver a puerto, los artistas microliterarios las vuelven a desplegar y a henchir con una energía exegética en forma de glosas marginales o de iteraciones sobre la primera expresión. En gran medida, es esto lo que marca la producción de las glosas marginales que suelen acompañar a muchos de los textos de Diego de Valera o de Christine de Pizan, entre otros, y lo mismo sucede con la segunda carta o tratado de Teresa de Cartagena *(Admiraçion operum dei),* como respuesta al acto de violencia intelectual con el que había sido recibida su primera carta *(Arboleda de los enfermos).*

La microliteratura se expresa también habiéndose convertido en una política y en una ética que se manifiestan en la necesidad de introducir en la lengua vernácula y en su historia ciertos conceptos (frecuentemente a través de neologismos sin futuro), ciertas instituciones (la paz, de la que tendremos ocasión de hablar más adelante), o ciertos sujetos (mujeres individuales con una historia específica) que el artista microliterario considera que habían sido sometidos a una política de la invisibilidad[4].

---

[4] El concepto es de Robert J. C. Young, «Postcolonial Remains». Para Young, la «política de la invisibilidad», es decir, las capacidades institucionales para ocultar las alternativas a la hegemonía, es aquello a lo que debe dedicarse el pensamiento poscolonial en tanto que forma activa del pensamiento, y no en tanto que tenden-

Quiero pensar en el artista microliterario en tanto que un contemporáneo, tal y como expresé en la introducción de este libro. El adjetivo «contemporáneo» es relativamente reciente en español, y Diego de Valera es uno de los primeros en usarlo. Otros usuarios coetáneos son Alfonso de Palencia y Rodrigo de Santaella, en ambos casos en sendos diccionarios, en los que se demuestra, por tanto, cierta incomodidad con una palabra que, de puro nueva, tiene que ser incorporada a la lista de los intraducibles[5]. Valera usa esta palabra para mostrarse especialmente fascinado por las innovaciones tecnológicas en las que él mismo está participando, pues se da la circunstancia de que su *Crónica Abreviada de España,* más conocida como *Valeriana* será la primera obra historiográfica vernácula en ser impresa en la península ibérica. Valera expresa su voluntad de que la *Valeriana* tenga un gran impacto en el instante en que las técnicas de escritura están en plena transformación y que su historia, radical-

---

cia o escuela. La cuestión quizá ha sido llevada más lejos —y de manera intelectualmente más activa— por Walter Mignolo y su proyecto de pensamiento descolonial (Mignolo, *The Darker Side of Western Modernity).*

[5] En su diccionario para la interpretación de los textos bíblicos, Rodrigo de Santaella traduce el griego «sinchronon» con «contemporaneo o de un tiempo» (Santaella, *Vocabulario Eclesiástico).* Alfonso de Palencia, *Universal Vocabulario, s. v.* «Ogiges». El mismo CORDE da otros pocos ejemplos, en los que contemporáneo significa estrictamente «coetáneo.» En el caso de Valera, el modo en que se refiere a lo contemporáneo como estrictamente moderno y relacionado con un determinado avance tecnológico que constituye una transformación en el modo de escribir y en el modo de participación en lo público, hace pensar en una «política de la neología», próxima a la política de la traducción que estudia Apter, *Against World Literature.* La cuestión de la «intraducibilidad» es crucial en la concepción de la política de lo intraducible porque obliga no solo a la construcción de una serie de equivalencias, sino a reconocer que para poder comprender el concepto, es necesario introducirse en un estudio a la vez lingüístico y cultural del mismo. Apter también se fundamenta en su trabajo con la obra de Cassin (ed.), *Vocabulaire Européen des Philosophies. Dictionnaire des intraduisibles.* Para la cuestión de la traducción/intraducibilidad véase también Meschonnic, *Poétique du traduire.* En este libro Meschonnic se centra en algo que es también importante para la concepción de Valera como contemporáneo: la traducción no es una cuestión de «origen» o «meta» (de traductores «sourciers» o de traductores «ciblistes»), sino más bien de la obtención de un ritmo que es, de alguna manera, el ritmo de lo contemporáneo, de lo que tiene efecto en la lengua y en la cultura que traduce.

mente contemporánea, va a ser difundida «restituyéndose por mul-
tiplicados códices en conoscimiento de los pasado, presente y futuro, tanto quanto ingenio humano conseguir puede»[6]. Desde la contemporaneidad, así pues, Valera puede establecer una conversación
con los tiempos históricos y con los tiempos gramaticales, con el
pasado, presente y futuro de las cosas presentes, según una concepción del tiempo agustiniana[7].

Es esta contemporaneidad la que hace que Diego de Valera sea
un activista. Hasta ahora no he definido lo que puede significar la
vida activa, o el activismo que convierte al académico en un intelectual. Para ello me voy a servir de una definición quizá extraña, pero
que forma parte de una cultura en la que se ponen en cuestión las
ocupaciones seculares y su interpretación metafísica. En ella, san
Agustín se refiere a la concepción del mundo de los neoacadémicos,
y los tres tipos de vida que uno puede llevar a cabo en la ciudad te-
rrenal, en los cuales, por tanto, se ejerce una ciudadanía pública.

> A la hora de discutir sobre la elección de uno de estos tres
> géneros de vida: uno de ocio, no transcurrido en la indolencia,
> sino en la contemplación o investigación de la verdad; el otro
> agitado por los quehaceres humanos, y un tercero, integrado por
> la combinación de ambos, el bien supremo queda fuera de discu-
> sión. En tal caso se trata únicamente de la dificultad o facilidad
> que estos tres géneros de vida encierran en orden al logro y con-
> servación del bien. De hecho, cuando uno consigue llegar al
> sumo bien, este al punto le hace feliz. En cambio, tanto en el ocio
> de las letras como en el ajetreo de la vida pública, o en la mezcla
> de ambos, no se encuentra inmediatamente la felicidad. Muchos
> pueden vivir en cualquiera de estos géneros de vida y equivocarse
> con relación a la tendencia hacia el bien definitivo, fuente de nues-
> tra felicidad[8].

---

[6] Valera, *Crónica Valeriana*, pág. 338. Para Valera, la brevedad y la influencia
en lo contemporáneo (y en los contemporáneos) está asociada a una nueva «arte de
escrevir» que establece un corte en la «penuria de originales y trasuntos» *(ibíd.)*. Lo
interesante de esta tecnología es quizá precisamente que esta arte de escribir transforma el pacto de producción de la historia y de la historiografía.

[7] Valera parece estar pensando en una forma de la periodización que está en
relación con las ideas agustinianas sobre el pasado, presente y futuro «de praesentis»
(Agustín, *Las confesiones*, 11.25-29, págs. 492-499). Es eso lo que caracteriza también este pensamiento contemporáneo.

[8] Agustín, *La ciudad de Dios* (tomo 2.º), 19.2, págs. 549-550. «In tribus quo-
que illis vitae generibus, uno scilicet non segniter sed in contemplatione vel inqui-
sitione veritas otioso, altero in gerendis rebus humanis negotioso, tertio ex utroque

Un poco más adelante, Agustín alcanza el grado de conceptualización más conciso, cuando simplemente resume cada uno de los tres modos de vida en una expresión, «otioso, actuoso, et ex utroque modificato»[9]. Para Agustín, todos ellos son respuestas diferentes a una misma cuestión, que podríamos denominar aquí la neurosis de la existencia, la imposibilidad de hallar la felicidad en *este mundo*. Los tres modos de vida son una manera de aceptar esta neurosis en la Jerusalén terrestre, en el mundo de aquí abajo.

La imposibilidad de hallar el sumo bien, y por tanto la felicidad, en cualquiera de estas tres formas de vida es la característica principal del compromiso crítico. Una persona no siempre puede poner su vida al tablero en nombre de la verdad, o en nombre de una lucha justa. Puede correr ciertos riesgos políticos, poner en peligro sus relaciones o sus redes sociales. El intelectual público sabe que el acto crítico que conlleva esos riesgos conmoverá la simple posibilidad de definir en qué consiste la felicidad, e incluso de sentirla. El activismo es tal vez la aceptación de que la felicidad no entra dentro del radio de acción de la crítica política.

Para el activista, no es el «negotium publicum» lo que cuenta, sino más bien el modo de vida que Agustín caracteriza como «ex utroque modificato», y que un poco antes dijo que era «ex utroque genere temperato» (una mezcla templada a partir de la vida activa y la contemplativa), es decir, el modo de vida de una persona que está en constante modificación a través de la combinación entre el «otium litteratum» y el «negotium publicum», o, para borrar la equívoca dualidad entre ocio y negocio, la combinación entre la articulación del conocimiento derivado del estudio con la necesidad por introducirse en el universo político y ético en que se gestionan los problemas públicos. A Agustín le es aparentemente indiferente que los académicos prefieran el tercer modo de vida (la combinación entre lo público y lo literario), porque él, en efecto, no acepta que la neurosis de la existencia constituya el final de partida de la existencia[10].

---

genere temperato, cum quaeritur quid horum sit potius eligendum, non finis boni habet controversiam; sed quid horum trium difficultatem vel facilitatem afferat ad consequendum vel retinendum finem boni, id in ista quaestione versatur. Finis enim boni, cum ad eum quisque pervenerit, protinus beatum facit. In otio autem litterato, vel in negotio publico, vel quando utruquem vicibus agitur, non continuo quisque beatus est. Multi quippe in quolibet horum trium possunt vivere, et in appetendo boni fine quo fit homo beatus, errare».

[9] *Ibíd.*

[10] Agustín, *La ciudad de Dios* (tomo 2.º), 19.3, pág. 556.

Pero, en cambio, esa es, a mi entender, la marca fundamental de la misma. Y es esa también la que me interesa tener como horizonte interpretativo para entender la obra y la vida de Diego de Valera.

Hay muchas maneras de evaluar este sentimiento a la vez literario y público. Para un individuo como Diego de Valera era muy difícil incorporarse a un universo político en que la presencia pública y la participación en el círculo de poder se obtienen mediante una combinación de origen linajístico y cualidades culturales y académicas. La biografía de Valera está cruzada por una serie de heridas sociopolíticas difíciles de curar. Su padre, Alonso, es un médico converso; su madre, María Fernández de Valera (cuyo apellido prefiere siempre, en lugar del de su padre, que es Chirino) pertenece a una familia de burgueses que han adquirido cierto poder hidalgo en el interior de la caballería urbana de Cuenca. Valera se siente incómodo en las categorías nobiliarias, a las que nunca acaba de acceder. La caballería es, para Valera y los seguidores del jurisconsulto de Perugia Bartolo de Sassoferrato (1313-1357), una puerta abierta para que los plebeyos, por gracia real, accedan a la nobleza. Sin embargo, su experiencia caballeresca está marcada por haber sido investido por mano diferente a la regia[11]. Por otro lado, la mezcla entre linaje y educación formal que podrían constituir los criterios de distinción en el interior de la red sociopolítica cortesana no es de proporciones predecibles: no puede decirse cuántas dosis de cada cosa son necesarias, y eso hace que la experiencia social de Valera en el interior de la corte real castellana sea más difícil o esté dominada por la inquietud.

Para enfrentarse a estos problemas, Valera juega dos diferentes personalidades, una en el interior y otra en la periferia de sus tratados. En el centro, Valera establece las reglas de pertenencia al linaje y a la genealogía del poder, dedicándose a disertar sobre temas jurídicamente complejos, como la paz, la caballería o la teoría política. En todos esos medios, Valera propone tesis sobre lo que significa pertenecer a linajes nobiliarios, incluyendo a grupos de la sociedad que tienen limitado el acceso individual al poder, como las mujeres o los judíos, así como otros grupos de origen urbano o incluso rural que constituyen el universo plebeyo[12]. Además, en la periferia, juega

---

[11] La mejor biografía actual de Valera es la de Cristina Moya en su mencionada edición de la *Valeriana*.

[12] Aquí conviene recordar que Valera nace y se cría en un universo urbano que, como el de Cuenca, presenta un grupo caballeresco villano, plebeyo, con aspiracio-

una segunda partida fundamental, a veces más allá de los márgenes de sus textos: restablece las reglas de interpretación de sus ideas sobre teoría política y social, obligando a los lectores (incluidos nosotros) a leer a Valera en clave de la *bibliotheca,* el *thesauro,* o, si se prefiere, la enciclopedia cultural cuya vigencia está en constante discusión. No cabe duda, por ejemplo, de que Valera no solo contribuye a la discusión o a la argumentación con autores que forman parte de la economía cultural contemporánea bien sea a través de obras completas, bien a partir de misceláneas, índices y florilegios; también consigue introducir algunos de su propia experiencia investigadora, como a un esquivo Juan Teutónico que comparte con Francesc Eiximenis, o a un Bartolo de Sassoferrato que no por muy deseado entre las élites letradas castellanas y aragonesas resulta menos difícil de acceder y comprender por parte de sus coetáneos[13].

La microliteratura de Diego de Valera actúa dentro de una lógica totalizadora que engloba al centro y a la glosa. La microliteratura de Diego de Valera es, antes que nada, una actitud. Antes, incluso, que una manifestación textual formalmente identificable en las páginas de los manuscritos que transmiten sus obras. Esta actitud no solamente se expande de manera centrífuga hacia los márgenes, sino que constituye también su propio *modus operandi* en tanto que tratadista. La microliteratura de Valera está un poco por todas partes, como una suerte de intervención urgente en materias de palpitante actualidad. Es en esta urgencia de participación en lo público donde se manifiesta su contemporaneidad.

Nunca estamos totalmente sobrados de modelos morales y políticos. Las crisis suponen una manera insidiosa de terminar con la

---

nes a la hidalguía caballeresca. Véase Cabañas González, *La caballería popular en Cuenca;* Jara Fuente, *Concejo, poder y elites.*

[13] Más adelante se discute de nuevo la introducción de Bartolo dentro de las discusiones políticas por Valera. A decir verdad, no es el único, sino que están también implicados en ello Alonso de Cartagena en su alocución conciliar, Juan Rodríguez del Padrón, o Ferrán Mejía. Para todo ello, puede verse Rodríguez Velasco, *El debate sobre la caballería en el siglo XV;* González-Vázquez, «Représentation et théorisation de la noblesse». Francisco Bautista ha argumentado recientemente que «Bartolo» —cierta discusión sobre política y sociedad, así como una pequeña selección de textos que incluyen el *De dignitatibus* y *De insigniis*— puede considerarse una invención castellana (Bautista, «La idea de nobleza en conflicto»). Es una tesis arriesgada que, sin embargo, me parece convincente, porque explica no solo la preeminencia de ciertos textos (y la ausencia de otros), sino también la circularidad discursiva en torno a ellos para una serie de casos específicos de aplicación en el ámbito castellano.

solidez de algunos de esos modelos. Pero lo que quiero proponer no es ni mucho menos un modelo moral, ni un estilo, ni siquiera un referente. Solo quiero hacer lo que creo que todo historiador debe hacer: buscar conceptos y problemas teóricos que permitan comprender cuáles son las respuestas que se han dado a los momentos críticos, en mi caso desde las humanidades, y cuál es el valor que esto implica. Dicho de otro modo, es necesario imaginar una sociedad en la que las respuestas a los problemas sociales, políticos, públicos, etc., no procedan únicamente del ámbito de discursos sistemáticos y autopoéticos (el concepto es de Niklas Luhman) como la economía o el derecho, sino también de los análisis humanísticos que son, por elección, interdisciplinares y transversales.

La elección de Diego de Valera para participar en lo público es escribir. Posiblemente sea innecesario decir hasta qué punto se trata de una elección singular. Escribir en el siglo xv no tiene el significado que tiene en este instante en que la cultura escrita lo inunda todo. Escribir en el siglo xv es una actividad marginal, y Valera se dedica a ella en todas direcciones. Su escritura es una constante investigación en los modos de escribir. No diría que cultiva, sino más bien que rotura diferentes formas textuales, las abre un poco por primera vez, obtiene ciertos resultados y, como un pensador nómada, se desplaza hacia otro terreno con objeto de roturarlo también[14].

---

[14] Me sirvo aquí libremente, y, también de forma *infiel* a su momento de inscripción de algunas de las ideas y conceptos de Deleuze y Guattari en su pequeño libro sobre Kafka y la literatura menor (Deleuze y Guattari, *Kafka. Pour une littérature mineure*) (pero en eso no actúo, por así decir, *contra Deleuze,* como creo que el propio Deleuze explica al hablar tanto de la filosofía en tanto que disciplina como de su lectura de la obra de Nietzsche [Deleuze y Guattari, *Qu'est-ce que la philosophie?;* Deleuze, *Nietzsche et la philosophie;* Deleuze, *Nietzsche]).* La idea del pensamiento nómada, así como la del tartamudeo de la lengua de que hablo más adelante, me sirven aquí de una manera específica, como metáforas de una metáfora, por así decir. Soy consciente de que Deleuze y Guattari están hablando de problemas de una modernidad que en absoluto es aplicable a individuos como Valera, pero que en cambio sirven como analogía para hablar de este Valera microliterario. El nomadismo de Valera está en relación con el hecho de que se halla en constante movimiento de roturación de ciertos estilos y de ciertas formas de escritura, que le llevan, al mismo tiempo, a tomar ciertas máscaras, o ciertas causas, como suyas —se puede convertir en amigo imaginario, se puede convertir en judío que desea conservar la nobleza, se puede convertir en mujer individual que tiene una historia que contar, o se puede convertir en agente de la paz—. En este sentido, su pensamiento explota diferentes formas y focos de la enunciación, con objeto de manifestar cierto regusto en la contradicción, cierto modo de oposición a la opinión común o al senti-

Esto es lo que hace, por ejemplo, con uno de sus discursos más claramente escritos a contracorriente, sobre la paz, en que se desplaza por epístolas mensajeras, una epístola enviada a un amigo imaginario y un breve tratado con sus glosas, a veces calificado de exhortación y a veces de compilación.

SOBRE LA PAZ

El filólogo atento a rastrear las fuentes de Diego de Valera se dará cuenta de dos cosas. La primera es que Valera aparenta ser un lector ávido en varias lenguas, capaz de referirse con igual soltura a tratados filosóficos y teológicos, a historiografía, derecho y poesía, o a cualquier otro texto que forme parte de la biblioteca, sea esta la real de los estantes o la virtual de las discusiones orales y del polen de autores. La segunda es que, si se hurga con un poco más de detalle, se puede observar que Diego de Valera es muy dado a eso que en inglés se llama *name dropping,* o sea, que se ha nutrido no tanto de la lectura detallada de todas las obras y autores que menciona, sino más bien de glosarios, índices, florilegios y otros artefactos preparados al efecto en el interior de las bibliotecas que frecuenta, y le gusta hacer ver que conoce los nombres del panteón literario. Ninguna de las dos observaciones puede desactivar la intensidad de las piezas de Valera sobre la paz. Se trata de un proyecto intelectual en el que, aunque uno pueda reconocer el rompecabezas de microliteraturas encajadas en el proceso de argumentación, también se puede reconocer el compromiso ético y político del autor, que se sobrepone a toda crítica de sus fuentes.

Las dos primeras cartas sobre la paz y los procesos de pacificación están dirigidas al rey Juan II[15]. En ambas, la tesis más superficial es el mismo díptico de ideas: es preferible la pacificación al enfrentamiento civil, y en ese proceso de pacificación es preferible utilizar la clemencia a la venganza. Esta tesis doble tiene una genealogía

do común de una determinada forma de la gobernabilidad como es la de esa época a la que Marx se refiere como las de «Don Juans and Henrys» (Karl Marx, «Revolutionary Spain. Fourth article», publicado originalmente en *New York Daily Tribune,* 27 de octubre de 1854).

[15] Tanto las cartas como la *Exhortación* las leo a partir de los manuscritos, pero cito siempre por la edición de Mario Penna *(Prosistas españoles del siglo XV).* La edición más reciente de la *Exhortación* es la de Baldissera, un trabajo sumamente tradicional que poco añade a lo ya estudiado y editado.

política y ética bien reconocible que Valera no tiene el menor interés en ocultar. Valera se sirve de la acumulación de citas y ejemplos procedentes de una especie de Vulgata que incluye a Valerio Máximo, a Séneca, a san Isidoro y a otros más que Valera menciona por su nombre. El hecho de que los cite explícitamente no significa que haya leído con detalle a cada uno de estos autores, y en muchos casos es relativamente sencillo comprobar hasta qué punto depende de fuentes secundarias, índices o compilaciones. Las fuentes, su carácter más o menos predecible, su escasa originalidad, son circunstancias que no deberían entorpecer la lectura de estas cartas, para las cuales dichas fuentes constituyen una especie de biblioteca virtual; esta biblioteca virtual ejerce sobre las tesis de Valera un poder de atracción simbólica más que una argumentación concreta. En otras palabras, estas fuentes son como la amalgama de mercurio que permite la extracción del mineral, no necesariamente el punto de llegada de la tesis que Valera quiere plantear y defender.

La tesis de la pacificación y la clemencia puede ser considerada una premisa mayor en dos tiempos para una lógica de la paz. En un primer tiempo, sirve para organizar un vocabulario, una serie de conceptos mayores que constituyen la frontera de inteligibilidad del problema sobre la paz[16]. Estos conceptos mayores indican que la paz del reino se sustancia en la tensión entre el mantenimiento del poder real y establecimiento de un contrato sociopolítico basado en la clemencia. En un segundo tiempo, sirve para colocar todo el sistema de argumentación dentro de un discurso de historia de las doctrinas políticas, en la que los autores citados y los ejemplos aportados constituyen también un horizonte de inteligibilidad en tanto que referentes o modelos éticos y políticos.

Esta no es más que la premisa mayor dentro de una lógica en la que Valera invierte un gran esfuerzo para producir premisas y conceptos menores. Es aquí, en realidad, donde Valera se desliga de la universalidad de los conceptos mayores y de la teoría política en abstracto, para concentrarse en la acción política en concreto.

El primero de estos conceptos menores tiene que ver con la participación pública, el activismo. Valera arguye con ella desde el inicio de la carta, al indicar cómo «cada uno de los naturales [es] tenido, según derecho divino e humano, dezir su parecer a su rey o señor

---

[16] Utilizo «conceptos mayores» y «conceptos menores» de acuerdo con Rorty, «The Contingency of Language».

en las cosas que mucho le va»[17]. Valera observa de cerca los conflictos políticos que dividen el reino, cuya genealogía remite al enfrentamiento con los infantes de Aragón, a los bandos castellanos, las oposiciones a Álvaro de Luna, el enfrentamiento entre Juan II y su hijo Enrique apoyado por una parte de la nobleza, y otros. Visto esto, Valera decide participar en ellos de la manera menos previsible para un caballero como él. Se distancia, se desconecta de las soluciones militares y de la aplicación de un sistema punitivo basado en una excepción soberana, para ofrecer, fundamentado en un concepto de paz permanente que luego estará en el horizonte de teóricos políticos desde Grotius hasta Kant, una serie de soluciones estratégicas que preserven la integridad del reino.

A Valera no le interesa averiguar cuál pueda ser la fórmula para vencer en este enfrentamiento civil. Le interesa más la construcción de una nueva solidaridad en el interior del reino. Con esta motivación en mente, construye una pequeña lista de conceptos menores. Se trata de conceptos menores que van a contracorriente de la experiencia de guerra civil. Valera los expresa del siguiente modo en su carta segunda:

> Pues para dar tranquilidad e sossiego e paz perpetua en vuestros reinos, según mi opinión, quatro cosas son necessarias, sin las quales o falleciendo alguna dellas, yo no veo vía ni camino por dónde nin cómo esperarla devamos, conviene a saber: entera concordia de vos e del Príncipe, restitución de los cavalleros ausentes, e deliberación de los presos; de los culpados general perdón[18].

Las ideas de Valera incluyen una serie de conceptos agustinianos, como el de tranquilidad y sosiego, pero también incluyen el de paz perpetua, que en cambio no es estrictamente agustiniano (Agustín solo sitúa la posibilidad de una paz perpetua en la Jerusalén celeste). Autores de la misma época de Valera, como Alonso de Madrigal, el Tostado, insisten en la imposibilidad de una paz perpetua[19], o, como en una carta de juramento emitida por Juan II en 1436, definen la paz perpetua como un cierto contrato, es decir, como un pacto establecido entre dos partes, y cuya perpetuidad está limitada

---

[17] Valera, *Tratado de las epístolas*, pág. 3a.

[18] *Ibíd.*, pág. 6b.

[19] Madrigal, *Brevyloquio de amor e amiçiçia*, pág. 102. Obviamente, la apreciación del Tostado procede de Aristóteles, *Ética a Nicómaco*, 8.1. 1155a, «καὶ φίλων μὲν ὄντων οὐδὲν δεῖ δικαιοσύνης» (Aristóteles, *Ética a Nicómaco,* pág. 122).

por el cumplimiento del contrato[20]. La paz perpetua forma también parte de las formas de pacificación históricas, pero por lo común se centra en esta forma contractual que es frecuente en las crónicas y documentos del siglo xv[21]. La paz perpetua de Valera, en cambio, es intransitiva, y no depende de voluntad contractual alguna. Es una operación que implica movimientos unilaterales por parte del poder. Estos movimientos son a su vez sorprendentes, puesto que no solo implican una concordia entre las partes, sino también la amnistía general de los caballeros inmiscuidos. Implican la articulación política y jurídica del olvido, la amnesia voluntaria de los levantamientos y protestas protagonizados por estos caballeros.

Valera se dirige al rey con dureza, con el tono del parresiasta del que hablaba Foucault en el curso que dejó inconcluso con su muerte. Pretende aterrorizarlo con una referencia a las profecías de Benahatín que ilustraban la crónica del canciller de Castilla Pero López de Ayala del architirano pre-Trastámara, Pedro I (r. 1367-1369), que fue asesinado por su hermanastro Enrique II (r. 1366-1379). Su dureza le cuesta a Valera la oposición de muchos de sus contemporáneos, a los cuales responde con una tercera carta que es, sin duda, la más fascinante. Esta tercera carta sobre la paz está dirigida a un amigo imaginario. No es la primera vez que alguien escribe a un amigo imaginario (Cicerón y Petrarca vienen rápidamente a la memoria, y también mi hijo mayor), pero sí es la primera vez que lo hace Valera. No será la última: el amigo imaginario (el mismo u otro, ¿quién sabe?) de Valera también le sirve para poder hablar de algunas mujeres individuales en su exordio a otro texto con glosas del que hablaremos más adelante.

En esta carta aflora y se construye la subjetividad política de Valera. Pues, en efecto, esta carta no tiene como misión cambiar la tesis sobre la paz, sino más bien afirmarla, pero focalizando el problema en el sujeto que está enunciando las tesis sobre la paz. La cuestión que plantean sus críticos no es si la tesis es o no es adecuada, sino más bien si el sujeto político que se expresa lo es o no. Vale-

---

[20] Sánchez-Prieto Borja, *Carta de juramento de 1436*.

[21] En otros textos, como *El Victorial*, la institución jurídica de «paz perpetua» es una forma contractual que no afecta a lo perpetuo en tanto que permanente, sino en tanto que indefinido e incondicional, o sin obstrucciones de paso (Díaz de Games, *El Victorial*). El mismo supuesto en Pulgar, *Crónica de los Reyes Católicos*. Cfr. Real Academia Española, *Corpus diacrónico del español*, s. v. «paz perpetua». Para la cuestión del pactismo, véase el trabajo fundamental dirigido por Foronda, *Avant le contrat social*.

ra está siempre en contra de ese juicio, porque sabe que la pregunta simplemente reproduce las maneras en que las estructuras de poder tradicionales se perpetúan a ellas mismas.

Esta declaración de subjetividad es crucial para comprender la relación en que Valera se sitúa respecto de sus contemporáneos. Su declaración de subjetividad avala también la posición activista en que Valera desea situarse. Su propósito es transformar el modo en que se organiza el poder objetivo, en que el sistema de consejo parecía estar reservado, según recuerda en su carta, a hombres de religión o a nobles, pero no a personas de la extracción social y de la subjetividad política que él representa. Su activismo, en este sentido, se basa en una cuestión social de origen evangélico, según la cual no hay «diferencia entre personas y Estados»[22]. Romper este límite e introducir personas y Estados dentro de la economía del poder supone abrir el ámbito de la soberanía, en que todo sujeto está dotado de un sentimiento político subjetivo, una suerte de fenomenología de los acontecimientos políticos, que es la clave del conocimiento político según Valera.

La *Exhortación a la Paz*, posiblemente compuesta después de 1447, es en gran medida una reescritura de estas experiencias microliterarias epistolares anteriores, y también es una obra pionera en materia de tratados sobre la paz. Solamente el *Livre de Paix* (o *de la Paix*) de Christine de Pizan, compuesto en 1414, puede ser lejanamente comparado, con referencias comunes que hacen pensar en un temprano conocimiento del texto de Christine por parte de Valera, cosa que no resulta en absoluto inverosímil[23]. Christine se ocupa de someter a crítica la ruptura de las paces (es decir, los pactos y treguas) y de cómo reanudar el proceso de pacificación ante los enfrentamientos civiles que dividen Francia.

La *Exhortación* está, como las dos primeras cartas, dedicada a Juan II. En ella reúne ideas de varias autoridades que definen la paz y la ponen en relación con la práctica política. Valera se muestra preocupado por la pura contemporaneidad: si la mayor parte de sus

---

[22] Valera, *Tratado de las epístolas,* pág. 7a.

[23] Esta relación entre las obras de Christine y varios autores ibéricos está aún por demostrar. Pero al mismo tiempo hay resonancias políticas y de técnicas de escritura muy intensas entre las obras de Christine de Pizan y las de Valera y, sobre todo, Pedro de Portugal. Para poder demostrar estos vínculos estrictamente contemporáneos, y el modo en que se relacionan con una política de género, habría que abrir una línea de investigación diferente a la de la crítica de fuentes —aunque confieso que no sé cuál es la alternativa.

autoridades doctrinales y filosóficas son antiguas y medievales, la autoridad máxima para la definición de la práctica política es una pieza contemporánea y de impacto internacional creada por Alonso de Cartagena, el llamado *Libro de las Sesiones,* la alocución de Cartagena en el Concilio de Basilea. Sesenta y tres anotaciones marginales, abreviadas de acuerdo con una convención latina, indican la genealogía y la bibliografía de las ideas, protegiendo y vigilando, desde los márgenes, el pensamiento de Diego de Valera.

La urgencia política pone en marcha al intelectual público que hay en Valera, un intelectual que parece emerger de entre las filas más internas al establecimiento del reino, aparentando ser un «intelectual orgánico». De inmediato, sin embargo, Valera revela su necesidad de desplazarse de las prácticas del instante de poder y, usando recursos intelectuales semejantes, se sitúa en la posición incómoda de un sujeto político cuya voz misma es puesta en cuestión. Desde esta situación incómoda Valera coloca en el horizonte político una serie de contribuciones microliterarias sobre la paz, no solamente como concepto mayor, sino también en términos de su aplicabilidad concreta dadas las circunstancias actuales.

CONTRA TODA GENERALIZACIÓN

Algo semejante sucede con otro asunto que excita a Valera a colocarse en los márgenes del pensamiento oficial, a saber, la importancia de ciertas mujeres individuales en la historia de las prácticas políticas.

Federica Accorsi dedicó un libro al *Tratado en defensa de virtuosas mujeres* de Diego de Valera, un texto que es emblemático de una actitud microliteraria[24]. Federica Accorsi persiguió con la tenacidad filológica que la caracteriza cada una de las referencias que laten en el texto de Valera. También lo colocó en el interior de los referentes culturales del siglo xv. En todos los sentidos, el libro de Federica Accorsi es modélico.

Los buenos libros siempre suscitan preguntas. Hay algunas que aún no hemos conseguido responder de manera adecuada. Hay toda una línea de estudios sobre misoginia cuatrocentista, sobre profemi-

---

[24] Valera, *Defensa de virtuosas mujeres.* Cito por esta edición dando simplemente el número de página.

nismo cuatrocentista y sobre la llamada *querelle des femmes*. La genealogía de esta línea de estudios está muy clara y más o menos todo el mundo puede recomponer una lista que parte de dos obras de Boccaccio *(De mulieribus claris* y *Corbaccio), se* continúa con Christine de Pizan, quien reincorpora al debate, retroactivamente, a Mathieu de Boulogne y a Jean de Meun *(Querelle du Roman de la Rose,* así como *La cité des dames),* y luego encuentra abundantes pros y contras a este lado de los Pirineos con autores como Juan Rodríguez del Padrón *(Libro de las donas),* Álvaro de Luna *(Libro de las virtuosas e claras mugeres),* Juan de Mena (triple prólogo al libro de Álvaro de Luna), Alfonso Martínez de Toledo *(Arcipreste de Talavera),* Pere Torroella *(Maldezir de las mugeres)* y otros. Valera está entre ellos. A esa genealogía de textos corresponde una genealogía de estudios entre los que destacan los de Robert Archer, Julian Weiss, Federica Accorsi, Julio Vélez, Barbara Weissberger, o Lola Pons[25].

Quiero destacar, de entre todos estos, el artículo de Julian Weiss, «¿Qué demandamos de las mugeres?», publicado en 2002. Weiss considera necesario pensar la literatura acerca de debate en torno a las mujeres durante el siglo XV y principios del XVI en el interior de un contexto de transformación social y política, y no como una mera moda cortés más o menos practicada. En lugar de colocar estos artefactos literarios dentro del «ciclo transhistórico» de la misoginia, pueden ser estudiados como parte de la transformación de los contextos culturales[26]. Valera juega dentro del ruedo hegemónico masculino, y, como señala Weiss, su interlocutora, la reina María, es en realidad una interlocutora silenciosa; el destinatario del tratado, con-

---

[25] Boccaccio, *Il Corbaccio;* Boccaccio, *Famous Women.* Para el libro de Christine de Pizan, *Livre de la cité des dames* es preferible reenviar a los manuscritos reproducidos ahora casi en su integridad en gallica.bnf.fr, por la sencilla razón de que una gran parte de la creación de conceptos ensayada por Christine no es solamente textual, sino también visual. David Hult ha preparado recientemente un *dossier* sobre la *querelle des femmes,* en Pizan, *Debate of the «Romance of the Rose».* Cfr. Rodríguez del Padrón, «Triumpho de las donas». Hay dos ediciones del texto de Álvaro de Luna, una de Julio Vélez (Luna, *Libro de las virtuosas y claras mujeres)* y otra de Lola Pons (Luna, *Virtuosas y claras mujeres).* En estas ediciones se pueden encontrar también muchas de las otras piezas de un rompecabezas ideológico y político sobre el que queda mucho que discutir. Federica Accorsi también lo discute en su introducción a la edición citada de Valera. La bibliografía al respecto es amplia, pero me limitaré a citar los trabajos recientes de Archer, *The Problem of Woman;* Weiss «¿Qué demandamos de las mugeres?'»; Weissberger, *Isabel Rules* y «'Deceitful Sects'», y el libro muy reciente de Vélez Sáinz, *«De amor, de honor e de donas».*

[26] Weiss, «'¿Qué demandamos de las mugeres?'», pág. 239.

tinúa Weiss, es el amigo imaginario, con quien comparte tanto hábitos como estructuras de violencia simbólica (una manera de hablar, referentes culturales, formas del ventriloquismo). Por mi parte, no creo que Valera esté fuera de la economía del poder simbólico masculino, ni tampoco de la ansiedad que a muchos hombres del siglo xv pudo provocar la emergencia política y económica de muchas mujeres durante ese siglo, quizá con el ejemplo más claro en Isabel de Castilla. Cuando se refiere, como indico a continuación, a «mujeres», y expresa su crítica a la generalización, lo que está aceptando es que en el paradigma simbólico de la hegemonía masculina, hay una serie de mujeres con nombres y apellidos (y por ello, precisamente, pocas) que constituyen excepciones a la regla. Pero aun si seguimos la pista de esta argumentación, podemos encontrar, a un nivel más microscópico, otras ideas que contribuyen a transformar el contexto del pensamiento feminista (dicho así con todas las letras) durante el siglo xv.

La actitud microliteraria de Valera demuestra una especial sensibilidad en este punto, empezando por lo meramente gramatical, y luego a lo largo y ancho del centro y los márgenes de su libro *Defensa de virtuosas mujeres*. La observación gramatical puede pasar desapercibida. Valera no habla de «las mujeres» ni de «la mujer,» sino que habla de «mujeres,» es decir, de sujetos individuales. Esta precisión entronca con su propuesta inicial, a saber, oponerse justamente a aquellos que «de la femenil nasción generalmente detraen»[27], mostrando hasta qué punto esta crítica general debe ser contraargumentada con particularidades. Esta oposición entre lo general y lo particular aparece tanto en la epístola a la reina María, a quien el tratado está dedicado, como en el exordio, en que convoca de nuevo a su amigo imaginario para mostrarle «el fundamento de aquestos começadores de nueva seta que rotamente les plaze en general de todas las mugeres maldezir»[28]. En esta pieza retórica en que la carta, la sátira y la deliberación entran en conexión, Valera expone sus argumentos en torno a tres tesis sobre esa opinión en la que lo más perjudicial es su generalidad, tanto subjetiva como objetiva.

El texto de Valera se constituye como una sátira, es decir, un género moral del siglo xv que Julian Weiss reevaluó en un trabajo

---

[27] Valera, *Defensa de virtuosas mujeres,* pág. 229.
[28] *Ibíd.*

dedicado a la *Coronación* de Juan de Mena[29]. Esta sátira en prosa permite hacer un juego de palabras sobre su etimología popular, *satura*, una macedonia de frutas, saturada de ellas. Y en cierto modo es esto lo que hace Valera: crear una solución saturada, en la que el texto marginal que se añade al texto central rebosa por encima de este, que es incapaz de absorberlo por completo. Mientras que en el texto central se van indicando los nombres propios de las mujeres que constituyen el punto de referencia de la moral y de la política, el texto marginal desarrolla cada una de sus historias, constituyéndose en un espacio o lugar de memoria.

Diseñar un lugar de memoria en la superficie del papel no es meramente recordar. Es, más bien, construir una alternativa a los modos en que se recuerda y al uso mismo de los recuerdos. Este espacio de memoria no es, pues, una suerte de santuario o mausoleo, sino más bien una tesis para fomentar una actividad contemporánea: redefinir lo público para poder incorporar nuevas interlocutoras que tengan un efecto concreto en la acción del presente. Construir un espacio de memoria es, en este sentido, una forma de activismo intelectual.

Los estudiosos de la *Defensa* han enfocado estas glosas marginales como glosas literales o históricas. La glosa literal es solamente una técnica de comentario, cuya genealogía doctrinal le confiere valor histórico. Queda sin plantearse la que creo ser la pregunta fundamental: ¿por qué narrar por extenso estas historias? Mi tesis es sencilla: narrarlas es la única manera de reincorporar estas narrativas menores, desplazadas e intempestivas al discurso moderno de una historiografía creciente. En esta historiografía, la lectura ética y política es también crecientemente esencial, y Valera entiende que la renovación de la historia requiere de la incorporación o reincorporación de estas mujeres a la misma.

Valera, al contrario que la totalidad de sus contemporáneos, decide desplazar hacia los márgenes las historias particulares, rehusando así mezclar el espacio de la teoría y la apología con el de un cierto ensayo biográfico. En esos ensayos biográficos distribuidos en la periferia de la mayor parte de los manuscritos (algunos manuscritos acumulan las glosas al final del tratado, o incluso al final de cada capítulo o parte del tratado)[30], se manifiesta el Valera microliterato:

---

[29] Weiss, «Juan de Mena's *Coronación,* satire or *sátira?*».

[30] Para los diversos manuscritos de la *Defensa* véase la edición citada de Accorsi (Valera, págs. 202-297).

cada una de estas historias puede ser leída independientemente y cada una de ellas contiene una doctrina urgente, al igual que sucede con las innumerables glosas jurídico-políticas que rodean los textos jurídicos que Valera admira tanto. Individuadas y desplazadas del centro, las microhistorias de Valera son un poco como él: están ahí «puestas a significar», y su presencia provoca la necesidad de pensar en el significado de estas historias y en el significado de que hayan sido tradicionalmente sometidas a silencio histórico[31]. Unidas mediante líneas invisibles el centro con el margen, este satélite de historias está compuesto por narraciones que tienen vida propia y hacen destacar su brillante unicidad.

En su espléndido artículo, Julian Weiss sostiene la tesis de que las intervenciones masculinas acerca del valor de ciertas mujeres en la historia deben ser entendidas desde la sociología de la masculinidad[32]. No hay que buscar en Valera lo que no hay en Valera. Ni es feminista ni es misógino. Ambas son nociones que impiden hablar del proyecto de Valera porque no forman parte de la economía intelectual de su momento de inscripción. Pero como nosotros, a veces Valera no tiene la capacidad de crear sistemas conceptuales nuevos y se ve obligado a servirse de conceptos morales heredados o usuales en su época. Es el caso del papel que se otorga a la castidad, que parece una forma particularmente perversa de romper con el discurso «misógino,» y no digamos de ser «feminista». Pero como demostrara Baxandall, detrás de muchos de los conceptos aparentemente triviales del siglo xv existe un sistema interpretativo que a veces nos resulta más oscuro, pero que nos llama a no dejarnos llevar por su trivialidad superficial[33]. Teorizar este concepto lleva a terrenos de complejidad política: Stephanie Jed propuso en su libro *Chaste Thinking* que el concepto de castidad había sido politizado en la tradición de las narraciones sobre la violación de Lucrecia, hasta convertirse en una virtud civil que permitía la acción popular y democrática del sistema republicano; la castidad, así como el suicidio de Lucrecia, se presentaron como expresiones de la virtud femenina[34].

Otro modo de interpretarlas es considerarlas como formas históricas que consolidan la colonización patriarcal y política del úte-

---

[31] «Puestas a significar» es una expresión usada para explicar sus propias anotaciones por Luis de Lucena *(Repeticion de amores y arte de ajedrez,* fol. ciiijʳ).
[32] Weiss, «¿Qué demandamos de las mujeres?».
[33] Baxandall, *Giotto and the Orators.*
[34] Jed, *Chaste Thinking.*

ro[35]. Paul B. Preciado nos ofrece el vocabulario para poder interpretar esta forma de colonización:

> De entre todos los órganos del cuerpo, el útero es sin duda el que, históricamente, ha sido objeto de la exploración política y económica más encarnizada. Cavidad potencialmente dedicada a la gestación, el útero no es un órgano privado, sino un espacio público que se disputan los poderes religiosos y políticos, las industrias médicas, farmacéuticas y agro-alimentarias. Cada mujer lleva en sí un laboratorio del Estado-nación, y de la gestión de este laboratorio depende la pureza de la etnia nacional.

No podemos ignorar que, aun sin ese vocabulario, el carácter público del órgano femenino es lo que está en discusión entre autores y autoras que se enfrentan a la cuestión de la castidad, o incluso a la legislación sobre el matrimonio y la reproducción en el ámbito del derecho, a partir de textos como la *Summa de Penitentia et Matrimonio* de Raimundo de Peñafort, o a partir de la *Cuarta Partida* de Alfonso X. La introducción de textos clásicos y comentarios sobre la castidad femenina como valor político de pureza nacional, a partir de conceptos humanísticos, no hace más que establecer una genealogía más amplia a esta forma de colonización del cuerpo femenino. Así que, en efecto, se trata de un argumento más para apoyar la tesis de Julian Weiss de que, a todos los propósitos, los textos sobre las mujeres, incluso aquellos que aparentan mayores dosis de feminismo en el siglo xv, contribuyen la perpetuación de los conceptos de masculinidad como norma del sistema.

---

[35] La tesis de Stephanie Jed es en efecto problemática desde la perspectiva de una «colonización del útero» como la que propone Paul B. Preciado («Parmi tous les organes du corps, l'utérus est sans doute celui qui, historiquement, a fait l'objet de l'expropriation politique et économique la plus acharnée. Cavité potentiellement gestatrice, l'utérus n'est pas un organe privé, mais un espace public que se disputent pouvoirs religieux et politiques, industries médicales, pharmaceutiques et agroalimentaires. Chaque femme porte en elle un laboratoire de l'État-nation, et c'est de sa gestion que dépend la pureté de l'ethnie nationale» (Preciado, «Déclarer la grève des utérus»). De hecho, la politización de la castidad (a la que no son ajenos los tratados sobre mujeres del siglo xv) constituye uno de los problemas centrales de los estudios de género. Véase también Preciado, *Manifiesto contrasexual*.

Como señalé antes, a Valera le preocupa frecuentemente cómo establecer, o incluso restablecer, las reglas de la participación en lo público. Es esta una tesis política, y se dedica a construirla en ensayos de teoría política. Al decir ensayo, quiero decir aquí dos cosas diferentes. Por un lado, quiero identificar el *tratado* con un género ensayístico, y, precisamente por ello, con una forma de investigación cuyas reglas se establecen en el interior del propio texto, sin depender necesariamente de teorías o de expectativas que le sean exteriores[36]. Quizá el mejor ejemplo sea de nuevo la *Defensa de Virtuosas Mujeres,* en que las reglas de composición del texto están situadas en varios lugares, pero sobre todo una glosa en la que la teoría retórica, dictaminal y poética se sujetan al tipo de proyecto que Valera se propone desarrollar[37]. Explícita o implícitamente, varios de los tratados de Valera propenden a esta autodefinición.

El sustantivo *ensayo* tiene un segundo sentido más tentativo. La propia voz *tratado* —que es de relativa novedad en castellano para referirse a un género de escritura— procede de una forma argumentativa que a Valera le interesa especialmente, el tratado jurídico desarrollado por los posglosadores o comentaristas del *mos italicum* durante el siglo XIV y en adelante. Este tipo de tratado también establece sus propias reglas de funcionamiento, y lo hace a través de la exposición de cuestiones generales y su modo de convertirlos en argumentos jurídico-políticos. Valera, en efecto, tiene una especial habilidad para convertir ideas y cuestiones más o menos tópicas en reflexiones acerca del funcionamiento de la política objetiva. En gran medida lo hemos visto con el modo en que se refiere a la construcción de la paz, y con el modo en que su actitud microliteraria inunda de biografías particulares y sincroniza con vidas asíncronas el espacio afectivo de la página glosada.

Donde mejor lo hace es, sin duda, en los tratados políticos, y, en particular, en el *Espejo de Verdadera Nobleza,* también editado y estudiado por Federica Accorsi. Como la *Defensa de Virtuosas Mujeres,*

---

[36] La idea de considerar al tratado como ensayo fue propuesta ya por Marichal, *La voluntad de estilo.*

[37] Rodríguez Velasco, «Autoglosa. Diego de Valera y su *Tratado en Defensa de Virtuosas Mujeres*».

el *Espejo* es un alegato por enfrentarse a problemas concretos y particulares, intentado desactivar las consecuencias negativas de las opiniones generales o vulgares. Para ello, Valera recurre a quien será su autor de cabecera y fetiche intelectual, Bartolo de Sassoferrato, indicando que si va a caminar sobre «sus pissadas» es porque este «arguye muy bivamente contra todas estas opiniones», es decir, las ideas más difundidas en torno a la nobleza[38]. Valera, como Bartolo (y como habría dicho Quevedo), contra todos.

En una glosa sin numerar de la *Defensa,* Valera manifiesta «querer en escripto poner lo que muchas vezes por palabras avía sostenido, porque en las questiones que por palabras pasan ay muchas cavilaçiones o engaños, a los quales non queriendo dar lugar, yo fui movido escrivir»[39]. La misma relación con las discusiones orales forma parte de las motivaciones de Valera a la hora de escribir el *Espejo:* «acordávame yo muchas vezes aver oído no solamente en vuestra magnífica casa e corte, mas aun en otras de muy altos reyes e ilustres prínçipes e grandes varones, de la nobleza o fidalguía tractar»[40], y añade que le parecía que todos estaban equivocados. Ambas reacciones a la oralidad indican no solamente escenas de la vida de corte; también hacen pensar en dos problemas más. El primero es que el interés específico que suscitan estos temas en el ámbito de la corte debe estar ligado al hecho de que ambos ponen en crisis asunciones concretas del ejercicio del poder, en concreto, la primacía masculina y la primacía de la nobleza de linaje. El segundo es que el escrito es capaz de sustituir los fluidos elementos pragmáticos de una conversación por el sistema argumental y de autoridad que permite concluir un debate. En otras palabras, la reacción escrita a la oralidad no es una mera transcripción, sino que es más bien una superación dialéctica, una tesis en sí misma. Aquí sí que estamos en el campamento base del *supplément* de Jacques Derrida: la escritura es un suplemento, y por ello un subproducto de lo oral que participa de las ansiedades de lo permanente.

La actitud microliteraria del ensayo se sustancia en la articulación de un tratado con glosas en que de manera breve y contundente se van exponiendo tanto los argumentos como sus condiciones narrativas. No vemos únicamente al Valera que se activa ante un determinado estímulo, sino también al Valera que teoriza sobre las

---

[38] Valera, *Espejo,* pág. 297.
[39] Valera, *Defensa,* pág. 252; cfr. también pág. 251, nota 1.
[40] Valera, *Espejo,* pág. 291.

condiciones de ese estímulo que le obliga a pasar al activismo público a través de la escritura.

En el texto jurídico, y en especial en la tradición del *mos italicus* un *exemplum* es una apostilla jurispridencial a una regla jurídica. Por lo común no se trata de narraciones largas, pero sí ilustrativas, pues tienden a concretar una regulación abstracta. Uno de los *exempla* que forman parte de esta microliteratura es una de las partes conservadas por Valera en su interpretación y comentario de Bartolo. El *exemplum*, además, ayuda también a conectar el *Espejo* con la *Defensa* para mostrar el modo en que un mismo proyecto intelectual se construye desde dos perspectivas diferentes del análisis político.

Bartolo y Valera mantienen que si se desea verificar el esencial dinamismo del concepto de nobleza, uno tiene que detenerse en las mujeres más que en los hombres, y, en términos generales, en todos aquellos que reciben nobleza ignorándolo, como los niños. Son estos sujetos marginales los que ponen en crisis la continuidad de la nobleza. Hay que examinar la nobleza en las mujeres porque en las regulaciones jurídicas la nobleza es patrilineal, lo que hace de las mujeres sujetos cambiantes y sometidos a vaivenes de carácter genealógico[41]. Hay que observar la nobleza en los niños porque, aunque la reciben como herencia genética, tienen luego la obligación de renovarla a través de sus propios ejercicios de virtud si no quieren correr el riesgo de perderla para sí y para sus sucesores[42].

Entre estos sujetos marginales están los judíos, así como los musulmanes. ¿Pueden estos conservar la nobleza que tuvieron una vez se convierten al cristianismo? Usando el vocabulario de Bartolo, Valera distingue la nobleza teológica (de origen divino), la nobleza vulgar (que pertenece sobre todo a los objetos y a una manera de hablar), y la nobleza civil o política, es decir, aquella por la que los príncipes y reyes seleccionan a los mejores plebeyos para construir el círculo de poder en torno a la jurisdicción central del monarca. Diego de Valera no niega la nobleza civil de los judíos, en particular, antes de la conversión, pero sí niega su nobleza teologal. Ahora bien, es cierto que al convertirse, recuperan, por reconocimiento de la verdadera fe, la nobleza teologal. La cuestión es, pues, si conservan o no la nobleza civil. Valera invoca los principios de *equitas,* que él

---

[41] A partir de una narración de Boccaccio sobre Felipa de Catania, analizo un caso muy específico al respecto de la nobleza femenina en Rodríguez Velasco, «Microbiographies».

[42] Rodríguez Velasco, *Plebeyos Márgenes*.

traduce por igualdad, y de justicia, para reclamar que no solo deben conservar su nobleza civil, sino que además deben acrecentarla, en la medida en que la conversión es un acto heroico o de virtud. La justicia es un valor jurídico absoluto, pero la *equitas,* en cambio, es un valor relativo, que se corresponde, como demostrara Kathy Eden, con la interrelación entre ética y derecho[43]. ¿Habla por y para sí mismo? ¿No era él hijo de un médico converso? Sin duda, pero hablar por uno mismo no implica dejar de hablar por los demás. El *Espejo* está escrito en un momento en que el volumen de conversiones está en uno de sus picos, al tiempo que los reyes Trastámara están reorganizando laboriosamente las estructuras nobiliarias y los pactos jurisdiccionales que les unen a estas estructuras.

No había sido Valera quien introdujera en la tradición castellana la teoría de Bartolo sobre la nobleza civil. Había sido otro ilustre converso, Alonso de Cartagena, en su alocución en el Concilio de Basilea el 14 de septiembre de 1434. El tratado de Cartagena, sin embargo, no se tradujo al castellano hasta muchos años después, y además su propósito no había sido el de mantener una teoría diferente sobre la nobleza, sino el de demostrar que la nobleza civil del rey de Castilla precedía históricamente a la del rey de Inglaterra, y ese detalle debía, pues, establecer la jerarquía de intervenciones en las sesiones del congreso[44]. Valera, por otro lado, llega a Bartolo de manera independiente a Cartagena; a Cartagena solo le interesan algunos pequeños fragmentos del texto de Bartolo *De Dignitatibus,* y los saca de contexto para construir su defensa. Valera lee a Bartolo mucho más por extenso, y su lectura introduce en Castilla algo innovador a lo que en un libro anterior llamé la poética de lo plebeyo. Esta poética de lo plebeyo supone una gran intervención política: si lo importante no es la herencia de la nobleza, sino el hecho mediante el cual el plebeyo se convierte en noble, la cuestión política se desplaza hasta considerar cuáles son los actos de virtud mediante los cuales el plebeyo deja de serlo. La nobleza, así pues, no es un problema de la nobleza, sino de la experiencia plebeya[45].

---

[43] Eden, «Poetry and Equity»; Quaglioni, *La giustizia nel medioevo e nella prima età moderna.*

[44] Véase el trabajo de Olivetto, «Política y sermón en el Concilio de Basilea». Olivetto menciona con detalle las intervenciones de Cartagena en el concilio, y presenta la bibliografía necesaria para seguir las ediciones antiguas y modernas.

[45] Rodríguez Velasco, *Plebeyos Márgenes.* Federica Accorsi dedicó parte de su trabajo a los usos de Bartolo en el *Songe du Verdier* y los problemas de transmisión del texto de *De dignitatibus* (Accorsi, «Estudio del *Espejo de verdadera nobleza* de

El nombre de Valera

Uno podría preguntarse a qué equivale el nombre de Valera. O, tal vez, cómo se usa a Valera, cómo se pone en práctica. Otra manera de preguntar algo semejante es esta: cuál es la ética y la política de estudiar a Valera en una crisis de la magnitud de la que ahora vivimos. La crisis no nos golpea. No tiene agencia ninguna: la crisis es el resultado de acciones con agentes concretos, o, si se prefiere, la crisis es, a su vez, la puesta en práctica de algo, de una ética y de una política. Valera es, para empezar, una respuesta ética y política a la ética y la política que se abrevian en el concepto práctico de crisis.

Quizá no es la más brillante de todas las respuestas posibles. Pero precisamente por eso es también sumamente interesante. Valera no es Petrarca. Valera no es Valla. Valera no es, siquiera, Íñigo López de Mendoza, ni Mena, ni Alfonso de Palencia. Su escritura no ostenta cualidades estilísticas sublimes de manera sostenida y, por así decir, su forma de escribir con frecuencia tartamudea. En ese tartamudeo reside parte de su valor: lo utiliza para vencer la resistencia que grandes secciones de la sociedad de su tiempo, sus contemporáneos, ofrecen respecto de las grandes transformaciones en los pequeños espacios sociales.

Valera es hábil para desvelar una «política de la invisibilidad» y con sus tartamudeos hace visibles problemas cruciales: que una guerra civil debe buscar la pacificación perpetua, que es necesario reincorporar a las mujeres individuales al discurso histórico y político y a la ética cotidiana, y que si es necesario transformar el poder, primero hay que transformar las categorías que lo hacen posible, reinterpretándolas bajo el concepto de virtud. No es el primero, ni será el último en hacerlo, pero este detalle no desactiva el hecho de que Valera lo hace como un verdadero contemporáneo: totalmente implicado en los problemas cruciales de un tiempo que excede su vida biológica, Valera adquiere la suficiente carga de subjetividad política

---

Diego de Valera»). Véase también el trabajo citado de Bautista sobre la invención de Bartolo en Castilla («La idea de nobleza en conflicto»). El trabajo de Breaugh, *L'Expérience plébéienne,* constituye un magnífico punto de partida teórico para la crítica de lo plebeyo, pero es, como promete, una historia «discontinua» que sería preciso cuestionar y enriquecer desde otras experiencias contemporáneas, como la de Diego de Valera.

para alejarse y emprender un discurso crítico con los materiales real y virtualmente a su disposición.

En términos tradicionales, leer a Diego de Valera no es una experiencia estética especialmente elevada. Es más bien, una experiencia ética y política. Pero precisamente por eso, lo que conviene es redefinir la estética en términos éticos y políticos, pues es igualmente cierto que Diego de Valera opera desde presupuestos estéticos que pretenden crear un impacto concreto dentro de las conciencias, de los afectos y de los sentimientos de las personas a quienes se dirige.

Poesía o activismo

La experiencia estética más sublime es, por antonomasia, la poesía. Pero no es menos cierto que la poesía es uno de los avatares del activismo, y, en este sentido, una experiencia ética y política igualmente sublimes. Sublime es aquí, como dice Longinos, algo que se hace inolvidable. La más efectiva de estas experiencias es la que, en efecto, queda en la memoria para ser cantada, en caso de que tenga música, o recitada en los claustros de la intimidad (mientras se pasea, o mientras se trata, infructuosamente, de caer dormido). En las páginas que terminan este capítulo vamos hablar de un activismo que juega en el tiempo de la teodicea, de la teología política y de la oposición a las estructuras administrativas vigentes.

Para ello vamos a tener en cuenta un poema en coplas de arte menor escrito por el poeta y político Gómez Manrique, titulado *Exclamación y Querella de la Governación*. No tenemos modo de saber si paseantes e insomnes, o si sus redes sociopolíticas en general, que incluían a hombres y mujeres de gran presencia pública, como su propia esposa o como la monja escritora Teresa de Cartagena, se repetían aquellos versos en el silencio de su pensamiento. La rapidez del arte menor, las rimas consonantes, la musicalidad de la copla, al tiempo que la crítica aguda combinada con dichos morales de carácter aforístico, podrían haber facilitado esta memorización. Lo más seguro es que quién sabe. Pero lo que sí se sabe es que los manuscritos conservados dejan ver que la obra se distribuyó y recibió generosamente[46].

---

[46] Dutton y Krogstad, en *El cancionero del siglo XV,* recogen 15 copias manuscritas del poema (GB1-43; MN6a-25; MN23*-55; MN29-3; MP3-67; MP3-135; MP3-137; MR2-11; PN5-27; PN8-73; PN9-23; PN13-9; SA4-2; SA10a-9;

El poema entró en el debate político y social tal vez en 1464, según la fecha considerada por Nicholas Round[47]. El poema fue destinado, o encontró rápida audiencia, en el círculo del cardenal Alonso Carrillo de Toledo, donde tuvo que enfrentarse a sus críticos. Estos le dedicaron otros poemas en respuesta, contraria. Entre quienes le respondieron están el más o menos enigmático Pedro Guillén de Segovia, o el Trapero de Córdoba, Antón de Montoro[48]. Tanto el uno como el otro adoptan un estilo semejante al de Gómez Manrique, es decir, francamente alusivo, y desprovisto de detalles particulares. Todos ellos cuentan con algo de lo que nosotros solo disponemos en un grado muy limitado. Mientras que estos individuos experimentaron el sentimiento que la combinación entre poema y circunstancias políticas pudo causar entre ellos, que estaban profundamente implicados en la vida política, quienes leemos de este lado del calendario lo hacemos ya desensibilizados. Pero sí que hay algo claro: si la poesía es activismo, los individuos son la vida activa por antonomasia. Y, desde luego, hay una diferencia enorme entre activismo político y actividad política.

Ni a Pedro Guillén de Segovia ni a Antón de Montoro les preocupó mucho más que a Gómez Manrique ofrecer elementos sobre el contexto político. Por así decir, ninguno de ellos parecía estar escribiendo para la posteridad, sino más bien para poner en marcha una discusión, un debate. Lo más seguro es que la pieza central de ese

---

SA10b-99); tres copias más transmiten el poema con las glosas de Pero Díaz de Toledo (MN24-130; MP3-136; MN43-2). El trabajo de máster de Sara Russo recoge un censo más detallado de todos los manuscritos e impresos que transmiten la obra de Gómez Manrique (Russo, «Aproximación a la tradición textual»). Este censo es mucho más completo y preciso que el de la edición de las obras de Gómez Manrique de Francisco Vidal González. Véase Manrique, *Cancionero,* ed. Vidal González. Siempre cito la edición de Vidal, por varias razones, pero la más importante es porque edita la glosa de Pero Díaz de Toledo.

[47] Nicholas G. Round establece una completa biografía de Pero Díaz de Toledo, con las fechas de sus intervenciones públicas, en Díaz de Toledo, *Libro llamado Fedron.* Más detalladamente, véase su artículo en que discute en particular la fecha y las circunstancias sociopolíticas de la composición del poema de Gómez Manrique (Round, «Gómez Manrique's *Exclamación e querella de la governación*»).

[48] Para más detalles al respecto véanse las obras de Russo, Round y la edición de Vidal González. Véase también el trabajo de la llorada amiga Nancy Marino («La Relación entre historia y poesía»). El proyecto intelectual de Nancy Marino está basado en su extraordinario conocimiento de la poesía de cancionero y su tradición textual, y en la necesidad de estudiarla en términos que combinan el historicismo con la sociología y las prácticas políticas. Véase también Recio Ferreras, *Gómez Manrique.*

debate fuera el gobierno teológico-político del cardenal Alonso Carrillo. Pero la posteridad no se pregunta si se escribió para ella o no, y toma sus decisiones de manera autónoma y, a veces, arbitraria. Los poemas, por tanto, han pasado, con menor o mayor lustre, a la historia de la literatura, la cual se pregunta con un interés cierto, al igual que lo hace la filología, por las condiciones de posibilidad de los textos que, dinámicamente, la integran.

En relación con esta necesidad de conocer las condiciones de posibilidad de los textos, han proliferado los estudios interesados en determinar con la mayor exactitud posible las fechas y correspondientes circunstancias en las que un poema fuera emitido. Los trabajos de Marino, Round, Recio Ferreras y Russo, mencionados en nota, reconstruyen el contexto histórico y político en que se produjo el poema de Gómez Manrique, al tiempo que ensayan diversas interpretaciones en función de diferentes fechas en que se date el poema.

El poema y sus circunstancias hermenéuticas cambian al leer otra respuesta que acompañará al poema de Manrique durante gran parte de su existencia literaria, tanto en versión manuscrita como en versión impresa. A diferencia de otras respuestas, esta realmente se halla unida de manera íntima con el poema de Gómez Manrique, pues de hecho lo incluye en su interior, lo rodea y abraza para darle un significado. La glosa es de Pero Díaz de Toledo, uno de los que me atrevo a llamar intelectuales públicos de la Castilla de la primera mitad del siglo xv, de la misma generación que el propio Gómez Manrique, apenas dos años mayor que él, y que murió con cincuenta y seis años en 1466. Ya sabemos que a Pedro Guillén de Segovia o a Antón de Montoro, o a otros de quienes dedicaron respuestas poéticas a Gómez Manrique, no les interesó hablar del contexto. Esto es de esperar, tal vez, cuando se juega con la concisión poética. Es más notable, en cambio, que al glosador también le tenga sin cuidado el contexto y no aluda a él para ninguna de las explicaciones que consideró «digno» componer[49]. La glosa al poema de Gómez Manrique estaba también dirigida a Alonso Carrillo, y obviamente este no necesitaba que le pusieran en antecedentes[50]. Pero esa aparente necesidad jamás echó atrás a ninguno de los glosadores en prosa de la península ibérica, fueran catalanes, portugueses, navarros, o caste-

---

[49] Manrique, *Cancionero,* pág. 578.
[50] Véase la dedicatoria en pág. 577.

llanos: en sus glosas, incluso aquellas que tienen que ver con acontecimientos contemporáneos, no dudan en ningún instante en confabular las lecturas espirituales —es decir, alegóricas, morales y trascendentales— con lecturas que están en relación con asuntos de actualidad.

La letra, sin embargo, *mata, y el espíritu vivifica.* Lo que me interesa saber es, en este caso, cuál es la lectura espiritual que sirve de vivificación a un poema más allá de su contexto histórico. En otras palabras, en qué consiste el proyecto teórico de Pero Díaz de Toledo basado en su lectura de un poema de radical contemporaneidad. No tanto saber por qué no le interesan los detalles circunstanciales, sino, sobre todo, saber qué es lo que quiere hacer al evitar comentarlo en relación con dichos detalles. Esto, me parece, es crucial dentro de un plan intelectual que no solo es propio de Pero Díaz de Toledo, sino que supone uno de los grandes proyectos de numerosos intelectuales del siglo xv. Este proyecto lo recuerdan el propio Díaz de Toledo, el humorístico humanista Juan de Lucena o el obispo Alonso de Cartagena: cómo conseguir que la filosofía, que reside en un lugar inalcanzable, obtenga una *morada,* un *aposento* o *habitación* en el ámbito civil (todas estas son metáforas utilizadas por estos autores, refiriéndose a un comentario de Cicerón sobre Platón)[51].

OCIO ACTIVO

Díaz de Toledo toma la pluma para escribir su glosa como descanso de su trabajo en una obra que llama *Enchiridion.* Contrariamente a lo que supone Francisco Vidal, este *Enchiridion* no es ni el de Epicteto ni el de san Agustín, sino una especie de índice y diccionario de conceptos jurídicos que, a la medida de Díaz de Toledo, él

---

[51] Véase más adelante el capítulo «Una sociedad vernácula». El ms. 6728 de la Biblioteca Nacional de España transmite unas glosas al *Diálogo de vita beata* de Juan de Lucena. Tanto Jerónimo Miguel como Olga Perotti consideran que estas glosas son propiamente anónimas, y no de la autoría de Lucena. Sea quien fuere el autor, el glosador leyó la traducción y glosas de Pero Díaz de Toledo al *Phaedo* de Platón (edición de Round, ya citada). La glosa 5 al texto de Lucena (fol. 11) cita casi textualmente la glosa 5 de Pero Díaz de Toledo a su traducción de Platón, sin mencionarlo, claro (y equivocándose en la referencia, pues está en el libro 5): «Sócrates, según dice Tulio en la cuarta *Tusculana* llamó desde el cielo la filosofía y asentóla en las ciudades» (Lucena, *Diálogo sobre la vida feliz,* pág. 166; Lucena, *De vita felici,* pág. 141).

mismo está elaborando en ese momento entre 1464 y 1466, y que se conserva hoy día en un manuscrito en la biblioteca de la Universidad Complutense[52].

El *Enchiridion* es una pieza importante dentro del proyecto intelectual de Díaz de Toledo. En él se van articulando, por orden alfabético, los conceptos más importantes de la ciencia jurídica, y ofrece las referencias y *allegationes* (o pruebas de autoridad) adecuadas para poder argumentar con el concepto ofrecido durante el proceso judicial. Como en todos los índices jurídicos, hay profusión de definiciones junto con reflexiones bien específicas sobre el juramento, el fideicomiso, la *conditio*, y así sucesivamente, sobre todos y cada uno de los vocablos que forman parte de esa gran tropa de falsos amigos que es el lenguaje del derecho. Vocablos que no dicen lo que parecen decir al ojo del hablante vulgar, sino lo que de verdad quieren decir como tecnicismos de una profesión que sin embargo invade toda la experiencia de la existencia pública y privada. Además de estos conceptos, hay otros que también se encuentran a veces en los índices, pero de manera más limitada: filosofía, fábula, ficción, o poesía. A Díaz de Toledo le interesa saber cómo funcionan tales conceptos dentro de la compleja relación que establecen la cultura, el derecho y las transformaciones sociales. No le interesa, por ejemplo, definir únicamente la poesía, sino también saber si es lícito argumentar en una causa jurídica con los dichos de los poetas, y si esto tiene algún tipo de consecuencia política o social[53]. En otras palabras, los conceptos jurídicos, aunque aparezcan alfabetizados, están siempre en situación de relación mutua.

Así, se hace necesario saber cómo se define la causa, a lo que Díaz de Toledo dedica un largo espacio y numerosas distinciones que van haciendo ver cómo la causa, que se define como «de pretérito», es decir, acerca de algo que ha sucedido, se proyecta, sin embargo, hacia la consecución de normas más estables y universales, que permiten crear un acontecimiento de presente o de futuro que pueda ser tratado jurídicamente. La causa, pues, es un intento de comprensión del futuro jurídico a partir del conocimiento y examen

---

[52] En efecto, se trata del *Enchiridión* de Pero Díaz de Toledo, ya identificado por Herrero Prado («El *Enchiridión*»). La obra se conserva en la Biblioteca Histórica de la Universidad Complutense de Madrid, BH MSS 84.

[53] Como ya he mencionado, el *Enchiridión* sigue un orden alfabético, y todas las entradas a que me refiero pueden encontrarse s. v.

de la jurisprudencia, y, por tanto, un futuro pasado[54]. Algunas de estas voces indican una preocupación propia de Díaz de Toledo a la que ya me he referido antes: cómo instalar en la esfera pública de la ciudad la discusión filosófica, haciendo que tenga un efecto concreto sobre la sociedad y la política.

En la *Glosa* que hace del poema de Gómez Manrique, Pero Díaz de Toledo ensaya algunas de estas operaciones intelectuales. Jurista de profesión, e interesado por desarrollar y comprender el lenguaje jurídico, a Díaz de Toledo no le pasó por alto el hecho de que Manrique hubiera llamado a su poema «exclamación» y «querella». El primero es un concepto retórico, definido en alguna ocasión por Enrique de Villena como «una de las guarniçiones e colores que afermosiguan los retoricales dezires», un discurso en primera persona y en estilo directo que «puédese causar en donde ay razón de dolor ho indignaçión ho maravilla»[55]. El segundo es claramente un concepto procesal, equivalente a una denuncia, y así aparece en la práctica totalidad de las fuentes medievales, incluido el propio *Enchiridion*. Es la *querella* de la gobernación aquello en lo que se concentrará Díaz de Toledo.

Teodicea política

Como ya dije, Díaz de Toledo decide no enfrentarse a la glosa desde la perspectiva de las circunstancias contextuales en que fuera producido el poema. Al contrario, lo que le interesa es hacerse una pregunta diferente: de qué manera un poeta contemporáneo vivo puede contribuir conceptual e ideológicamente a una discusión mucho más universal, que, de acuerdo con Díaz de Toledo, poetas y profetas a lo largo de la historia han presentado ante Dios. La cuestión es el problema teológico-político que el filósofo alemán del siglo xvii Gottfried Wilhelm Leibniz bautizó con el nombre de teodicea en su *De Théodicée: Sur la Bonté de Dieu, la liberté de l'homme et l'origine du mal*, obra que publicó en francés en 1710. Este concepto no existía como tal en el siglo xv, pero es útil para comprender el proyecto intelectual de Díaz de Toledo, tal vez más que otro que en efecto utiliza Díaz de Toledo, pero que ha perdido parte de su brillo

---

[54] Koselleck, *Vergangene Zukunft.*
[55] Villena, *Traducción y glosas de la Eneida,* pág. 41.

por el exceso de uso, la providencia divina. Lo interesante de la teodicea es quizá su carácter político y jurídico, teniendo en cuenta que es exactamente de lo que se va a ocupar Pero Díaz de Toledo en su examen del poema de Manrique. La teodicea como discurso filosófico para el examen teológico-político tiene su origen, según Leibniz, en san Agustín y su argumentación jurídica en *De Civitate Dei*, obra que es a su vez crucial para la argumentación de Díaz de Toledo, como veremos de inmediato. Cuando hablo de teología-política no me refiero a la ecuación planteada por el politólogo nazi Carl Schmitt (los conceptos políticos son el resultado de la secularización de conceptos teológicos), sino más bien a la relación compleja y multidireccional que a lo largo de la historia han mantenido las formas de gobierno político con la emergencia de los conceptos teológicos.

Lo primero que hace Díaz de Toledo es considerar una excepción: Gómez Manrique es no solo un poeta vivo, sino que es un poeta activo, cuya producción está parcialmente por desarrollarse. De hecho, hay en Díaz de Toledo una esperanza por ver cómo se va a desarrollar esta actividad poética, e incluye a Manrique dentro de una genealogía de profetas y poetas que desencadenaron la querella sobre la teodicea, en la que revelan una asimetría política en relación con los conceptos teológicos sobre la justicia divina[56]. Ese es precisamente el argumento de la teodicea agustiniana (según Leibniz), cómo es posible que en la vida civil y política, de cuya estabilidad dependen las vidas de los ciudadanos, Dios permita los gobiernos tiránicos o la mala gobernación en general.

Esta genealogía es definida por Díaz de Toledo en unas pocas pinceladas. La biblioteca a la que Manrique hace referencia empieza con los libros poéticos legales de la Biblia, tanto en verso como en rima, continúa con los primitivos griegos hasta Homero, incluye a unos pocos poetas latinos entre Virgilio y Persio, y luego se desplaza a «nuestra Yspania»[57], con una lista que incluye algunos poetas muertos, como Fernán Pérez de Guzmán o Íñigo López de Mendoza, antes de desembocar en Gómez Manrique, que «pryncipia e comiença» y quien «sy el tienpo le da logar a continuar e continua, yrá en alcançe a los caualleros nonbrados e publicará su ingenio de buenas e fructuosas cosas»[58].

---

[56] Manrique, *Cancionero*, pág. 578.
[57] *Ibíd.*, pág. 581.
[58] *Ibíd.*, págs. 581-582.

¿Qué es lo que este nuevo poeta vivo puede añadir a esta genealogía de poetas muertos? Todos ellos han sido objeto de glosas que describen sus implicaciones teológicas, políticas y legales, de modo que han venido a formar parte de una economía del conocimiento vinculada con transformaciones en las prácticas del poder[59]. A pesar de que todos ellos pueden ser contextualizados e interpretados dentro de su inmediata cronología, también son esenciales para comprender una temporalidad diferente del conocimiento que, en términos agustinianos, es un conocimiento del presente en tanto que máquina de constituir acontecimientos, y que el obispo de Hipona expresa como «praesens de praesentis, praesens de preteritis, praesens de futuris» (presente de las cosas presentes, presente de las cosas pasadas, presente de las cosas futuras). Es una temporalidad que apunta, en todo momento, a lo contemporáneo, la producción de presencia de lo que ocurre en la historia. Como todos los poetas de esta genealogía, Manrique ha de ser extirpado del contexto específico de las banderías castellanas (los centros de acción de las guerras civiles) para vincularlo a un proyecto universal de «prosperidad», concepto en que Díaz de Toledo está especialmente interesado.

La historia que debe ser narrada es precisamente la hipótesis del poema: hubo un tiempo en que Roma prosperó[60]. ¿Cuáles fueron las condiciones de posibilidad de esta prosperidad? Díaz de Toledo cuenta entonces la historia de la prosperidad de Roma mediante una leve estrategia: aunque la base de los datos está en Tito Livio sin embargo Díaz de Toledo decide contarla a través de la interpretación que del texto de Tito Livio hace san Agustín. Lo que está contando no es meramente la historia de Roma, sino la historia de la conversión de Roma contada por uno de sus ciudadanos cristianos convertidos[61]. Esta his-

---

[59] Véanse los catálogos de textos glosados de Weiss, así como el *Catálogo-índice* de Dutton, en cuyo volumen 7 hay un apartado específico dedicado a las glosas, tanto en prosa como poéticas.

[60] El primer verso de la *Exclamación* lee, según los manuscritos «Quado Roma conquistaua» o «Quando Roma prosperaua». La mayor parte de los manuscritos lee «conquistaua», y es más que probable que Gómez Manrique haya escrito originalmente esto, aun si él mismo lo cambió en otro momento, pero Pero Díaz de Toledo (que, recordémoslo, escribe en vida de Gómez Manrique, y de hecho Manrique sobrevive a Díaz de Toledo muchos años) prefiere y comenta la versión en que se lee «prosperaua». Para la distribución de manuscritos con estas lecturas, véase el trabajo de Russo, así como el *Catálogo-índice* de Dutton.

[61] Díaz de Toledo es también un judío converso, que recupera una nobleza civil a lo largo de su historia política y jurídica. Sobrino del relator, Fernán Díaz de Toledo (nacido Moshé Hamon), forma parte de una historia intelectual y socio-polí-

toria es un acontecimiento contemporáneo pero universal. Contemporaneidad y universalidad hacen que la crítica literaria resulte relevante: constituye una manera de obtener conceptos teóricos para ese triple y permanente presente agustiniano en que se basa la *visión* política (*contuitu*, llama Agustín a esta visión o teoría) que Agustín también teoriza en las *Confesiones*.

En esta historia de la prosperidad de Roma hay, como recuerda Díaz de Toledo, un punto de inflexión: la disolución de la monarquía y su sustitución por el consulado y la República. Este es el centro de gravedad de la narración maestra de la República, cuya semántica forma parte de las conversaciones políticas de la Europa tardomedieval, frecuentemente narrada a partir de la violación de Lucrecia por el último rey de Roma, Tarquinio el Soberbio. Uno de los textos que transmiten este episodio para reinterpretarlo es el del canciller de la República de Florencia, Coluccio Salutati, que se tradujo al castellano a mediados del siglo xv, posiblemente para el marqués de Santillana, en uno de cuyos manuscritos se conserva, junto al *De militia* de Leonardo Bruni en castellano y otros textos[62].

Cuatro son los elementos de esta narrativa maestra de la prosperidad más allá de la propia monarquía: el *regimiento* o desplazamiento del poder hacia las ciudades, la expansión africana, el estilo de los historiadores, en particular Tito Livio, y la participación de las mujeres romanas en el equilibrio entre guerra y paz.

Esto cuatro elementos son igualmente fundamentales dentro de la teoría política del siglo xv, aunque algunos no hayan sido estudiados dentro de la misma. Díaz de Toledo subraya dos de ellos en una sola tesis: el regimiento de la ciudad no es independiente del modo en que se narra. El peregrino que visita la ciudad, tanto física como intelectualmente, no solo lo hace para visitar los espacios sagrados, ni las cosas que han sido indexadas, cargadas con un significado, a lo largo de la historia. Las reliquias, por así decir. El peregrino también necesita la presencia del intelectual público, el «hombre científico» que está indexando de manera permanente la totalidad de la

---

tica en la que la conversión es una clave interpretativa de la vida activa y de las posiciones políticas durante el siglo xv, tal vez particularmente en Toledo, tal vez particularmente después de las grandes revueltas contra los conversos toledanos a mediados de siglo. Véase también Herrero Prado, «Pero Díaz de Toledo, Señor de Olmedilla». La glosa en cuestión está en la Manrique, *Cancionero,* págs. 582-588.

[62] Además del libro de Stephanie Jed ya citado, véase Morrás Ruiz-Falcó, «Coluccio Salutati en España».

temporalidad de la ciudad, bien sea a través de los libros ya publicados, bien a través de aquellos que se siguen publicando como intervención contemporánea en la poética de la política de la ciudad. Los intelectuales son los agentes de temporalidades que se revelan en el presente. A través de ellos se narra una biografía política de la ciudad y de sus habitantes, de sus gobiernos y de sus tiranías, que permite elucidar la historia del derecho.

La providencia y la teodicea sirven como sistemas heurísticos conceptuales para desvelar tanto los fallos del sistema de regimiento de los gobernadores como de la vida política de los gobernados. En este sentido, el discurso sobre providencia y teodicea que ensaya Díaz de Toledo a partir del poema de Manrique es un dispositivo teórico que percibe al mismo tiempo que el poder está en todas partes (y por ello la monarquía puede ser puesta en entredicho) y que este poder es de carácter asimétrico, es decir, que no siempre puede ser aplicado con la misma intensidad desde cualquier instancia.

Pero Díaz de Toledo vincula su lectura con la ética legal del libro bíblico de Job, al que lee a través de san Agustín y su teoría sobre la teodicea[63]. Díaz de Toledo asegura, con Agustín, que el mal gobierno es parte del plan divino:

> No es desordenada la prouidença de Dios, no es regimiento e gouernación fortuito e casual por que los neçios sean señores de los sabios e entendidos e los malos de los buenos, que según dize Sant Agustín en el quinto libro de *La çibdad de Dios,* en el XIX capítulo, estonçes la prouidençia del gran Dios dispone que los malos tengan potestades e señoríos quando juzga e determina que los onbres a quien han de sojuzgar e señorear son dignos de tales señores[64].

En esta afirmación acepta que el gobierno es un mal gobierno y que los gobernantes son tan necios como tiránicos, y además implica que la población en su totalidad merece ese tipo de gobierno. La providencia divina se manifiesta con proporcionalidad: si el poder deriva directamente del derecho divino, y el derecho es al tiempo proporcional y retributivo, esto quiere decir que la propia población ha *elegido* a través de sus actos este gobierno nefasto. Las lecturas

---

[63] Manrique, *Cancionero,* pág. 569.
[64] *Ibíd.* La referencia de Díaz de Toledo al texto de Agustín es exacta y precisa.

contemporáneas de esta afirmación serían tan obvias que ni siquiera merece la pena ponerlas aquí[65].

Tras esta conclusión, Díaz de Toledo vuelve a parafrasear a Agustín y, lo que quizá es más sorprendente, citar, a través de él, un pasaje de los Salmos: «que de aquesto, dize sant Agostín, fabla la boz de Dios quando dixo: "Por mí los reyes reynan e los tiranos señorean la tierra"»[66]. La verdadera cuestión política no es tanto que los reyes reinen, que es lo que Proverbios 8:15 dice (y que Agustín repite), sino que también es la justicia divina la que hace que los tiranos posean la tierra. Esto, que Díaz de Toledo da como parte de la cita del salmo, no está, en cambio, en el salmo, sino que es algo que Agustín añade insidiosamente a ese capítulo de los Proverbios.

La propuesta de Manrique en su poema está vinculada a su propia posición como regidor, puesto que ocupó en Salamanca (1454-1457), Burgos (1463) y Toledo (1477-1490, año de su muerte). Como tal, él fue uno de los instrumentos de la jurisdicción real en el reino. Es en esta posición en la que comprende la asimetría del poder que se produce entre la jurisdicción central y las jurisdicciones locales en las prácticas del poder. Lo que le interesa a Díaz de Toledo es la universalización de este problema. Para ello, el glosador analiza la lógica que subyace a la posición de Manrique desde la perspectiva de la filosofía política.

El intelectual opera en tanto que jurista. Para ello Díaz de Toledo plantea su análisis desde la perspectiva del problema político como un *casus*, es decir, desde la perspectiva de las condiciones de posibilidad de una regulación jurídica. Este caso jurídico presenta la estrecha relación entre jurisdicción y soberanía y explica el modo en que se delega la jurisdicción sin por ello aminorar la soberanía. La integridad de la soberanía se sustancia en la integridad del conocimiento jurídico por parte de aquellos en quienes ha sido delegada la jurisdicción:

---

[65] Nótese, sin embargo, que estos párrafos han sido escritos en diciembre de 2020, desde los Estados Unidos, en un momento de crisis política e institucional solo comparable a la crisis sanitaria en la que llevamos viviendo desde el mes de marzo.

[66] Manrique, *Cancionero,* pág. 596. El texto de Proverbios 8:15, en efecto, dice (versión Vulgata): «Per me reges regnant, et legum conditores iusta decernunt; [16] per me príncipes imperant, et potentes decernum iustitiam». Quien habla refiriéndose a sí misma en primera persona es Sapientia, la Sabiduría. Cito la Vulgata por la edición de Colunga y Turrado *(Biblia sacra iuxta Vulgatam).*

Presupuesto este: vn gouerandor que ha de auer en las comunidades e reyno para salud del pueblo, porque este non puede ser presente en todo lugar, fue cosa nesçesaria, según dizen las leyes, que ouiese en cada lugar perssonas que gouernasen los pueblos por actoridad de aqueste; los quales han de ser commo ojo del pueblo, ca syn ellos todas las cosas andarán confusas, segun dize Casyodoro e el trihunfo e avn estado de la villa o çibdad peresçería; los quales han de ser expertos e sabios e entendidos en la ley e costunbre[67].

El *casus* es parte de una estrategia para interpretar la política con el lenguaje y prácticas de la ciencia jurídica. En el *casus,* el revelado se obtiene mediante la universalización de la narrativa particular, la eliminación, por así decir, del contexto circundante, para poder formar parte del análisis filosófico-político. Gil de Roma había diagnosticado, en torno a 1280, que los juristas se habían convertido en idiotas políticos (esas son sus palabras), pues habían puesto de moda una técnica de argumentación y análisis que, en lugar de estar basada en la dialéctica, estaba basada en la narración[68]. Naturalmente, su diagnóstico (una queja, en verdad) se relacionaba con el hecho de que los juristas estaban teniendo mucho más éxito público que los expertos en ciencias políticas, ejerciendo así mayor influencia pública y obteniendo mejores privilegios. Su verdadera arma era su capacidad para dominar el universo de la narración.

Díaz de Toledo, sin duda, está luchando por la preeminencia de la ciencia jurídica y de los juristas en materia política, hasta el punto de invocar, en dos momentos diferentes de su glosa, la discusión aporética de Aristóteles en la *Política* (1281b), en que se pregunta por los problemas éticos que surgen del conocimiento colectivo de los ciudadanos y los procesos de participación pública, antes de abogar por la formación de un senado de carácter consultivo. Díaz de Toledo no discute ni la aporía misma, ni las consecuencias que tiene para la reorganización de la ciudad, que implicarían la expansión de la misma esfera pública ahora limitada a las élites en el gobierno. Estratégicamente, sin embargo, condensa la discusión en un aforismo: es preferible tener una buena ley (es decir, un régimen colectivo) a tener un buen rey, puesto que la primera es más universal que el segundo y lo sobrevive. Para poder argumentar esta posición, el

---

[67] Manrique, *Cancionero,* pág. 601.
[68] Rodríguez Velasco, «Political Idiots and Ignorant Clients».

glosador recurre al modo en que las *Partidas* habían acabado (al menos en teoría) con el principio «rex a legibus solutus», es decir, la exención del monarca de estar sujeto al derecho vigente. El argumento era bien conocido y discutido por juristas, pero la glosa no es para juristas, sino que es una intervención pública en medio de un debate sobre política en general.

La lectura de Díaz de Toledo no es solo una interpretación del poema de Manrique. Es también la demostración de que la poesía contemporánea no es sino teoría, es decir, un tipo de visión *(theorein,* en griego, *contuitu* en el idioma agustiniano), un dispositivo epistemológico con el que dar forma a la ciencia política y a la práctica social. La poesía es un sistema heurístico para encontrar las expresiones y elementos de estilo que, ligados a acontecimientos o problemas particulares, alcanzan mucho más allá de ellos, para constituir una genealogía de cierta querella profundamente política y teológica.

PARADIGMAS DEL ACTIVISMO

Con la compañía de Diego de Valera y de Pero Díaz de Toledo se percibe a fondo la ansiedad de personas que pertenecen por entero a las estructuras de poder, y cuya voz cuenta en las mismas, pero que de alguna manera se sitúan en una serie de espacios marginales que les permiten contrastar su posición orgánica con una voz crítica. Esta posición no es solamente la de su propia ascendencia familiar urbana, burguesa y conversa, sino también la posición física con respecto a los textos que ocupan el centro del canon doctrinal y cultural de la política contemporánea. Esos son los paradigmas del activismo intelectual en el siglo xv castellano, y es difícil verlos desde una perspectiva radical. Pero, al fin, la radicalidad no es independiente del contexto.

Nicholas Round, en su estudio sobre la glosa de Pero Díaz de Toledo a la *Exclamación,* sostiene que el glosador mantiene una posición moderada. Estoy plenamente de acuerdo con esta perspectiva. Menéndez Pelayo, que vivió hace muchísimo tiempo en otro contexto político de la cultura española, decía de Diego de Valera que era una mezcla de arbitrista y periodista de oposición[69]. Y sí, también

---

[69] Menéndez Pelayo, *Antología de poetas líricos,* pág. 220. Semejante perspectiva perpetuaba Penna *(Prosistas españoles del siglo xv,* Penna [ed.]), pág. xcix.

estoy de acuerdo con esto. En todo este movimiento activista hay una mezcla extraña de moderación, arbitrismo, es decir, conciliación a través de una serie de procedimientos retóricos, y periodismo de oposición, o sea, cierta capacidad de documentar datos específicos sobre una circunstancia política para poder ponerla en evidencia y combatirla. En un momento en que los dirigentes carecen de empatía, se esfuerzan por dividir el espacio de cooperación civil, y se dirigen hacia las formas del autoritarismo, parece que el esfuerzo por organizar respuestas moderadas, conciliatorias y en oposición a los movimientos que tienen lugar en el poder, solo puede recibir un nombre: activismo radical.

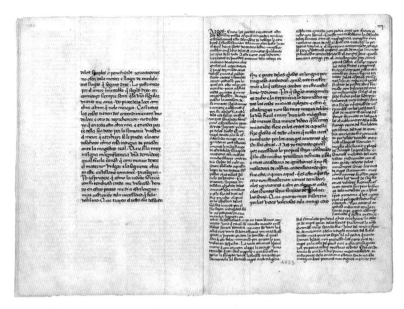

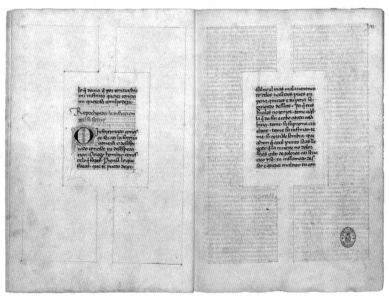

9, 10 y 11 (véase pág. sig.). Pedro se glosa a sí mismo.
Biblioteca Nacional de España MSS 4023.

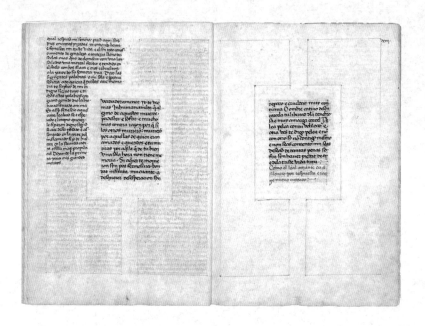

Capítulo V

Ensamblaje, sujeto

> Proponebatur tertio quod bellum troia-
> num esset in hoc instanti.
>
> Siger de Brabante, *Impossibilia,* 3

Este exergo dice que la guerra de Troya está ocurriendo ahora mismo. Imposible, en el tiempo que mide mi reloj. Proponerlo es una provocación. Inmediatamente posible en el instante en que se dice y ese decirlo es una repetición. Nunca estamos tan cerca de la historia como en el momento en que la repetimos tratando de narrarla de nuevo. En realidad, no importa si lo hacemos apegándonos a las cosas tal como han sido, o si decidimos tomar el camino más filosófico (según dice Aristóteles) de contar todo como podría haber sido[1]. Este camino más filosófico hace presente lo que podría haber sido y permite explorarlo en la cercanía. La cercanía es un tipo de tiempo muy extraño que a veces llamamos historia. La guerra de Troya está ocurriendo ahora mismo porque necesitamos que esté activa, que esté presente, que esté sincronizada con las preguntas y problemas que nos asedian. En su novela (o al menos la cláusula «Una novela» está inscrita en la parte superior de la sobrecubierta, justo debajo del título), *How to Be Both,* Ali Smith narra la conversación entre George y su madre acerca de la actividad de la historia. La

---

[1] Aristóteles, *Poética,* 1451b.

madre pregunta: «¿Las cosas simplemente desaparecen?... ¿Las cosas que sucedieron no existen, o dejan de existir, solo porque no podemos verlas suceder frente a nosotros?»[2]. La escritura de las humanidades es una manera de ver sucediendo ante nosotros esas cosas que no podemos ver.

En las siguientes páginas exploraremos las experiencias y los riesgos que un autor medieval en particular, el príncipe portugués Pedro de Avis puso por escrito para hacer visibles las cosas que no podemos ver. Pedro consideró que la creatividad en la construcción del libro manuscrito era la mejor manera de explorar estas experiencias y estos riesgos. No es un autor de una obra extensa, pero tres de sus composiciones, hechas durante su juventud (de todas maneras, murió joven, con treinta y seis o treinta y siete años), muestran diferentes experimentos con la relación entre texto tutor y glosa o comentario marginal[3]. Ahora vamos a ocuparnos de dos de sus manuscritos con glosas.

Al estudiar esos manuscritos glosados[4] me interesan menos sus fuentes, y no intentaré situarlos en relación con los movimientos intelectuales que forman parte de cierta narrativa maestra sobre la cultura occidental, como el humanismo vernáculo. De esto ya se han encargado otros eruditos de manera magistral[5]. Me interesa detenerme en la experiencia de la lectura de estos manuscritos glosados, en su poética de la lectura. Esta experiencia y esta poética son las del montaje y el ensamblaje de los elementos que constituyen el propio manuscrito como una textura compleja. Más allá del acontecimiento que es la obra literaria, esta experiencia cruza tiempos, espacios e idiomas, así como límites disciplinarios. Mi primera tesis al respecto es que lo que normalmente llamamos «texto material», es decir, la complicada confluencia y colaboración entre texto escrito y material de escritura, debe ser considerado un artefacto teórico, algo que ha sido elaborado para establecer una cierta visión: es un dispositivo epistemológico.

Este capítulo habla del ensamblaje del sujeto, que es una de las formas de la poética de la subjetividad. Considero que uno de los

---

[2] Smith, *How to Be Both,* pág. 104.

[3] Para una biografía reciente de Pedro de Avis, ver Pedro de Portugal, *Sátira de infelice y felice vida.*

[4] Weiss, «Comentarios y glosas vernáculas en la Castilla Medieval tardía, I», «Vernacular Commentaries and Glosses in Late Medieval Castile, II».

[5] Cfr., por ejemplo, las obras de Jeremy Lawrance, Ottavio di Camillo, María Morrás, Guido Capelli, etc.

instantes más iluminadores del activismo y de la justicia social sucede cuando podemos contemplar los procesos de construcción de un sujeto. Esta construcción supone el reconocimiento de un saber y de un pensamiento, de un tiempo, de una historia, que se sobreponen a aquellas formas de conocimiento codificado que forman una pesada enciclopedia en torno al sujeto. Es responsabilidad nuestra reconocer la iluminación del instante en que alguien ofrece una narración acerca de sí mismo o de sí misma y que emerge de este código de conocimiento. Es responsabilidad nuestra entrar en esta conversación trans-histórica y aceptar como interlocutor válido a quien ha tomado la azarosa labor emocional y física de mostrar la poética de su subjetividad frente a nuestros ojos. Esa narración en torno al yo exige, para ser escuchada, que reconozcamos a la instancia que está hablando, y que establezcamos una relación de cercanía con esta instancia[6].

Los manuscritos de Pedro son artefactos epistemológicos que propenden a la construcción de este sujeto, cuyas experiencias y riesgos le son propios y conforman una manera filosófica de interpretar o narrar las cosas del mundo. La mejor manera de estudiar este dispositivo epistemológico es intentar activarlo. En última instancia mi investigación no es solo un intento de explicar cómo eran las cosas en el pasado, sino preguntarse cómo podemos reactivar productivamente el pasado para hacerlo relevante en debates contemporáneos. Desactivar el pasado, rompiendo la posibilidad de cercanía con las actividades históricas, es una manera de socavar los esfuerzos de las humanidades y del pensamiento crítico.

Mi propósito, por lo tanto, no es leer estos manuscritos glosados como el resultado azaroso de una cierta tradición de fuentes conocidas. Importa reconocer dicha tradición. Pero es más importante estudiarlos como una experiencia, como un proceso, participando del sentimiento de innovación que sus autores y artesanos experimentaron y expresaron cuando concibieron sus textos materiales.

Me gustaría reenfocar el significado que atribuyo a la palabra «experiencia», como la uso cuando digo «experiencia de lectura» o «experiencia de escritura». Me gustaría subrayar la noción de expe-

---

[6] Butler, *Giving an Account of Oneself*; Cavarero, *Tu che mi guardi, tu che mi racconti*. Estos dos trabajos son centrales para la reconfiguración política de lo que supone el ejercicio de subjetividad, en el cual no basta que se produzca la iluminación de la emergencia del sujeto, sino sobre todo el reconocimiento ético y la proyección de este reconocimiento en la esfera de la política.

riencia como un riesgo, como una forma de poner a prueba todas las cosas, en la que el escritor y el lector exploran los límites de lo posible en la actividad que están llevando a cabo. En este sentido, aunque fuera del ámbito teórico de George Bataille, reutilizaré algunas de sus ideas, y en particular su perspectiva de que una experiencia es un viaje que uno puede hacer o no, pero que, si lo hace, entonces es necesario hacerlo poniendo en crisis el concepto mismo de autoridad y las expectativas de este viaje en particular[7]. Como he señalado, la experiencia que me importa es la de la construcción del sujeto. Esta es una experiencia en los límites de la autoridad, y en la reconfiguración de las formas en que se puede contar la historia.

Esta experiencia particular, la de Pedro de Avis u otros glosadores, ha sido considerada a veces como un fracaso, solamente porque no marcó cambios de dirección empíricamente comprobables; puede decirse también que ni siquiera se comprendió su proyecto epistemológico. Según Marina Brownlee el fracaso es tanto más profundo cuanto que las diferentes estrategias epistemológicas desplegadas por alguien como Pedro de Avis parecen ser inútiles para resolver la *psicología* del personaje llamado autor cuya vida expone a través de sus narrativas y descripciones líricas el propio Pedro[8]. Me gustaría oponerme frontalmente a esa idea de fracaso. Tal vez sea un infortunio que las estrategias epistemológicas no hayan sido comprendidas; y quizá podemos reconocer que un personaje no puede curarse de nada, ya que los personajes existen para hacer presente una ética y una política y someterlas a movimientos interpretativos, pero no para demostrar una solución. Pedro y el resto de los glosadores, desde los más radicales hasta los más tradicionales, lograron crear los términos en que relatar su experiencia, uno de cuyos riesgos, que llevaron al límite de sus posibilidades, era no ser comprendidos. No lo fueron. Peor para nosotros. Pero eso no quiere decir que hayan quedado incomprendidos para siempre, o que no debamos esforzarnos por hacerlo. Las humanidades y sus actividades no son sencillas, sino que requieren de un constante esfuerzo de pensamiento crítico.

---

[7] Bataille, *L'Expérience interieure*. «Llamo experiencia a un viaje al final de lo posible del hombre. Puede que no todos hagan este viaje, pero si lo hacen, supone negar a las autoridades, los valores existentes, que limitan lo posible. Debido a que es la negación de otros valores, otras autoridades, la experiencia de tener una existencia positiva se convierte en sí misma en un valor positivo y en una autoridad» (pág. 22; traducción mía).

[8] Brownlee, *The Severed Word*, pág. 126.

¿Pertenecen todos los glosadores a una misma genealogía? ¿Crea cada glosador su propia genealogía en el arte y práctica de la glosa? Para abordar estas cuestiones, hay que profundizar en el problema de la novedad de la experiencia de glosar: muchos de los autores que me interesan en esta investigación estaban convencidos de que lo que hacían era completamente nuevo, de que no había ninguna tradición que estuvieran copiando. A veces pensaba estar rompiendo las reglas del comentario tradicional.

Al glosar su propio trabajo literario, Pedro creó una compleja pieza de ingeniería cultural en la que el texto central y la glosa marginal se combinaban para construir algo que le parecía radicalmente nuevo. Podríamos quitarle eso, minimizarlo o simplificarlo, pero eso sería rechazar de entrada el reconocimiento que está reclamando alguien que habla de sí mismo. En el prólogo de su *Sátira de infelice e felice vida,* Pedro argumenta que no era costumbre de los autores antiguos glosar sus propias obras[9]. Los autores antiguos, cierto, no hicieron autoglosas, que se sepa. Es verdad, sin embargo, que, en su propia generación, el gran poeta cordobés Juan de Mena ya había publicado su autoexegética *Coronación,* y Christine de Pizan lo había hecho también en obras como la *Epistre Othea*[10]. Pedro, él mis-

---

[9] «Fize glosas al texto ahun que no sea acostumbrado por los antigos auctores glosar sus obras» (fol. 4r; pág. 76). Cito el manuscrito de la Biblioteca Nacional de Madrid, mss/4023. No he podido ver el otro manuscrito, que se encuentra en una biblioteca privada de Cataluña. También doy la referencia de la página de la edición de Guillermo Serés, aunque algunas de mis lecturas difieren de esta edición.

[10] Por otro lado, sería difícil entender la *Sátira* sin la *Coronación,* a la que debe enormes dosis de inspiración, incluyendo recursos narrativos, metáforas y procedimientos de interpretación. Para la *Coronación* de Juan de Mena hay una reciente edición crítica: Mena, *La coronación,* ed. Kerkhof; Pizan, *Epistre Othea,* ed. Parussa. Estas ediciones solo dan una idea muy pálida de la empresa de ambas obras. En particular, la *Othea* de Christine de Pizan constituye una obra muy sofisticada en la que se ha explorado el dispositivo epistemológico y se ha llevado a sus límites, al incluir diferentes niveles de autoglosa junto con imágenes para el pensamiento y la meditación. La obra ha sido estudiada desde la perspectiva del *montaje* (menciono esto además porque es una noción que también utilizaré en este mismo capítulo, aunque en un sentido diferente) por Desmond y Sheingorn, *Myth, Montage, and Visuality in Late Medieval Manuscript Culture.* Este estudio también da una idea aproximada de la complejidad de la tradición de los manuscritos. Ver asimismo el ensayo clásico de Mombello, *La tradizione manoscritta dell' «Epistre Othea».*

mo de linaje borgoñón, era conocedor de las tradiciones francesas; es improbable que no conociera la obra de Christine de Pizan, en particular, aunque el silencio que rodea a esta autora en la península ibérica no deja de ser desconcertante. Mucho antes, Dante había escrito un comentario alegórico sobre su propia poesía en *Il Convivio,* que fue parcialmente conocido en Castilla al menos gracias a los comentaristas y traductores del abogado perusino Bartolo de Sassoferrato[11]. Pero la cuestión no es si Pedro tenía razón o no. La cuestión es que su actividad de glosa y construcción del artefacto manuscrito le pareció nueva e innovadora, y que actuó en consecuencia, sugiriendo a sus lectores que su experiencia de lectura iba a ser también nueva[12].

Argos Panoptos

La innovación de Pedro excede la de otros autores de su generación, a causa de la detallada planificación que requieren sus obras. Su *Sátira de infelice e felice vida* es quizás el monumento más asombroso del arte literario radical en este sentido. La *Sátira* es un texto central que «cuenta y declara» la «vida apasionada» del yo. El manuscrito contiene la *sátira* y también, simultáneamente, otra obra con otro título, *Argos*. Ambas están íntimamente entrelazadas, cada una con su propia existencia literaria. Coexisten en el mismo espacio, ensambladas en un manuscrito que produce toda la complejidad de su artesanía poética e intelectual. Argos es el nombre del gigante de cien ojos que Hermes hipnotiza y mata. Argos ha sido «verdadero hombre», y «cien ojos le dieron los poetas... a los cuales

---

[11] Dante, *Il Convivio*. Bartolo de Sassoferrato comentó profusamente las ideas sobre la nobleza contenidas en el *Convivio* de Dante en su tratado llamado «De dignitatibus». Bartolo fue ampliamente leído y utilizado en España, gracias, en parte, a que formó parte de las alegaciones de Alfonso de Cartagena durante su participación en el Concilio de Basilea en 1431 (Cartagena, *Discurso sobre la precedencia del rey Católico)*. El tratado de Bartolo también fue discutido por otros escritores como Diego de Valera en su *Espejo de verdadera nobleza,* Juan Rodríguez del Padrón en su *Cadira del honor,* o Ferrán Mexía en su *Nobiliario vero*. Ver Rodríguez Velasco, *El debate sobre la caballería en el siglo xv.*

[12] La constante prevención en torno a la novedad es objeto del libro de Ingham, *The Medieval New*. Este libro ofrece una perspectiva ética sobre las discusiones en torno a la novedad, en un sistema cultural en el que si bien domina la idea de preservación, esta se manifiesta a partir de la innovación y la investigación.

tal orden dieron que, unos durmiendo, otros velasen»[13]. Su encargo, así pues, es vigilar aquellas cosas investidas con mayor valor en una cultura dada. Es precisamente esta incesante vigilancia la que, según Pedro de Avis (que lo refiere a sus fuentes), lo hace insoportable a los dioses. En particular a Júpiter, dado que Argos, al servicio de Juno, se encarga de proteger a las ninfas a las que el dios que junta el trueno acosa sexualmente, como Io. Tras la violación de Io y su transformación en vaca, Júpiter se da cuenta de que no puede ocultar lo que ha hecho, pues Argos ha sido testigo de todo. La muerte de Argos, concertada por Júpiter, recae sobre Mercurio. Juno, consciente de que ya no puede hacer nada, «queriendo que tanta beldad non peresciese, los cien ojos de Argos en la cola del pavón, ave a ella consagrada, por perpetua apostura asentó»[14]. Esos ojos vigilantes se convierten, ahora, en ornamento y en testigo de esta historia.

Pedro continúa:

> En cada parte de la ovidiana estoria [se refiere a *Metamorfosis* I, vv. 624 en adelante] son diversos integumentos poéticos non dignos aquí de proseguir, mas por Argos la prudencia entender se puede; por Mercurio, los sentidos; por el canto e dulzura del instrumento siringa [el utilizado por Mercurio para adormecer a Argos], los falagueros delectes inducientes el sueño de la perpetua muerte[15].

La técnica de comentario que ensaya Pedro no consiste en agregar interpretaciones, sino en rechazar las posibilidades exegéticas si es que estas no se ajustan a una ética, tal vez a una política. Los *integumentos poéticos* (es decir, la actividad creativa que recubre el significado más profundo) se presentan a la lectura como otras tantas provocaciones para el comentario; lo difícil es saber resistirse a ello para elegir lo que conviene. En este caso, Pedro se concentra en esos cien ojos que vigilaron e intentaron proteger a Io.

> E porque a este Argos cien ojos atribuyeron, como dicho es, quiso el autor llamar a la subsecuente obreta Argos. Ca así como aquel cien ojos tenía, así aquella cien glosas contiene; e así como el

---

[13] Todas las citas proceden de la edición de Guillermo Serés (Pedro de Portugal, *Sátira de infelice e felice vida*), págs. 77-79.

[14] Pedro de Portugal, *Sátira de infelice e felice vida*, pág. 79.

[15] *Ibíd.*

ojo corpóreo al cuerpo alumbra e guía, así la glosa al testo por semblante manera face, quitando dudas a los leyentes. E así como el ojo da, trae e causa gozo e alegría, así la glosa alegra, satisfaciendo a lo obscuro e declarando lo oculto. E si de las glosas algunas grandes e otras pequeñas se fallarán, así fue conveniente de se facer, porque en la narración precedente dice la piadosa Juno, de compasión movida, la cabeça de Argos muerto transmutar en la fermosa cola de pavón, la cual muchos ojos grandes e pequeños posee. De lo cual es de presuponer el mencionado pastor [Argos] no iguales ojos, mas diversos e dispares obtener; e por ende el auctor, imitando a aquello, por la semblante orden começó su camino e siguió su viaje[16].

Así concluye la glosa tercera de la obra. En ella, como queda claro, se indica la teoría de la práctica que Pedro va a poner en marcha. En esta práctica, domina el deseo de saber, el placer y la diversidad de perspectivas o tamaños que derivan de cada una de las glosas en consideración de su extensión. Los cien ojos de Argos sufren una nueva metamorfosis, en esta ocasión en cien glosas que vigilan todo el texto material. Como los cien ojos de Argos, las cien glosas cuidadosamente cultivadas a lo largo del manuscrito imponen también diferentes ritmos de lectura y pensamiento, diferentes ritmos de teorización. Y por supuesto, hay ciento cinco glosas.

PLACER Y GANANCIA

En la primera entrega de sus *Marginalia,* publicada en *The Democratic Review,* Edgar Allan Poe escribe lo siguiente:

> All this may be whim; it may be not only a very hackneyed, but a very idle practice; — yet I persist in it still; and it affords me pleasure; which is profit, in despite of Mr. Bentham with Mr. Mill on his back[17].

> (Puede que esto sea un capricho. Puede que no solo sea una práctica muy trillada, sino también inútil. Sin embargo, persisto aún en ella. Y me produce placer, que, por cierto, es provecho, pese a lo que diga el Sr. Bentham, apoyado por el Sr. Mill.)

---

[16] Pedro de Portugal, *Sátira de infelice e felice vida,* pág. 79.
[17] Poe, «Marginalia», pág. 484.

Poe escribe en los márgenes de sus libros porque le proporciona placer, el mismo placer que Pedro de Avis expresa en su propia glosa. La escritura marginal es una enorme fuente de placer. Poe no elabora sus pensamientos en relación con el gozo de la escritura marginal, que sin embargo acompaña la historia de la escritura marginal desde Chaucer y Pedro de Avis hasta nuestros días, hasta nosotros mismos. El placer es, para Poe, un bien, algo que obtiene y que equipara con el beneficio económico, una ganancia, un interés o tal vez una plusvalía (no explica cuál de esas cosas) que proceden de la escritura de esas notas marginales; nadie se las ha pedido, son un mero capricho. El placer y la ganancia son sinónimos, a pesar de Jeremy Bentham, que se sustenta sobre las tesis económicas de John Stuart Mill a sus espaldas. La mención de estos dos nombres no está ahí solamente para epatar al burgués: a través de las páginas de la *Democratic Review,* Poe se dirige a los fundadores del pensamiento liberal moderno, los ídolos intelectuales en términos de la filosofía liberal en materia de economía política. Poe añade algo polémico a las concepciones liberales y antiestatales de los lectores de la *Democratic Review:* tal vez Bentham, y sobre todo John Stuart Mill, son los principales referentes del pensamiento liberal y de la libertad del individuo frente al Estado, pero lo que no han conseguido borrar de la faz de la cultura es que la libertad, el individuo, el sujeto liberal, no solo es el buscador del beneficio material, sino también de otro tipo de beneficio que es el placer. En este sentido, los apuntes marginales son uno de los fundamentos de una economía política del placer. Poe invierte en esta anotación marginal porque le proporciona esa ganancia o beneficio.

Cada una de las glosas es una inversión en el placer. Para Pedro de Avis no es diferente, si bien él no lo traduce en términos de economía política. El interés o la plusvalía son, en su caso, conocimiento y claridad, que a su vez son valores de las humanidades. Argos, con sus cien ojos que son cien glosas, administra ese placer. Toda forma de administración es también una forma de vigilancia. Argos, conocido en la mitología como «el Panoptos», es decir «quien todo lo ve», está a cargo de vigilar, pero en la obra de Pedro lo hace con cien glosas (ciento y pico). Bentham vuelve a surgir en nuestro análisis, esta vez con su arquitectura panóptica, es decir, el diseño de un artefacto de vigilancia en el que todo lo que sucede es visto con prontitud por quienes están a cargo de la seguridad, y quienes a su vez no son vistos, pues ocupan el centro de inspección («inspection house»).

El Argos de Pedro es a su vez un sistema panóptico, pero, podría decirse, a la inversa. La población sometida a vigilancia es el propio

Pedro y sus pasiones, sus afectos y emociones tal y como suceden en el centro de la página. Es el dolor, la infelicidad, a veces la felicidad, la depresión, el cambio de vida, el amor, la lejanía, la nueva lengua, las dificultades o los caprichos de un hombre poco más que adolescente (pues, cierto, Pedro escribe la *Sátira* sin haber cumplido los veinte), lo que está sometido a vigilancia[18]. Un solo interno en el centro de la página. El centro de inspección, bien visible, está constituido por fragmentos de un sistema cultural que somete a razón y narración, a comprensión, los padecimientos del sujeto que se constituye en tanto que tal y habla desde el interior de la página.

SILENCIO MARGINAL

El cómputo de glosas impone un ritmo de lectura. Cada tanto, y en ciento cinco ocasiones, el ojo de quien esté leyendo debe abandonar el centro para ir a recorrer uno de los márgenes de la página, y luego volver al lugar de origen. Este ritmo rompe voluntariamente con la lectura lineal, con una genealogía de la lectura en la que las balizas que señalan la localización de las ideas están en el interior del texto, en forma de signos diversos, manifestaciones de un arte de puntuar (el punto, la coma, el calderón) o de una manera de ordenar el interior del libro (el uso de varias tintas para las iniciales o para los calderones). Entre los signos de puntuación que quedan en el interior, otros, en cambio, empujan la vista hacia el exterior, asteriscos, obeliscos, letras.

El más visible de los marcadores del ritmo de lectura es el horizonte de expectativas creado por la construcción del manuscrito. Las personas encargadas de crear los cuadernillos que constituirán el códice saben que han de dejar la página preparada para recibir glosas. Saben cuánto espacio aproximado requerirá el texto, y asimismo el lugar que en cada página ha de dar entrada a las glosas. Saben el número de líneas por página. Con esas variables, las técnicas del arte, pautan cada página antes de que esta sea escrita por los amanuenses.

Los ritmos de lectura no solo están relacionados con los textos, sino también con la propia materialidad del manuscrito: como el recuento de glosas es exacto (una glosa por ojo), aunque el manus-

---

[18] Véase una aproximación a la biografía de Pedro en la edición mencionada de Guillermo Serés, en la Introducción.

crito esté preparado para recibir más glosas, la única posibilidad que se le ofrece a la persona que se entrega a la lectura de este códice es respetar el silencio marginal.

Ese silencio marginal es relevante para la genealogía de la glosa que estoy estudiando aquí. Medievalistas como John Dagenais, Michael Agnew y Sol Miguel-Prendes, han argumentado que la glosa es una actividad que presupone un *aliquid minus* en el texto central, lo que implica una carencia[19]. En el arte radical de autores como Pedro y otros, sin embargo, el cómputo de glosas, al igual que la extensión del texto central, se ha establecido como parte del arte de la composición, y no hay nada que nadie pueda realmente agregar sin cambiar el complejo equilibrio dentro del texto material. El silencio marginal es, aquí, un desafío: hace presente un manuscrito preparado para recibir glosas a quienes se entregan a su lectura, mientras que prohíbe a esas mismas personas completarlo o complementarlo con nuevos comentarios marginales.

Cada ojo de Argos representa una forma diferente de ver la vida apasionada del ser, que no solo se expresa en el centro de la *Sátira*, sino que también se cruza con los personajes y conceptos que se invocan en cada una de las glosas. «Ojo» y «yo» están aquí juntos como un dispositivo teórico[20].

MIL VERSOS PARA DESPRECIAR EL MUNDO, CON SUS GLOSAS

Para mostrar las complejidades a las que se enfrentaron algunas de las personas que se dedicaron a la escritura marginal, así como el carácter radical de sus propuestas, podemos detenernos en la lectura de otra obra de Pedro, las *Coplas de contempto del mundo*. Las *Coplas* nos permiten desarrollar una teoría sobre nuevas técnicas de lectura que llamaré aquí «lectura en serie». Para ello, me centraré en una única serie narrativa de las *Coplas*, dedicada a Alejandro Magno. Después, explicaré las complejidades de montar esas series narrativas en el manuscrito, analizando uno de los folios del manuscrito de Pedro que contiene las *Coplas*.

---

[19] Dagenais, *The Ethics of Reading in Manuscript Culture;* Miguel-Prendes, *El espejo y el piélago;* Agnew, «The "Comedieta" of the *Sátira*».

[20] *Theorein,* en griego antiguo, significaba «observar», pasar el tiempo mirando algo (de θέα, «mirar a algo, vista», y ὁράω, «ver o mirar»).

La lectura en serie no es una lectura a plazos o por partes. Se diferencia también de la *florilectura,* un tipo de lectura que pretende antologar el texto que se está leyendo, con el propósito de crear un florilegio, técnica a menudo visible porque quienquiera que estuviera leyendo a veces dejaba una flor dibujada en el margen[21]. La lectura en serie es una posible respuesta a una actitud de autor. Esta actitud implica el desarrollo de series de narraciones y conceptos de manera fragmentada. Esos fragmentos son luego ensamblados a su vez y ubicados a lo largo del manuscrito de acuerdo con una lógica narrativa diferente a la que pudo tener la lógica interna de los fragmentos originales. Este ensamblaje requiere que el lector los conecte (o se niegue a hacerlo) yendo y viniendo por entre los laberintos de la obra y su ensamblaje. Mientras que el dispositivo epistemológico que llamo ensamblaje está siempre presente, las lecturas en serie son opcionales o posibles, pero no obligatorias (podrían incluso pasar desapercibidas).

Una sola obra, como cualquiera de las obras glosadas de Pedro de Avis, la *Coronación del Marqués de Santillana* de Juan de Mena, o la *Epistre Othea* de Christine de Pizan, puede conllevar muchas series narrativas. La multiplicidad de series abarca siempre toda la extensión de la obra, y requiere una lectura activa en varias dimensiones al mismo tiempo, ejercitando la memoria lectora y la capacidad de situación de una lectura en su espacio determinado. Las manos tienen memoria, y esa memoria ha de ser explotada a fondo en una lectura activamente serial. No significa que todos los lectores estén interpelados por esta necesidad, solo que esta se encuentra en la base del propio montaje de la obra. Desde un punto de vista cognitivo, puede ser extremadamente complejo, y constituye un reto a la linealidad de la lectura y la linealidad de la escritura. Las *Coplas de contemptu mundi* de Pedro, objeto ahora de nuestro interés, manifiesta la interacción de tres series de inteligibilidad ensambladas dentro del códice: versos, rúbricas y glosas, esta última serie dividida en dos partes, ya que hay dos tipos diferentes de glosas.

La primera serie está compuesta por los 1000 versos del poema. A diferencia de la *Satira* y sus cien glosas modeladas en los cien ojos de Argos, aquí no se nos da una explicación para este número. En

---

[21] Para una visión general y un análisis de todo ese tipo de lecturas, cfr. Dagenais, *The Ethics.* Las marcas de antología o de extracción de contenido no solo incluyen flores (de donde la palabra griega *antología),* sino también otros dibujos concretos (manecillas, por ejemplo) o abstractos (rayas, puntos, etc.).

cierto modo, una serie de 1000 versos es una serie completa, y probablemente vinculada a una representación y cálculo milenario de la historia. Mil es, a fin de cuentas, el número más alto en el cómputo en esta época; el concepto de *millón* aún no existe (aunque sí la palabra) a principios del siglo xv, y el concepto de *cuento,* a veces aplicado al millón, es inespecífico. Mil es, aquí, el límite superior, lo más. Como en las mil y una noches, esa noche extra no es simplemente una más, es la que lleva la narración al más allá, la que rompe el límite de la historia, el *plus ultra.* Los 1000 versos del poema de Pedro condensan toda la extensión de los conceptos que sirven al propósito de despreciar el mundo. Un todo. A lo largo de estas líneas, Pedro cuenta la historia completa del mundo en términos tanto históricos como ficticios o poéticos. Es, por esto mismo, un sistema narrativo más filosófico.

La segunda serie es un contrapunto al cálculo milenario. La serie compuesta por las rúbricas que ordenan el texto del manuscrito. Estas rúbricas pertenecen a Pedro y no a los amanuenses. Expresan las operaciones intelectuales que rigen la lectura de los versos, y anuncian si hay otras estrofas que operan de la misma manera. Ejemplos de estas rúbricas convencionales son «aquí ejemplifica», o «esto es una continuación», o «aquí aplica (una comparación)», y así sucesivamente. Otras estrofas parecen ser independientes de este patrón de repetición: su especificidad a la hora de anunciar cómo leer estrofas particulares (por ejemplo, «acerca de las delicias» o «sobre los reyes malos») hace que el poema siga adelante. La erudición tradicional señala, con muy buena razón, que las rúbricas ayudan a navegar por el libro e identificar sus temas fundamentales, y es fácil ver como una rúbrica «sobre la loable liberalidad» puede ayudar a esta operación. Tal vez sea más difícil percibirlo cuando diferentes estrofas a lo largo del libro tienen una rúbrica recurrente como «aquí ejemplifica y procede», que es diferente de las que simplemente «ejemplifican», pero no «proceden», o de la otra en la que el texto «procede», pero no ejemplifica, etc. Del mismo modo, otras rúbricas recurrentes establecen una tipología de intervenciones públicas, como dar consejos, invocar, añadir algo nuevo, exhortar, aplicar, comparar, demostrar, definir, etc. En esos casos, la frase «navegar por el libro» no parece una forma satisfactoria de entender el efecto que tienen esas rúbricas en todo el proceso literario: una vez que el lector se ha enganchado a una de las rúbricas convencionales, la siguiente recordará efectivamente a la primera, creando así una dinámica de comprensión del libro, más compleja que los conceptos tradicionales de disposición y de *ordinatio*. Además, estas rúbricas también señalan las diferentes operaciones que pueden realizarse en el libro, tanto en la experiencia de la escritura como en la de la lectura. En cierto sentido, estas posibles operaciones son los términos de un contrato sobre cómo leer las diferentes capas de raciocinio, de comprensión y de emoción que se han puesto sobre la página.

Una tercera serie está compuesta por dos tipos diferentes de glosas. De las 119 glosas que tiene este texto en total, 16 son versículos latinos que aparecen en traducción castellana en la estrofa correspondiente. En este caso, la glosa precede al centro, en la medida en que el centro es una traducción del margen. Esto impone un tipo de serie lectora que interrumpe la lectura lineal para provocar un momento de meditación. Ya que los versículos se identifican como bíblicos, forman parte de una biblioteca que posee sus propias reglas de lectura y de pensamiento, que no excluyen ni la oración ni el canto[22].

El segundo tipo de glosa de esta tercera serie es el que más me interesa. Se trata de 103 glosas más largas y teóricas. Estas constituyen formas alternativas de contar algunas narraciones históricas canónicas, muy presentes en la historia del humanismo occidental. Cada una de estas se hace especialmente relevante para la presencia que ocupa todo el espacio epistemológico de estas *Coplas,* el «yo» poético, que frecuentemente se confunde voluntariamente con el autor[23].

Márgenes para Alejandro

Además de esta superestructura de inteligibilidad, es posible leer en serie dentro de la serie de glosas más largas. Voy a comentar únicamente la serie de siete glosas en las que la presencia de Alejandro Magno, si bien no siempre protagonista principal, desencadena la escritura de la glosa. Esta presencia de Alejandro Magno ocasiona una interacción con otras series de glosas que requiere la participación de una persona con capacidades de lectura multidimensional en eso que antes llamamos el orden estrábico de la página glosada.

---

[22] Cfr. Boynton y Reilly, *The Practice of the Bible in the Middle Ages;* Nelson y Kempf, *Reading the Bible in the Middle Ages.*
[23] La participación del *yo* puede leerse con la noción de *autografía* sugerida por Spearing, *Medieval Autographies.*

La importancia de la serie sobre Alejandro no es muy sorprendente, dado el papel de las narraciones de Alejandro en la historia medieval y en la teoría política, así como en el pensamiento jurídico. Aquí, además, se hace evidente en el prólogo de Pedro a sus *Coplas*, en términos quizá más particulares. En este prólogo, Pedro dedica su trabajo a su rey y cuñado, Alfonso V de Portugal, quien, para entonces, le había nombrado comandante de la Orden de Avis. Pedro protesta que el lector no sea capaz de entender la poderosa personalidad del rey, cuyas cualidades son todas igualmente dignas de elogio, y comparables a las de los hombres más excelentes de la historia: si el consejo de Alfonso es tan bueno como el de Catón, su grandeza es tan notable como la de Alejandro. Un lugar común es un lugar común, pero algunos de ellos también ponen algo en movimiento, y este consigue poner en movimiento una serie sobre Alejandro, haciéndolo relevante para la futura relación entre Pedro y Alfonso[24].

Esta serie de glosas alejandrinas es una respuesta a una pregunta radical: ¿por qué sería mejor narrar una historia de manera lineal si al fragmentarla y someterla a los ritmos impredecibles de una serie narrativa, podemos obtener diferentes efectos, diferentes resultados hermenéuticos, centrándonos en elementos que podrían perderse o ser menos perceptibles en una narración lineal? Mientras que la narrativa lineal permite la perspectiva (la configuración de un conjunto de voces diferentes), la narración en serie y el ensamblaje permiten el perspectivismo, es decir, perspectivas múltiples y cambiantes que interactúan de manera polémica.

La narrativa serial del emperador neurótico por antonomasia permite fragmentar al sujeto mismo. Permite, literalmente, analizarlo, separando su vida heroica de su carácter inseguro (inseguro incluso de su propia identidad dentro del linaje), a veces iracundo. Permite subrayar aquellos aspectos en que se pone en cuestión la constitución de un sujeto más allá de la narrativa maestra transmitida por la historiografía (en particular la vida paralela de Plutarco y, sobre todo, la obra de Quinto Curcio Rufo)[25].

---

[24] Todas las referencias a las *Coplas* proceden del manuscrito de la Biblioteca Nacional de España MSS/3694; prólogo, ff. 1r-4r. Nótese que todo esto solo tiene sentido en medio del proceso de reconciliación política entre Alfonso de Portugal y Pedro, a partir de 1454.

[25] La obra de Quinto Curcio Rufo tiene una amplia representación en las bibliotecas ibéricas del siglo xv, frecuentemente acompañada por glosas. La traduc-

En la mayoría de las siete glosas distribuidas uniformemente en el códice, Alejandro juega un papel secundario. Esta posición secundaria, sin embargo, convierte su presencia en una conveniente plataforma de observación teórica. En un momento dado, el glosador cuenta la historia de Darío[26]. La glosa no proviene directamente del texto central, sino que está ensamblada a partir de otra glosa dedicada a Policrato, y ambas se ofrecen como un ejemplo de la rueda de la fortuna. La rúbrica «ejemplo» o «ejemplificación», es una de las operaciones intelectuales promovidas por el orden del discurso sugerido en el manuscrito, y aquí el *ejemplo* universal de la rueda de la fortuna está particularmente *ejemplificado* en estos *casus. Casus* en latín indica no solo un caso específico que tiene un valor jurídico o jurisprudencial (que también se dice en latín *exemplum),* sino que también se traduce por *caídas,* que es la constante narrativa de la ficción de la rueda de la fortuna: los protagonistas de la misma son personas poderosas que *caen* de la rueda, que son depuestos de la posición de poder que ocupan.

El vocabulario que he utilizado es intencionadamente jurídico, simplemente porque creo que ayuda a explicar el procedimiento teórico: Rolandino de' Passeggieri, un notario del siglo XIII, explicó que el ejemplar es el modelo, y el *exemplum* es el caso y su transcripción, y es muy frecuente ver copias de cartas y otros documentos que se denominan «exempla», es decir, simplemente copias[27] . Otra

---

ción castellana de la *Historia de Alejandro Magno* de Quinto Curcio Rufo, Biblioteca Nacional de España MSS/9220, es una traducción que fue ejecutada a partir de la traducción toscana que había hecho el humanista y librero Pier Candido Decembrio. Es posible que las glosas que acompañan a los manuscritos castellanos sean de Pier Candido Decembrio. Van más allá de una *ordinatio* y sin embargo se quedan mucho más acá de un deseo de narrar. Lo característico de las de este manuscrito es que, por así decir, propenden a crear una *poética de la admiración.* Estas glosas son, por así decirlo, epifonéticas: leídas con posterioridad al texto, suponen una especie de llamada de atención que tiene relación directa con la propia percepción. Los verbos con los que se introducen estas glosas epifonéticas son tres: «nota» (que es muy común, y de ahí toman nombre un género de glosas, los *notables),* «lee», y, sobre todo, «mira». Este último verbo es problemático porque no solo indica la necesidad de dirigir los ojos hacia algo (mirar), sino también la idea de admiración. Pier Candido Decembrio, es humanista y latinista, y profundamente ciceroniano, con lo que ese «mira» es improbable que se refiera al muy vulgar verbo «mirare» (mirar), y muy probable que se refiera a su modo pasivo, «mirari», que significa «admirar».

[26] MSS/9220, fol. 17r.
[27] «Exemplar dicitur originalis scriptura, genus videlicet ex quo generatur uel sumitur exemplum; quod quidem exemplatur apellatur etiam originale et autenc-

interpretación del *exemplum*, como la documentada por Cornelia Vismann, es la de «precedente» en un archivo jurisprudencial, un significado que no está lejos del anterior[28]. *Casus,* a su vez, es la narración en el margen de los manuscritos jurídicos que da cuenta particular de un verdadero problema jurídico y político que debe (o al menos puede) ser resuelto discutiendo los estatutos jurídicos contenidos en el centro del *Corpus Iuris,* ya sea *Canonici* o *Civilis*[29].

La rueda de la fortuna es parte de una narración cuyas consecuencias políticas fascinaron a muchos intelectuales medievales: se preguntaban cómo era posible que algo tan impredecible como la fortuna existiera, y que fuera parte de la experiencia de todos. La fenomenología política era, de hecho, una fenomenología de la fortuna. Tal vez ya no podamos entender la profundidad política o filosófica de esta narración porque la vemos después del hecho narrativo, es decir, después de que el concepto de fortuna se haya naturalizado y por lo tanto desactivado parcialmente, convertido en un lugar común. Sin embargo, la fortuna debe considerarse un concepto heurístico que nos ayuda a comprender las múltiples perspectivas políticas que participan en esta narrativa política maestra: la fortuna próspera nos pone frente a una cuestión ética y política, en la medida en que implica la explotación de otros individuos y colectivos, y por lo tanto constituye la fortuna adversa de otra persona. Darío, en esta glosa, podría muy bien ejemplificar el tema de la fortuna adversa, pero solo a través de la actuación de Alejandro Magno. Por la misma razón se plantea otro problema: ¿será Alejandro política y éticamente capaz de frenar su propia futura fortuna adversa? ¿Será capaz de controlar a los agentes de su propia fortuna adversa?

En otras glosas, el papel secundario de Alejandro es igualmente complejo. Es el agente de la venganza o la retribución en la glosa dedicada a Pausanias, el cazador de celebridades que asesinó al padre de Alejandro, caso que, a su vez, suscita la pregunta de si Alfonso V había sido el instigador del asesinato del padre de Pedro[30]. En la glosa dedicada al deseo de Diógenes de vivir cerca de la naturaleza,

---

ticum [...] unde uersus: Exemplar pater est, exemplum quod generatur», Passegieri, *Summa totius artis notariae,* III, cap. 10.

[28] Vismann, *Files,* pág. 48.

[29] *Casus* aparece como la rúbrica de los comentarios marginales iniciales de muchas leyes del corpus. Véase, por ejemplo, la edición de Lyon de 1627 del *Corpus* (Justiniano, *Corpus Iuris Civilis).*

[30] Fol. 13r.

incluso rechazando su única pertenencia, una copa, Alejandro aparece como un agente de la cultura contra la naturaleza, mientras que en otros lugares aparece como un agente de la cultura contra la barbarie[31]. Otras glosas dedicadas a Clito y a Calístenes tratan de los consejeros de Alejandro despedidos por sus excesos verbales.

Cuando escribe sobre reyes crueles, el glosador, como historiador responsable que quiere ser, se sorprende y declara que su propia pluma se niega a escribir sobre ellos. El glosador se describe a sí mismo mediante la ficción del autor meditabundo y melancólico con el mentón sobre su mano, el codo sobre el pupitre, considerando su siguiente paso en la escritura; tiene, entonces, la visión de Alejandro parado frente a él. Alejandro reclama a Pedro su derecho a la historia, su derecho a la glosa. Tantas veces ha hablado Pedro de Alejandro, y, sin embargo, nunca le ha dedicado una glosa solo a él. ¡Un escándalo!

Pretender convertirse en una glosa es también pretender formar parte del diálogo sincrónico y contemporáneo con la historia. Alejandro está de hecho reclamando su derecho a participar en la política y la ética contemporáneas, junto con el resto de los nombres que han sido convocados en torno al autor. La vida de Alejandro tiene que tener lugar ahora mismo.

La situación es francamente irónica. Alejandro no parece estar eligiendo el momento adecuado para interferir en el proceso creativo. La interacción entre las tres series estructurales (rúbricas, estrofas, glosas) dice a los lectores que el *autor* está ahora preocupado por reyes que no parecen pertenecer a la «historia responsable» (según la expresión del teórico de la historia Antoon de Baets) que el autor está comprometido a criticar[32]. Príamo, Agamenón, Nerón, no representan los valores que Alejandro quiere reivindicar para sí mismo, no son metonimias ética y políticamente adecuadas. Alejandro reclama, aunque lo haga lleno de vanidad, la «grandeza» y «magnanimidad» que en realidad desapareció cuando él mismo desapareció de la faz de la tierra siendo aún muy joven. La historia de Alejandro en este punto solo podría ser la historia de su desgracia, no la historia de su grandeza. Y el autor, que realmente admira a Alejandro, simplemente menciona que es dudoso determinar si Alejandro fue o no un amante de la justicia. Esto pone en duda la generosidad de

---

[31] Fol. 44r.
[32] Baets, *Responsible History.*

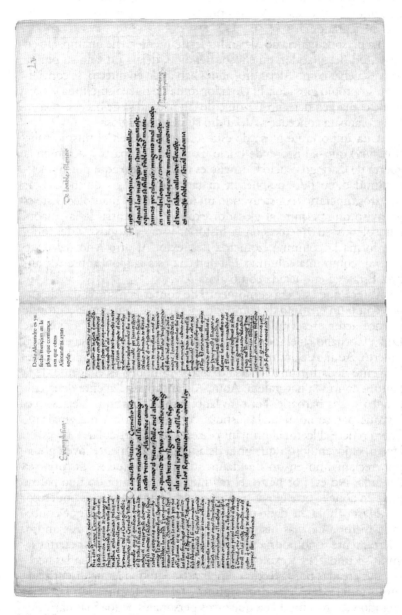

12. Alejandro y el loable silencio. Biblioteca Nacional de España MSS 3694.

Alejandro y acabará por convertirlo en un ejemplo negativo: si hay algo aquí de que los poderosos puedan tomar ejemplo es la fragilidad de la grandeza.

La persona ficticia de Alejandro seguramente tiene un impacto en la actitud del glosador, quien, sorprendido, deja a un lado su pluma para escuchar cómo Alejandro, ahora hablando en directo, se convierte en su propio glosador. El glosador toma de nuevo su pluma y viaja desde el margen derecho al izquierdo sin necesidad de hacer escala en la estrofa, para conceder a Alejandro su derecho a glosa.

Una importante glosa de esta serie coexiste en el mismo folio (fol. 54v) que la historia de Lucio Cornelio y su participación en la guerra de Cartago. Lucio Cornelio es mencionado aquí por su magnanimidad, cuando, después de matar a su enemigo, quiso celebrar sus ritos funerarios construyendo un monumental mausoleo. Este es un aviso que permite al glosador explicar la historia de la palabra mausoleo, y su vínculo con la historia. Esta es la glosa *a* del folio, que forma la columna izquierda del texto. Al otro lado del texto central, como una columna a la derecha está la glosa sobre Alejandro. Esta está etiquetada como glosa *b*.

Parece que este era el momento de contar la historia de Alejandro como un ejemplo de compasión y piedad, como un ejecutor de buenos actos preservando la vida de los demás, incluso mejor que Lucio Cornelio en el momento de preservar el honor de su enemigo muerto. Aquí, Alejandro no es el agente de la venganza. Tampoco es el agente de la fortuna adversa de otro. Tampoco es el agente de la cultura contra la naturaleza. Aquí, Alejandro es el agente de la cultura contra la barbarie. Por otro lado, tampoco es aquí Alejandro el rey que parece no amar la justicia, como en la nota marginal que Pedro refiere al lector al principio de esta glosa particular. Y no es, en efecto, el joven llorón que grita delante del igualmente joven glosador, reclamando en un momento inoportuno que su historia sea contada. No es, por tanto, el rey impaciente e híbrido que parece estar en aquella otra glosa, sino un rey más humano, más poderoso.

Hasta ahora, he dado un ejemplo de lectura en serie que conecta la historia con las historias de la figura ejemplar de Alejandro. Ciertamente, uno podría ser aún más radical, y serializar ciertas figuras secundarias, y explorar dónde y cuándo resurgen en las necesidades creadas por la lectura serializada. Aunque nadie discutiría la importancia de Alejandro, algunos, tal vez, levantarían las cejas cuando vieran el modo en que otros personajes ocupan las narraciones maestras en el acto de ensamblar y montar las historias.

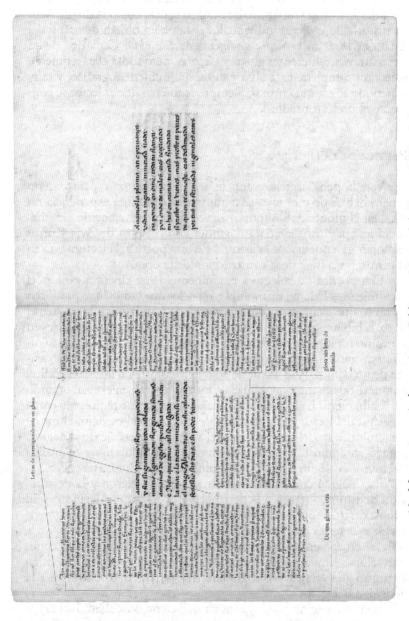

Letras de correspondencia en glosa

De una glosa a otra

glosa sin letra de llamada

13. Mapa y sincronía de un página. Biblioteca Nacional de España MSS 3694.

Las series que coexisten en el manuscrito son variadas. Se podría serializar la historia de Álvaro de Luna, o la del propio Pedro de Avis. La historia de mujeres individuales es también objeto de una serie, igual que lo es en la *Sátira de infelice e felice vida*. Cada una de las series atraviesa diferentes glosas y estrofas, pero todas ellas requieren la lectura completa de la obra y su montaje cinematográfico, y muy a menudo se cruzan entre sí. Siempre requieren que el lector se convierta en un lector radical.

POÉTICA DE LA LECTURA

Vale la pena acercarse aún más al manuscrito. Y para hacerlo quiero hablar de montaje. El manuscrito como una experiencia radical en el montaje. El montaje es obviamente una noción cinematográfica, pero nos ayuda a entender cómo Pedro de Avis y otros exploran una poética de la lectura. En esta poética, la lectura está en el centro de la ingeniosa construcción de la obra.

Esta poética de la lectura es eminentemente cinética: explora el movimiento a lo largo de múltiples espacios que también se producen en tanto que elementos constitutivos de la propia obra: la página, el libro, la biblioteca, tanto virtual como física. En efecto, el códice es en sí mismo un lugar al que hay que acudir, ya que se adscribe a una biblioteca como un objeto único; es como una pantalla articulable dentro de un edificio, y el lector no solo lo lee, sino que utiliza el códice, se mueve por él, interviene en él de forma pública, en el colaboratorio de la biblioteca. La lectura se vuelve cinética porque requiere la participación del lector, la confección del tiempo y el espacio, el movimiento del ojo y el movimiento del yo en la superficie de la página. Para intentar mostrar este tipo de movimiento, aportamos un análisis del folio 17v, según el gráfico de la ilustración 13 (véase pág. 195).

Esta página condensa la serie narrativa de Nerón y la destrucción de Roma, Príamo y la destrucción de Troya, y Alejandro y su propia destrucción, estableciendo una relación entre ellos. Fragmentos de esas series narrativas que se habían difundido a lo largo de la obra, se cruzan en esta página, donde se interconectan no solo como narraciones similares, sino también en un montaje cinematográfico en torno a la escritura y el glosado del yo, así como en torno a la actividad del lector.

Leer esta página puede entrañar una cierta dificultad. La página muestra una jerarquía basada en el tamaño o módulo de la escritura:

el texto central es más grande que el marginal, y llama más la atención. También están tres letras, *a, b* y *c,* que se encuentran en la parte superior izquierda de los márgenes inferiores *(a),* derecho *(b)* e izquierdo *(c).* Esto parece indicar que hay un orden de lectura recomendado. Este orden no coincide con ninguna otra recomendación: normalmente, estas letras tendrían una letra coincidente en el texto central, lo que indica que existe una correlación entre el centro y el margen, y que hay un orden que seguir. Por supuesto, la copia podría estar incompleta, por lo que bien podría faltar algo que se pretendía añadir más tarde. Sin embargo, este manuscrito fue producido mientras Pedro aún vivía, y probablemente fue copiado para la destinataria original, Juana, la prima de Pedro y reina de Portugal.

También parece que falta una letra, ya que hay cuatro glosas y solo tres letras. La cuarta glosa, mucho más corta que las otras, ha sido relegada a la esquina sureste de la página[33]. Si seguimos el ritmo de montaje sugerido por la estrofa del centro, la sorpresa no desaparece. Las glosas *a, b* y *c,* son fácilmente rastreables hasta el centro, tanto si comenzamos nuestra lectura con el centro como si no. Supongamos que no comenzamos a leer la estrofa central, sino las glosas marginales y que pasamos de *a* a *b,* y luego a *c.* En ese caso, habríamos leído primero la historia de Agamenón, luego la de Nerón y finalmente la glosa sobre Alejandro. Este es un relato engañoso, por supuesto, y explicaré por qué. Si luego nos movemos al centro, nos sorprendería ver que la estrofa también habla de Príamo, pero que permanece aparentemente desconectado de esta economía de nombres. Tendríamos que buscarlo, escondido en un rincón.

Dije que este es un relato engañoso, porque las glosas no son solo una sobre Agamenón, otra sobre Nerón, y una tercera sobre Alejandro. La glosa *a* solo habla de Agamenón después de explicar que este siempre viene después de Príamo; la glosa *b* comienza con Nerón, aunque el yo que afirma ser responsable de esta glosa rechaza amargamente la necesidad de explicar toda la crueldad de Nerón, en cuyo momento Alejandro aparece frente a él reclamando el derecho de que se escriba su propia historia. La glosa *b,* engendrada por una glosa sin marcar sobre Príamo, da entonces nacimiento a la glosa *c,* que reconoce su dependencia o al menos su relación con la glosa *b.* Por consiguiente, la glosa sin llamada a través de una letra, la más

---

[33] Pedro de Portugal, *Coplas de contempto del mundo* (1490). Los impresores de este libro no entendieron lo que había sucedido en esta página, e incluyeron la glosa no letrada como parte de la glosa *b,* según la contigüidad.

corta, se evoca en la glosa *a*, y este es el único medio por el que la glosa se integra en un sistema de referencias.

En cierto modo, la glosa *a* constituye un «flashback» a la glosa sin letra acerca de Príamo, que por lo demás está desconectada. Como tal, todo el sistema de glosas alfabéticas hace que el lector se pregunte por qué todos los nombres propios de la estrofa están glosados pero no Príamo, justo antes de encontrar al triste héroe de esta historia mediterránea en su lejano rincón de la página.

El aspecto cinematográfico es el propio movimiento necesario para comprender la cartografía o la topografía de la página. Obliga a que el ojo se mueva para encontrar dónde están conectadas las diferentes partes montadas en la superficie de la página, y cómo estas interconexiones crean un flujo que está lejos de ser lineal.

Solo he explicado una de las formas en que se realiza este montaje. La glosa de Príamo no solo conecta con la de Agamenón, sino también con la última, la glosa *c* sobre Alejandro Magno, en la medida en que evoca, también, otros importantes Alejandros de la historia, como el hijo de Príamo, Alejandro Paris, la *causa real de la guerra de Troya*.

La página se convierte, por lo tanto, no en un lugar de lectura, sino en un lugar de residencia, donde uno se ve impulsado a ir y venir de un lado a otro de la glosa, olvidándose del centro, o usando el centro como un centro de gravedad o como un punto de referencia para establecer órdenes alternativos para una variedad de lecturas en serie.

El montaje radical de este folio 17v, y en general el de las *Coplas* en su conjunto, tiene también el poder de condensar las temporalidades de la historia del Mediterráneo, y de hacer simultánea la narración ficticia y la histórica. Algunos nombres evocan a otros, mientras que otros nombres quedan sin desarrollar, como si fuera una metonimia que no se puede hacer presente. Príamo invoca a Agamenón, pero Agamenón no abre un espacio independiente para la historia de Egisto, el traidor. Al negársele el derecho a una glosa adecuada, se le condena a ser solo un nombre en la estrofa, y solo una mención pasajera en la glosa. Alejandro Magno es representado gritando delante del glosador para que este cuente su vida, pero quizá en el momento equivocado; y entonces el glosador decide dividir la historia de este gran emperador, cuya escasa estatura sus historiadores se empeñan en destacar, en dos glosas diferentes en esta página, y otra en el folio 53v, donde el texto también se refiere al folio 17v.

Como explica al final de la glosa *b* (sobre Nerón y Alejandro) la escritura de glosas es un proceso continuo, porque, después de escuchar a Alejandro, decide dedicarle una glosa solo a él: «y entonces, recuperé la pluma que acababa de poner a un lado para escuchar a Alejandro y, sumergiéndola en el agua negra, comencé a escribir», dice. Como resultado, se nos envía desde el margen derecho al izquierdo en un vuelo sin escalas.

Nerón, Agamenón, Príamo, Egisto, la escritura del yo, todos ellos se vuelven sincrónicos, ya no están limitados por la cronología de sus historias, sino que están sujetos a una nueva sincronía que tiene lugar en los diálogos que ocurren dentro de la página, diálogos que no son solo mera coincidencia de espacio, sino que están cuidadosamente concebidos para que ocurran explícitamente en ese momento. Más cerca por mor del arte de la escritura manuscrita.

¿Por qué ese tipo de artificio formal y narrativo sería importante? Como dije antes, la materialidad no está ahí como objeto de estudio, sino como un concepto material con implicaciones teóricas políticas: conceptualiza la forma en que las narrativas ficticias e históricas se ponen en contacto cuando hay necesidad de activarlas para suscitar un debate político. Esta materialidad disuelve los vacíos temporales para hacerlos funcionar no en un sentido ahistórico, sino para facilitar la serialidad y las serialidades de nuestra comunicación con el pasado, cómo entrar en diálogo con el pasado y reactivarlo para fines contemporáneos.

Vulcano y el yo fenomenal

Una manera radical de leer la obra de Pedro sería buscar la fenomenología del yo. No de cualquier yo, sin embargo, sino del que está involucrado en las muchas capas y series que están siendo ensambladas y montadas en sus obras. Sería una ingenuidad confundir al Pedro de Avis, que vivió una vida complicada, con el «yo» cuya voz se escucha en todas las *Coplas* o en la *Sátira*. Sin embargo, estamos hablando de otra forma de ensamblaje que no está solo relacionada con un cierto oficio literario. El ensamblaje es la semilla de lo social, o mejor aún, es lo social mismo: el ensamblaje es un proceso complejo en el que el texto material y la experiencia vivida establecen una asociación. El yo, aquí, es una colaboración de estos dos extraños socios, es una persona que experimenta tanto el texto material como la experiencia vivida.

Algunas de las personas que han estudiado la *Sátira* de Pedro han señalado que las glosas son contingentes, que son un efecto posterior a la creación del texto central, y que constituyen una manera descriptiva, literal, y no alegórica de enfrentarse al ejercicio interpretativo[34]. Son contingentes porque emergen a partir de las preguntas que suscita la lectura del texto central, y las hace para que la lectura complete respuestas, en lugar de dejar las preguntas abiertas[35]. Parte de las glosas, además, está compuesta directamente en lengua castellana, mientras que el texto y otra parte de las glosas se habían escrito originalmente en portugués; Pedro posiblemente cambia el plan de la obra al autotraducirse, pero es difícil de saber en qué medida sucede esto. Se trata de un cuerpo de glosas de carácter descriptivo y literal porque en efecto el contenido de las glosas es en su mayor parte narrativo, y porque cuando en ocasiones alude a una historia moralizable, decide dejar aparte los «integumentos» y los «luengos sesos» que se ocultan bajo ellos[36]. No creo que nada de esto admita gran discusión.

Sin embargo, quizá difiero más en el porqué de esta actitud. El placer que obtiene Pedro de la escritura no es sino terapéutico:

> E cuanto más discorría por las vidas valerosas de la antigua edat, dándome a conocimiento de las cosas con viso más propinco que de ante, tanto a mi mano con mayor gozo escrebía, e con mayor afección e estudio, aquel que arrebatar podía entre los enojosos aferes míos, yo proseguía lo procesado[37].

Pedro disfruta con el conocimiento de estas vidas valerosas en la medida en que le devuelven algo que no puede hallar entre los asuntos políticos y familiares en los que se ve envuelto. Cada historia es una pieza que ilumina una parte del yo y lo dota de integridad al extraerlo de su experiencia fragmentaria entre varias lenguas, entre varios sistemas políticos, entre varias dinastías, entre varios exilios. Es el conocimiento de sí mismo y de sus capacitaciones.

---

[34] Brownlee, *The Severed Word;* Lacarra, «Los discursos científico y amoroso en la *Sátira de infelice y felice vida*»; Weiss, «Las fermosas e peregrinas ystorias»; Pedro de Portugal, *Sátira de infelice e felice vida.*

[35] En la epísola dedicatoria, Pedro de Portugal, *Sátira de infelice e felice vida,* pág. 76.

[36] Pedro de Portugal, *Sátira de infelice e felice vida,* pág. 74.

[37] *Ibíd.,* págs. 76-77.

Segun cuenta tulio enl libro delas tusculanas q̃stiones. Tanta fue la uirginidad de socrates ꞇ su p̃fudo saber q̃ tre q̃ atreuio la pl̃ia del çielo ꞇ la aposento enlas çibdades ꞇ fue el philosopho q̃ se trabaio en dar ley ꞇ dotrina enl bie buiir olas tobres. E como dize acerca las atheniẽses adorauā por dioses a dos figu ras vna de perro ꞇ otra de cabron. E por q̃ socrates burlaua delos atheniẽses ꞇ de sus dioses cōdep naronle a muerte q̃ beuiesse un potaie de uenino. Onde seneca en una epistola a luçilo dize.

[Columna marginal izquierda]

guno socratis mato la q̃ cuta. la qual es una yerua q̃ mata alos hombres ꞇ en gorda las ca beças. Assi lo dize sant pꞹ dio enlas soli loquias li bro. xvij.

[Columna central]

mas tanto quiero que se entienda de aquesto q̃ q̃ro dezir que te enbio aq̃ste philosofo. El qual nō disçe pu dela uerdadera fe ꞇ religiō ala qual por dispo siq ō de dios tu estas presente. ꞇ tanta coemineça tie ne conlo niuo q̃ se crea los fundamētos de sus sentē cia auer los tomado de niuos libros. E quito a esto asaz es dicho ꞇ entremos ya a su interpretaçion.

[Columna derecha, letra inicial A]

A aquesta ystoria intraduze el ondio en una de sus epis tolas ꞇ seneca faze mençio enla q̃rta ꞇ treyntena donde habla de ypolito. E pareçe q̃ aquesto ansi q̃l Rey minos de creta heuo en biado un fijo suyo al estu dio de athenas el q̃l se dize q̃ fue muer to alli por unos de la çibdad. Por lo q̃l el Rey minos fizo guerra al Rey de athenas. ꞇssiguiēdo la muerte del fijo. E por escusar los da ños dela guerra fue cōuenido ꞇ yguala do q̃ todos los años asi al Rey como los otros çibdadanos de athenas echase suertes ꞇ sobre q̃en cayesse la suerte. fu esse en biado a cre ta ꞇ echado al mino tauro q̃ era un fijo mostruoso del Rey minos ꞇ compa los hombres. El qual es taua en una ençe rrado q̃ fijo dedalo. la qual llamauan Laberinto. ꞇ era fecha la casa por tal arti fiçio q̃ el q̃ entraua

[Segundo bloque, letra inicial E]

Echeantes. tu fedron fueste presente aquel di a que socrates beuio el uino enla carçel o o ystelo tu. alguno otro. fedrō. echeantes yo sin presen te. echeantes. pues q̃ son aq̃llas q̃ aquel hombre ha blo ante q̃ muriesse ꞇ desseo mucho saber en q̃ ma nera se partio de aquesta uida. Por quito agora nin guno delos çibdadanos filasios ua a athenas ꞇ ha tiẽpo q̃ de alla niguno uino q̃ nos sepa dezir cosa çer ta de aq̃ste fecho. saluo tanto como socrates murio beuido el uino delas otras cosas niguna sabemos cōtar. fedron. E nō oystes enla manera q̃ fue cōdep nado. echeantes. si oymos q̃ uno nos lo recōto ꞇ somos mucho marauillados como despues que fue cōdepnado se detardo tanto tiẽpo q̃ nō murie se. Di tu fedron qual fue la causa. fedron. echeantes aq̃sto auino asi por auētura por tal causa por q̃n to yn dia ante q̃ socrates fuesse cōdepnado estaua la barca cōpuesta de aq̃lla naue la qual los de atix nas acostubra enbiar enla insola de los. echeantes. Aq̃sto me di q̃ cosa es. fedron. Aquesta es aq̃lla na ue segun dizen los de atenas enla qual otro tpo theseo houo traydo en creta aq̃llos dos uezes siete

[Bloque inferior]

non sabia saluo tantas entradas ꞇ tantas puertas hauia. E q̃ aqueste trueco entre los Reyes se guarda ria. E fuerō dados en rehenes catorze çibdadanos dela çibdad de athenas. ꞇ estaua tal cōdiçiō q̃ el q̃ fu esse echado al mino tauro si matasse al minotauro ꞇ saliesse dela casa q̃ el ꞇ los rehenes fuessen libres ꞇ unas nō fuessen a mas obligados. E mino assi q̃ cayo la suerte sobre teseo fijo del Rey de athēs. El qual fue a creta por coplir la cōdiçiō del trueco. ꞇ como adriana fija del Rey minos leuase ena morasse de teseo. ꞇ q̃la tomasse por muger ꞇ ella le daria orde como matasse al minotauro ꞇ saliesse dela casa. E q̃lo pmetio auną despues la burlo ꞇ ella dio ordē como theseo mato al minotauro ꞇ salio dla casa ꞇ asi theseo ꞇ los catorze rehenes fuerō libres. E en memoria de esta granada merçed q̃ dios hauia fecho alos de athenas. fizierō aq̃ste uoto de q̃ aqui se faze mençio.

---

14. Pedro glosa a Platón.
Biblioteca Nacional de España Vitrina 17/4.

No es una coincidencia, creo, que la primera historia que quiere contar sea precisamente la de Vulcano. Vulcano es un dios que ha sido enviado al exilio («expelido» del cielo, dice Pedro), por causa de su deformidad física («nació... diforme...»), a la que se suma ahora una discapacidad fruto del impacto («siendo expelido, al caer quedo coxo»); sus propios padres, Júpiter y Juno, avergonzados de la deformidad del hijo, «non lo queriendo llamar fijo, en las islas Ulcanias lo echaron, e, allí, de las ximias fue criado». La historia de Vulcano es bien conocida, pero eso no hace que Pedro deje de contarla punto por punto, incluida su maestría como herrero y como orfebre. Vulcano no solo es un dios expulso y deforme, sino también el único dios que se ocupa de trabajos manuales y artesanales. Pero también es un dios premiado dudosamente por su padre, a quien ha ayudado en la Gigantomaquia; los premios lo ven entregado constantemente a la extrañeza de relaciones amorosas y sexuales dominadas por la inconveniencia y por la violencia (primero Venus, después Minerva), y que resultan en fin en la paternidad de Eritonio tras derramarse en tierra intentando violar a Minerva[38]. Los reyes, dicen Sahlins y Graeber, fundan su soberanía en la imitación de los dioses[39]. Pero ¿qué se imita aquí?, ¿dónde están los paralelos? No en la literalidad, desde luego, ni en la historia; el paradigma de Vulcano, como primera glosa de la existencia «apasionada» del yo que escribe, es un paradigma en que el individuo, el sujeto que busca reconstruirse, ha sido separado de su familia, desposeído de su integridad física al haber sido entregado a otra lengua, y con una condena genealógica y linajística que es impredecible para el jovencísimo Pedro, pero que la historia de Vulcano convierte en premonición sórdida.

La fenomenología de este yo es lo que importa en los libros glosados de Pedro. Este está explorando los límites del yo que es y de la persona literaria que está construyendo. El primero está experimentando el exilio, la heteroglosia, la migración, el retorno, el distanciamiento, un complejo universo de ética y política. El segundo está sincronizando las experiencias históricas y ficticias en un texto material complejo que, a su vez, configura una visión de la ética y la política que, en un proceso de lectura en serie, reúne lo cultural y lo social en un solo movimiento.

---

[38] Todas las citas son de la primera glosa, dedicada a Vulcano; Pedro de Portugal, *Sátira de infelice e felice vida,* págs. 72-74.

[39] Sahlins y Graeber, *On Kings.*

«Mode d'emploi»

Ferdinand de Saussure estableció, como característica principal del signo lingüístico, que los significantes son lineales. Son como cuerpos sólidos que no pueden ocupar el mismo espacio al mismo tiempo. Los significantes son el espacio. Administrar ese espacio es administrar y dominar el tiempo. Esto es lo que sucede en la novela de George Perec *La vie, mode d'emploi,* publicada por primera vez en 1978: el narrador siempre se mueve en una dirección determinada, contando las historias una tras otra, solo para decirnos, al final, que todo sucedió al mismo tiempo. O, más bien, que la simultaneidad de todos esos eventos era imposible de contar de otra forma que no fuera dominando y manejando el espacio que los significantes están, por así decirlo, colonizando.

De esto trata toda esta lectura y montaje en serie, y por eso es importante para una teoría de la historia: en el montaje y la serialización, los manuscritos glosados de Pedro de Avis también realizan una dominación del espacio, una colonización de este espacio por su interpretación sincrónica, por su radical contemporaneidad. Pedro de Avis era un maestro del montaje. Para él, ensamblar era en realidad reunir materiales de diferentes fuentes y espacios para crear un montaje de varias capas. El montaje, para él, también significaba establecer una profunda relación entre la experiencia de la lectura y la experiencia de la vida, entre lo intelectual y lo social como una experiencia que es siempre incoativa.

Pero, justificadamente, podría preguntarse ¿qué es lo que se incoa? Esa es en efecto la pregunta que suscita la lectura de la obra manuscrita experimental del condestable Pedro. Se incoa la subjetividad, la posibilidad de que el sistema de códigos culturales que se han ido conformando a lo largo de la historia sucedan ahora mismo, aquí mismo, organizados, sincronizados y dominados bajo la jurisdicción de Pedro. Él es el que emerge como sujeto con una capacidad de análisis y de narración más filosófica que la de un historiador, con la capacidad de explorar y sentenciar en los precedentes y los casos y, así, imaginar un futuro distinto.

Capítulo VI

Una sociedad vernácula

Pero Díaz de Toledo tradujo el *Phaedo* de Platón. Puesto que no sabía griego, utilizó como original la traducción latina de Leonardo Bruni hecha para el papa Inocencio VII (1404-1406, durante el antipapado de Benedicto XIII, el papa Luna). Incluyó un total de 35 glosas (salvo error u omisión por mi parte), en las cuales, según señala su editor y máximo estudioso Nicholas Round, Pero Díaz de Toledo ofrece la contrapartida a la imagen de Platón como «buen pagano», presentándolo más bien como «el filósofo descarriado»[1]. En la quinta glosa, Pero Díaz de Toledo evoca una parte del libro 5 de las *Tusculanas* de Cicerón, en donde este dice lo siguiente: «Socrates autem primus philosophiam devocavit e caelo et in urbibus conlocavit et in domus etiam introduxit et coegit de vita et moribus rebusque bonis et malis quaerere».

Y Pero Díaz de Toledo traduce: «Sócrates... atrajo la philosophia del cielo e la aposentó en las cibdades, e fue el philosopho que se trabajó en dar ley e doctrina en el bien vivir de los honbres»[2].

La traducción de Pero Díaz de Toledo es concisa o confusa, según se mire, pero también juega bien con el campo semántico del dicho de Cicerón: este dice que Sócrates convocó a la filosofía, que

---

[1] Díaz de Toledo, *Libro llamado Fedron,* pág. 129.

[2] Cito siempre por la edición de Round, aunque el manuscrito en la vitrina de la BNE es muchísimo más bello (Díaz de Toledo, *Libro llamado Fedron,* pág. 229). En el manuscrito de Madrid, fol. 5r.

residía en el cielo, y la instaló en las ciudades, para luego introducirla en la casa; Pero Díaz de Toledo indica que el movimiento del cielo a la ciudad es una forma de atracción, y que la «aposentó» en las ciudades, verbo en el cual no solo está la idea de la localización, sino también la del hogar o la casa (el aposento) donde se discute el «bien vivir».

Cualquiera que haya leído estas palabras, y que también haya leído los trabajos de John Dagenais o de Mary Carruthers se preguntará en qué se distingue lo que acabo de decir de una lectura ética. Quizá la cuestión central es también el eje de mi argumento: la actividad microliteraria que estoy estudiando aquí no tiene como misión específica la reflexión individual, sino la acción política a través de la construcción de redes y espacios de intercambio civil. Estas redes no son nuevas, y creo que se relacionan con las formas de la fraternidad que pueden observarse en las actas de las reuniones de Cortes, en las cuales los representantes y procuradores de las ciudades entraba en discusión con los otros tres estamentos del reino —la monarquía, la nobleza y el clero—. En esta documentación aparecen con frecuencia las hermandades en el interior de las ciudades como grupos que desafían las resoluciones políticas y jurídicas, la propia jurisdicción incluso, de la monarquía y de su sistema de gobierno a través de la nobleza y del clero. Además, las fraternidades urbanas se proyectan en redes de varias ciudades en una región, que a su vez establecen redes con otras regiones, hasta formar un entramado que unifica los temas y materias a debate en las Cortes. Se reconocen, y son reconocidas como interlocutores en la crítica y teoría sobre el poder. Se reconocen como actores políticos y jurídicos capaces de expresarse en primera persona[3].

Quiero detenerme un poco en este movimiento del saber filosófico y político que Pero Díaz de Toledo veía en Platón a través del texto de Cicerón. Para muchas de las intelectuales y muchos de los intelectuales de los siglos XIV y XV, así de vida religiosa como laica, este viaje filosófico entre el cielo, la ciudad y la casa es un inmenso

---

[3] La primera persona del singular para la expresión de la voz ciudadana en las Cortes es una innovación debida al relator del rey Juan II, Fernán Díaz de Toledo, tío de Pero Díaz de Toledo, y judío converso. Como protonotario del reino, introduce ese cambio gramatical en las actas de las Cortes, según he estudiado en *Ciudadanía, soberanía monárquica y caballería* y en *Order and Chivalry*. También examino en estas contribuciones varios aspectos de la configuración de las hermandades urbanas, así como su prohibición sistemática en los ordenamientos de Cortes.

hallazgo. Y algo que agradecer a Sócrates, sin duda, ya que poner la filosofía al alcance de la vida civil e incluso al alcance de la familia, en forma de acciones moralmente aceptables, permite una perspectiva crítica que está a disposición de cuantas personas deseen alargar la mano para tocarla y hacerla suya. La filosofía en las ciudades y en la casa no es ya una disciplina académica, sino un cuerpo de conocimiento con el que examinarlo todo, y con el que autoexaminarse. Es tanto más importante cuanto que este movimiento implica la producción de un espacio en el que filosofar, un espacio en el que pensar. Si para quienes se entregaron a la actividad microliteraria era fundamental producir (según estudiamos en el primer capítulo de este libro) el margen como lugar de reflexión y teorización, dotado de una serie de virtudes cognitivas, para estas mismas personas era preciso continuar el trabajo de producción de espacio para construir la ciudad donde filosofar, es decir, el sistema de intercambio y circulación de estas ideas y de sus propuestas civiles.

Cuando leemos los manuscritos glosados de los siglos XIV y XV, llegamos a darnos cuenta de la importancia de este hallazgo. Los márgenes de algunas obras, como la traducción del *Phaedo* de Platón por Pero Díaz de Toledo, la *Sátira de infelice e felice vida* de Pedro de Portugal, o la traducción con glosas y adiciones de Alfonso de Cartagena a la *Tabulatio et Expositio Senecae* de Luca Mannelli, son un inmenso bosque de interconexiones filosóficas que, como una constelación de ideas, hacen descender la filosofía de los cielos académicos a las ciudades y casas de la lengua vulgar y de los asuntos civiles y éticos que acompañan la existencia de un grupo de personas que, nobles o burgueses, de todos modos constituyen un grupo dirigente. En esos márgenes, se cuenta una historia de la filosofía que es sincrónica, en la medida en que es también sinóptica y ha sido convocada a este aposento de la página de manera voluntaria por parte del glosador.

El obispo de Burgos y máximo intelectual ibérico, Alfonso de Cartagena, tradujo el texto y las glosas de la *Tabulatio et Expositio Senecae,* y le hizo algunas adiciones. Una de estas últimas completa una glosa en la que Luca Mannelli esboza (ni siquiera eso) una historia de la filosofía. En el *Título de la Amistança,* más concretamente, la glosa que en la edición de Georgina Olivetto tiene el número 38 está dedicada en principio a la cuestión de la reproducción sexual[4]. La

---

[4] Cartagena, *Título de la amistança,* págs. 219-225.

glosa de Luca Mannelli tiene unas pocas líneas que se apoyan en la autoridad de la *Política* de Aristóteles, para quien la reproducción sexual es natural, así como en el tratado *Sobre la amistad* de Cicerón[5]. Cartagena se inspira en esta glosa, primero para explicar quiénes son los filósofos peripatéticos y, a partir de ahí, dibujar esquemáticamente una historia de la filosofía. Esta filosofía se centra especialmente en las ideas sobre el alma, que, aunque ahora apoyada en Séneca, está obviamente inspirada en la historia de la ciencia del alma que Aristóteles construye en el libro primero de su tratado *Sobre el alma*. Este discurso sobre la historia de la filosofía y la ciencia del alma conduce a una primera tesis por parte de Cartagena, y es que «... los católicos... allegamos los philosophos en las cosas que son conformes a nuestra sancta fe, e las otras las desechamos e non curamos dellos»[6]. Pero Cartagena no pierde el pie que le había traído a esta historia de la filosofía, que es la afirmación de la glosa (de Mannelli) de que de acuerdo con Aristóteles «el ome naturalmente es çivil e político»[7]. Toda la historia de la filosofía se resume en el hecho de que la existencia humana tiene lugar en el ámbito político, en tanto que «çibdabano». Si hay algo que está o debe estar en el horizonte de toda investigación filosófica es que esta es indisociable del vivir político. O como señalaba Pero Díaz de Toledo con Cicerón, que la filosofía (gracias a Sócrates) podía habitar en la ciudad y en el hogar.

UNA CIUDAD EN LA QUE FILOSOFAR

La ciudad, las casas a las que desciende la filosofía, sin embargo, no son necesariamente lugares o espacios dados. No son centros urbanos con nombres específicos. Son, ellos mismos, construcciones de la filosofía. Ciudades o familias *ideales,* en la medida en que pertenecen a las operaciones pos-sensoriales del alma que, según filósofos medievales y de la temprana modernidad, ocupan partes específicas del cerebro humano. A estas partes específicas del cerebro donde operan las actividades pos-sensoriales (la imaginación, la fantasía, el pensamiento, la memoria, la estimación) los cognitivistas

---

[5] Se corresponde con la glosa 40 de Luca Mannelli, en Cartagena, *Título de la amistança,* pág. 218.
[6] Cartagena, *Título de la amistança,* pág. 223.
[7] *Ibíd.,* pág. 223.

medievales las llaman *células,* palabra que a su vez evoca un espacio que sirve de aposento o espacio vital[8]. Son espacios facticios, y, por ello, ficciones científicas. Es decir, hipótesis filosóficas para continuar el trabajo crítico.

Pero estas ciudades donde filosofar podrían ser también espacios de verdadero intercambio donde personas de carne y hueso interactúan y filosofan en común. A niveles posiblemente muy variados, en ocasiones en el interior de una filosofía apegada a la devoción cristiana, y en ocasiones más allá de la misma. La biblioteca es la ciudad. La expresión, que le corresponde al presidente del Centro de Lectura de Reus entre 1915 y 1922 Tomàs Cavallé («el centre de lectura és la ciutat mateixa»), ha sido teorizada por Aurélie Vialette en su trabajo sobre la filantropía intelectual, es decir, las formas en las que los modos de asociacionismo y de fomento económico y social adoptan modelos de construcción e interacción culturales en los espacios públicos. La tesis de Vialette es que es en el interior de estas bibliotecas-ciudad o centros de lectura-ciudad en los que se ponen en marcha los debates en torno a la democratización de la cultura[9]. Por supuesto, el trabajo de Vialette se refiere al siglo XIX, pero nos hace reflexionar acerca del modelo de biblioteca, *studium* y centro de lectura tal y como fueron diseñados en los medios aristocráticos y burgueses (una burguesía profesional, administrativa, compuesta fundamentalmente de juristas). Algunos de estos centros, como la biblioteca de Santillana en Guadalajara, acumulan a lo largo de los años el corpus de textos acerca de los cuales se modelan intelectuales y escritores.

La biblioteca es el espacio para una filosofía política basada en aquello que constituyen las actividades específicas en tiempo de paz. El manuscrito 10.212 de la Biblioteca Nacional de España perteneció a Íñigo López de Mendoza, quien lo recibió poco antes de convertirse en marqués de Santillana (esto último sucedió en 1445). El texto que contiene, y que había interesado especialmente a López de Mendoza, es una traducción al castellano del tratado *De Militia,* compuesto por Leonardo Bruni d'Arezzo en 1422 para Rinaldo Maso degli Albizi. Para ese año, Bruni está en una especie de interregno,

---

[8] Para muestra, un botón. Véase el manuscrito de la Wellcome Collection, MS.55, que contiene el texto de Peter Gerticz de Dresde conocido como *Parvulus philosophiae naturalis.* La imagen en fol. 93r muestra un diagrama en que se ve el cerebro humano y su división en células para las operaciones pos-sensoriales.

[9] Vialette, *Intellectual Philanthropy,* págs. 111-136.

pues ya ha cesado como canciller de la República de Florencia y pasarán algunos años antes de que lo vuelva a ser; dice Paolo Viti que Bruni es, para entonces, un *semplice cittadino,* aunque, a decir verdad, cuesta mucho imaginarse a Bruni como un *simple ciudadano,* y más aún escribiendo tratados como el *De Militia,* que contienen una gran tesis de transformación del poder republicano[10].

También en ese momento Íñigo López de Mendoza está en su particular interregno. El tratado de Bruni llega a sus manos en algún momento de 1443, y lo ha leído para enero de 1444. 1443 es el año en que Juan de Navarra da el llamado golpe de Ramaga, aprisionando al rey Juan II, y desde entonces hasta la batalla de Olmedo de 1445, la guerra civil enfrenta a las fuerzas castellanas de Juan II y su condestable, Álvaro de Luna, de cuyo lado está Íñigo López de Mendoza, con los infantes de Navarra y Aragón[11]. López de Mendoza parece estar totalmente volcado en sus actividades guerreras y diplomáticas (la guerra también, de otra manera). A partir de ese 1445, López de Mendoza, que forma parte del bando ganador, será exaltado a la dignidad de marqués[12]. El final de la guerra y sus consecuencias políticas se vienen midiendo desde los años treinta, y muchos de los intelectuales, tanto caballeros como letrados, de la corte del rey castellano Juan II, sobre todo a partir de 1439, conciben la política del reino desde la perspectiva de las teorías políticas republicanas vigentes en ciudades-Estado como Florencia, y teorizadas también en otros centros de poder como el Ducado de Borgoña desde la época de Philippe le Hardi (r. 1363-1404)[13]. Íñigo López de Mendoza se interesa extraordinariamente por este libro de Bruni traducido en exclusiva para él (no muy bien traducido, todo hay que decirlo), y en 1443 se sienta en su estudio a leerlo en silencio. La razón

[10] Leonardo Bruni, *Opere letterarie e politiche,* sobre todo págs. 649-701.

[11] La bibliografía sobre la guerra civil entre la monarquía castellana y los infantes de Navarra y Aragón es extensa, casi siempre dominada por los trabajos de una historiografía muy tradicional. Véase Castillo Cáceres, «¿Guerra o torneo?». La batalla en sí está narrada en varias de las crónicas de la época, como Luna, *Crónica de don Álvaro de Luna;* Carrillo de Huete; *Crónica del Halconero de Juan II.*

[12] Para una biografía completa de Íñigo López de Mendoza (si bien frecuentemente voluntarista o incluso providencialista, como es regla del género), véanse los cuatro volúmenes de la exposición *El Marqués de Santillana. 1398-1458.* La biografía de más uso es la de Pérez Bustamante y Calderón Ortega, *Íñigo López de Mendoza.*

[13] Sobre la política republicana en Borgoña y en Florencia, véanse los trabajos de Vanderjagt, *Qui sa vertu annoblist;* Schnerb, *L'État Bourguignon;* y Maire Vigueur, *Cavaliers et citoyens.*

por la que sé que lo leyó él mismo y presumiblemente en silencio es porque fue dejando en los márgenes algunas marcas de lectura, a través de las cuales podemos comprender qué asuntos le iban interesando, e, incluso, la jerarquía de sus intereses por el aspecto de tales marcas de lectura[14]. Lo que hizo fue, pues, estudiar el texto.

Nada más terminar de leerlo, el 15 de enero de 1444, firmó una carta enviada al obispo de Burgos, Alonso de Cartagena, guía espiritual e intelectual de las élites políticas castellanas de la primera mitad del siglo xv, en la cual le habla de la lectura que ha hecho. En esa carta, Santillana le pregunta a Cartagena sobre las posibilidades de recibir una investidura caballeresca al estilo romano del *ordo equestris,* en lugar de la investidura caballeresca feudo-monárquica que se solía estilar (caso de que hubiera investidura) y que está regulada en las leyes de Alfonso X y discutida en numerosos lugares[15]. ¿Por qué le interesa este cambio de investidura? ¿Cuál puede ser la importancia de este ritual, y qué relación tiene con la lectura del texto de Bruni? La razón, creo, es la siguiente: mientras que ambas investiduras se asemejan mucho en sus obligaciones militares, parecen, sin embargo, diferir radicalmente en la misión que otorgan al guerrero en tiempo de paz. Y, como era de esperar, a Bruni le interesa establecer con detalle la misión del caballero en tiempo de paz, puesto que él mismo es un letrado cuya misión es la construcción legislativa, judicial y ejecutiva de la República, y por tanto alguien que trabaja para suprimir la violencia de las armas en el interior de la ciudad.

Bruni presenta una concepción republicana de la milicia: esta ha de mantenerse extramuros, y no cruzar jamás la puerta de la ciudad. Si los guerreros, dice Bruni, desearan franquear el umbral de entrada a la *polis,* deberían transformarse, desvistiéndose de todas sus armas y adoptando una persona diferente cuya actividad pública se habría de concentrar en la política, la judicatura o la retórica. Esto es lo que, escrito por Bruni en 1422, había resultado deslumbrante para López de Mendoza en 1443. Y no solo para él, pues también se hacía, pocos años más tarde, otra traducción del mismo texto, firmada por Pedro de la Panda, viajero y humanista aragonés, para el noble Rodrigo Manrique. De esta traducción solo se conserva un manuscrito, que fue de la biblioteca del marqués de Laurencín, y que había

---

[14] Estudié estas marcas y sus consecuencias de acción cultural y política en mi artículo «Santillana en su laberinto de lecturas».

[15] Véase Rodríguez Velasco, *Ciudadanía, soberanía monárquica y caballería.*

pertenecido antes a los Manrique, hoy en la Biblioteca Nacional de España (MSS/23090).

La misión del caballero en tiempo de paz entronca con el universo de la ciudad-biblioteca. Es el espacio de la filosofía política, o, si se quiere, de la articulación de una forma de violencia diferente que se manifiesta en la acción cultural y en el debate crítico. Alonso de Cartagena, en su respuesta a Santillana, no toma en consideración esa caballería republicana que hace al caballero desvestirse de sus armas para, ahora togado, participar de la política activa del reino. Ese trabajo corresponde, para Cartagena y tantos otros, a los clérigos con formación universitaria, y no a los intelectuales cuya educación se ha producido en el interior de sus espacios privados, más o menos abiertos a otros actores, clérigos y laicos. El debate, ensayado mil veces, es bien conocido en la bibliografía.

Pero eso no hace que la biblioteca-ciudad sea menos activa. Al contrario, lo que se percibe es el crecimiento de estos espacios, y una gran variedad de objetos de estudio en su interior. Un antepasado de Santillana, Gómez Suárez de Figueroa, señor de Zafra, también tiene, a principios del siglo xv, una biblioteca que constituye un centro de debate crítico. El manuscrito MSS/10289 de la Biblioteca Nacional de España perteneció a esa biblioteca. Ese manuscrito transmite, con glosas del traductor y con otras glosas de un lector anónimo (y muy irritado) una versión al castellano de las versiones hebreas de la *Guía de perplejos* de Maimónides, que hemos revisado en el capítulo II de este mismo libro. La biblioteca de Gómez Suárez de Figueroa, la de Santillana, la de Rodrigo Manrique, la de Pedro Fernández de Velasco en Haro, etc., muestran, todas ellas, una política de puertas semiabiertas al menos a la investigación, a la creación y al debate. Las glosas de muchos manuscritos dejan ver que este intercambio es parte de la creación de redes intelectuales cuya actividad en la teoría y en la práctica políticas se manifiestan en las microliteraturas.

Los manuscritos con glosas, así como algunos comentarios exentos de este corpus microliterario son como un tejido conjuntivo que consolida las redes intelectuales entre cada uno de los *centros de cálculo* que lo conforman, especialmente las bibliotecas-ciudades. La idea del centro de cálculo es de Bruno Latour y su teorización sociológica sobre la historia del conocimiento y de la ciencia en el interior de redes. En su artículo «Ces réseaux que la raison ignore: laboratoires, bibliothèques, collections», Latour considera la biblioteca no como una «fortaleza aislada», sino como un «nodo dentro de una vasta

15. Christine justo antes de transformarse.
Bibliothèque National de France MS 3172.

red en la que circulan... materias que se convertirán en signos»[16]. En la biblioteca como centro de cálculo que es nodo de una red se forman y circulan estas materias, convertidas en documentos que también contienen sus formas de expresión (el libro comentado) y sus mapas conceptuales.

Los libros manuscritos muestran las marcas y subrayados, las diferencias de módulo, los signos abstractos que unen al centro con el margen. O que unen un tratado con una carta y su respuesta. Así, crean el idioma en el que se expresa la red misma, sus ideas, nociones y expresiones para el debate o la discusión. La biblioteca, como espacio de estudio, copia, intercambio y debate, estabiliza sus modos de vida filosófica y crítica.

Una artista radical

Las intelectuales en posición más marginal se ven en la obligación de conmover los cimientos de la ciudad en la que filosofar. Necesitan enfrentarse a las estructuras que sostienen la biblioteca como centro de cálculo, las redes intelectuales y, por supuesto, las materias mismas que se han de convertir en signos. Necesitan dominar cómo se produce esa transformación entre una materia y sus datos, sus conceptos, sus observaciones históricas, es decir, sus signos. Estas intelectuales necesitan actuar de esta manera si desean hacer mella en el modo en que se filosofa en esta ciudad ahora llamada a ser reconstruida.

Christine de Pizan, con quien empecé este libro desde el mismo prefacio, es una artista radical. Todas sus creaciones literarias son el resultado de un trabajo que somete a crítica el conocimiento recibido. Los estudiosos pueden centrarse en lo tradicionales que son las fuentes que Christine de Pizan empleó para escribir sus obras, como el *Libro de la Ciudad de las Mujeres,* o en lo atrapadas que estaban por conceptos inamovibles de la sociedad patriarcal como la religión cristiana, la castidad, la narrativa de la caída, o incluso las suposiciones sobre la minoría de las mujeres. La transformación de Christine en hombre, según la narra en su *Libro de la Transformación de la Fortuna,* puede ser leída como una afirmación de convertirse en un cuerpo parlante, en lugar de una mujer categorizada (estoy aquí adap-

---

[16] Latour, «Ces réseaux que la raison ignore».

tando la idea de Paul B. Preciado en su *Manifiesto contrasexual);* y también puede ser leída como reconocimiento de que solo un género puede ser políticamente activo y que para poder intervenir en el universo de la teoría y la práctica política, hay que adoptar ese género, transformarse en él. Campeona del protofeminismo, o usuaria del discurso masculino, Christine parece moverse en un universo binario, pero solo de manera aparente. Del enfrentamiento al binarismo, surge precisamente Christine, que puede cambiar a voluntad su naturaleza, su género, escribir como mujer o habiéndose convertido en hombre[17].

En algunos de los manuscritos ordenados o creados bajo la inspiración de las ideas de Christine, la vemos en su biblioteca profesional[18]. Hay numerosos cuadros de este instante, incluyendo algunos de soledad. En otras imágenes se la ve debatiendo con hombres de aspecto claramente desorientado, o algunas en las que está trabajando en el entorno de una biblioteca profesional. En el manuscrito de la *Ciudad de las Mujeres,* Bibliothèque de Genève, Sra. Fr. 180, f.º 3v, Christine tiene a su disposición una biblioteca rotativa que le permite tener acceso a varios libros con los que trabaja al mismo tiempo, pasando de uno a otro a voluntad, utilizando muchas fuentes diferentes a la vez. Esta última es una biblioteca de alguien que se dedica a la investigación, no solo la biblioteca de una escritora.

¿Qué está buscando? En efecto, una investigación microliteraria compleja: libros que puedan proporcionarle una o dos líneas, un comentario, un glosario o una historia integral de varias mujeres de todo el mundo y de cualquier época que hayan tenido algún tipo de capacidad de acción política. Entre ellas, reinas, líderes militares, líderes religiosas, mártires. Todas ellas van a ser convocadas por Christine dar testimonio de su plan, para construir una *ciudad* donde el discurso y la acción política se deriven de las palabras y precedentes marcados por esas mujeres. Bajar la filosofía de los cielos de la historia y el pensamiento a esta ciudad y esta casa.

Los manuscritos de la *Ciudad de las Mujeres* (terminados en 1405) nos dan una idea no solo de las historias de esas mujeres, debidamente ordenadas según un plan político e histórico. También proporcionan a los lectores la *historiae,* es decir, todo lo que sucede a

---

[17] Para una lectura más radicalmente trans de Christine, y en defensa del uso de pronombres masculinos para referirse a Christine, véase el estudio fascinante de Gutt, «Transgender mutation and the canon».

[18] Bell, «Christine de Pizan in Her Study».

través de una ventana que hemos diseñado específicamente con el fin de observar figuras, paisajes, gestos, movimientos, y todos los demás elementos que son propios de la historia que se quiere contar. Como en el *De Pictura* de Leon Battista Alberti, redactado hacia 1435, solo algo posterior a la obra de Christine, la *historia* es lo que cuenta: las reglas matemáticas que permiten comunicar el estado anímico de quienes actúan en el interior de la ventana que constituye la imagen misma[19]. En otras palabras, los manuscritos no solo contienen una propuesta teórica verbal, sino también un mapa de conceptos visuales que constituye la historia, una especie de teatro, una colección de miniaturas, ventanas por las que hay que mirar.

Esas historias son poéticas, y por lo tanto de altura filosófica. Cuentan las cosas como podrían haber sido, no solo como han sido. Aristóteles consideraba que la poesía era más filosófica que la historia o, más precisamente, lo que él llama ἱστορίας[20] (es decir, las disciplinas científicas)[21]. La poesía es más filosófica porque es más universal, en la medida en que las ἱστορίας son investigaciones sobre los aspectos empíricos de las cosas y las narraciones que permiten comunicar esos elementos ontológicos del conocimiento. La poesía, por su parte, permite explicar las cosas como podrían haber sido según lo que es verosímil y necesario.

La minería de datos es un proceso de extracción complicado. La metáfora principal del trabajo de Christine, la construcción arquitectónica y de ingeniería cultural, casa bien con el programa que se ha planteado como investigadora: extraer materiales estructurales que se utilizarán con el propósito de construir una ciudad con una planificación urbana nueva, incluso si los materiales pueden ser reconocidos como portadores de la autoridad y la majestad de los edificios anteriores en el dominio público.

Yan Thomas demostró, en su artículo sobre los ornamentos de Roma, que la majestad se transportaba con el *ornatum* de la ciudad. La construcción de nuevos edificios dependía de la reutilización de materiales que eran reconocibles como partes de los edificios públicos paganos de la antigua Roma[22]. Así, el reciclaje de materiales de construcción no era solamente el resultado de su disponibilidad, sino sobre todo de las marcas de poder que conservaban esos materiales,

---

[19] Alberti, *De pictura (1435)*, libro II, párrafos 35-45, págs. 168-187.
[20] διὸ καὶ φιλοσοφώτερον καὶ σπουδαιότερον ποίησις ἱστορίας ἐστίν.
[21] Cfr. *Greek Word Study Tool*, s. v. ἱστορία.
[22] Thomas, «Les ornements, la cité, le patrimoine».

por haber pertenecido a los espacios políticamente marcados de la antigua magistratura. En otro artículo, Thomas demostró que la inviolabilidad de las tumbas también servía de protección para los edificios construidos sobre esas tumbas; estos edificios, en la medida en que quedaban sacralizados por el poder emanado de los cuerpos que reposaban bajo ellos, quedaban inutilizados como objeto de intercambio comercial[23].

Podemos considerar este doble marco (la reutilización de materiales portadores de majestad y la sacralidad de los cuerpos sobre los que se construye) para analizar el trabajo de Christine. Para ella, la extracción significa identificar los materiales a través de su capacidad de transferir su propia majestad, su propia agencia, sus propios derechos y presencia al nuevo edificio. La extracción de datos es, por lo tanto, un proceso crítico, en el que esas variables (fuentes, historias, personajes, narraciones, etc.) juegan un papel significativo dentro del proyecto de la obra. Su extracción es difícil porque todos esos elementos, su *ornato,* su *majestad* deben ser extraídos también, no pueden ser olvidados o dejados de lado.

He aquí los sujetos que Christine transfiere. En primer lugar, las tres damas que forman los cimientos conceptuales del trabajo arquitectónico, *Raison, Droitture* y *Justice. Droitture* es propiamente la relación directa con el derecho, mientras que Justicia es origen y fin del derecho, y Razón es el discurso lógico y argumentado, frecuentemente asociado en la Edad Media con la perfección retórica. En otras palabras, estas tres mujeres determinan el mapa conceptual filosófico-jurídico de la política de Christine. Tras ellas, Christine convoca las historias de más de 140 mujeres para discutir y poner en cuestión los paradigmas masculinos de la guerra, de la crueldad, de la profecía, o del estudio intelectual, para oponerse a formas del dominio sexual y de la cultura de la violación; Christine llama a su ciudad a santas, a prostitutas (convertidas en santas), o a mujeres que se transformaron en hombre para vivir una existencia transgénero. Esta inmensa necrópolis sacralizará la construcción y los edificios de la nueva ciudad. No solo proporcionan a la autora los materiales en sí, sino también los propios cuerpos, *cuerpos parlantes* que forman un cementerio sobre el que la ciudad, la nueva sociedad civil, también tendrá derechos inviolables y, en última instancia, la permanencia más allá de cualquier tipo de comercio.

---

[23] Thomas, «Corpus aut ossa aut cineres».

¿Estaba Christine al tanto de los debates legalistas sobre materiales, cosas, restos mortales, reutilización de elementos de construcción, etc.? Es difícil de saber o, mejor aún, sería necesario e interesante producir una investigación específica sobre esto. Sería tentador responder afirmativamente a esta sugerencia, en particular porque el debate también tuvo lugar entre los juristas medievales durante los siglos XIII, XIV y XV, y dio lugar a teorías, sentencias y comentarios, desde la *persona ficta* perfeccionada por Sinibaldo de' Fieschi, hasta los debates sobre las formas en que la transformación de las cosas cambiaba los criterios de propiedad y de posesión (pensemos en los debates sobre la nave de Teseo, o la comunidad que desaparece)[24]. Pero la coincidencia en el tiempo, el clima intelectual, o incluso la cercanía a abogados y estudiosos del derecho no nos permiten decir con seguridad que ella supiera algo de todo eso sin buscar las pruebas. Que ella lo supiera o no es, hasta cierto punto, secundario, porque lo que importa aquí es tener un paradigma con el pensar, no una genealogía que establecer. Y en este paradigma, resulta fundamental pensar en las fuentes de Christine no tanto como meras deudas literarias, sino como elementos constructivos que participan de la majestad, por un lado, y de la sacralidad, por otro.

La creación de una metáfora implica que la persona que la articula se traslade a esa metáfora durante el período de duración literaria o argumentativa de la misma. Requiere que esta persona sea el sujeto de una acción que es metafórica. Por ejemplo, si la metáfora es la construcción de una ciudad de mujeres, requiere que quien pone en juego la metáfora se convierta en la arquitecta.

En su libro *Nonostante Platone,* una de las pensadoras más fascinantes de la modernidad, Adriana Cavarero, escribe que su investigación se va a ocupar de «figuras femeninas de la Antigüedad extraídas de su contexto», «robadas», «rubate», dice más bien Cavarero. El contexto es el de la filosofía platónica, en el cual se han transmitido los personajes, pero no su subjetividad. Cavarero busca, precisamente, cómo hablar de esta última. El proyecto de Christine no es ni mucho menos el de Cavarero, pero me parece que sí está en la genealogía filosófica e historiográfica de esta forma de investigación: es el reconocimiento de una serie de interlocutoras cuyo nombre y estado civil han pasado a la historia en el interior de narrativas que, sin embargo, se han resistido a identificar y examinar su subjetividad

---

[24] Panizo Orallo, *Persona jurídica y ficción;* Thomas, *Les Opérations du droit.*

política. Toda su personalidad moral depende de la estructura de poder masculino a la que pertenecen, y aunque Christine no siempre quiere extraer a sus protagonistas de esta estructura familiar en la que las mujeres adquieren personalidad moral y personalidad jurídica, eso no es una barrera para la construcción de una sociedad civil de acuerdo con la subjetividad política de estas más de 140 mujeres.

LA VOZ DE TERESA

Una estudiante de doctorado que tuve hace pocos años, Tamara Hache, escribió en uno de sus trabajos que la voz de Teresa de Cartagena era *acusmática*. Con esto quería decir que se oye, pero que procede de un lugar imposible de identificar. Se presenta ante nosotros como una voz sin cuerpo, ante la cual tampoco nos está permitido reaccionar. Como los aprendices de discípulos de Pitágoras, no podemos ver a la maestra, cuyo timbre de todos modos alcanza a nuestros oídos (que son ahora los ojos) desdibujada, marcada por una nota musical extraña que es el silencio, la pausa. Christine de Pizan, por su parte, refiere la historia de Novella d'Andrea, que, sustituta de su padre, Giovanni d'Andrea (el Juan Andrés archifamoso entre los juristas castellanos), da las clases de Derecho Canónico en Bolonia detrás de una cortina[25]. Otra voz acusmática, esta vez moderna.

Escuchar la voz de Teresa (con nuestros ojos) será la última investigación, en este libro, acerca de la microliteratura como búsqueda para construir un espacio en el que poder filosofar. Es, como veremos, una investigación, también, acerca de los nodos y tejidos conjuntivos que conforman y consolidan los espacios de pensamiento crítico, es decir, los centros de cálculo, las bibliotecas, los laboratorios.

Pero Teresa plantea diversos tipos de desafío a la hora de entender la construcción de estas redes en las que la actividad microliteraria puede circular. Para empezar, su centro de cálculo es una biblioteca de clausura. La clausura es sin duda un espacio de meditación y es un espacio de pensamiento. Es un espacio de estudio y es un espacio de crítica. Las escritoras de clausura, como Hildegarda de Bin-

---

[25] Pizan, *Livre de la cité des dames*. 2.36.3.

gen, no dejaron de intentar comunicarse con el exterior y crear su propia ciudad dentro de la república de las letras. Pero frecuentemente se encontraron con la barrera del confesor, o de otras figuras masculinas que limitaron el alcance potencial de sus trabajos. También es cierto que, en algunos casos, estas barreras no fueron suficientes para silenciar la voz de estas mujeres, y de nuevo Hildegarda o Teresa son buenos ejemplos de ello.

Además, Teresa es relativamente invisible. Los esfuerzos por construir su historia no han sido sencillos. Su biografía ha quedado más clara solo recientemente con los trabajos de Yonsoo Kim y su infatigable trabajo en bibliotecas de clausura. La voz de Teresa, aun con todo, carece de cuerpo, es, por repetir a Tamara Hache, acusmática. Y cuando por fin se identifican las características de su cuerpo, este resulta ser un cuerpo enfermo y dominado física y discursivamente por una incapacitación física que, para Teresa, resulta insoportable. De nuevo, Yonsoo Kim ha estudiado y expresado como nadie las condiciones físicas, teológicas y políticas de este cuerpo enfermo que busca una arboleda en que descansar y se encuentra ante la necesidad (posiblemente no sorprendente) de tener que defender su derecho a hablar. Teresa, sin embargo, es la muestra viviente (la guerra de Troya está sucediendo ahora mismo) de que la incapacidad es una de las formas de la normatividad, una de las maneras en que el poder central (sea el Estado o sea la Iglesia) se arroga el derecho de decir cuáles son las capacidades que son normales y aceptables, y cuáles no. Cristina Morales, en *Lectura fácil,* ha hecho una crítica extraordinaria de los criterios de capacidad e incapacidad[26].

PRUDENTES VARONES

El tratado de Teresa de Cartagena titulado *Admiración operum Dei,* escrito en algún momento antes de 1481, y en todo caso unos dos años después de su primera obra, conocida como *Arboleda de los enfermos* (hacia 1473-1479) es el cumplimiento de una promesa[27].

---

[26] Morales, *Lectura fácil.*

[27] El manuscrito de la Biblioteca del Monasterio de San Lorenzo del Escorial h.III.24 es el único que transmite las dos obras de Teresa. Está copiado por Pedro López del Trigo, que lo fecha en el folio 79r en 1481. Las obras, obviamente, se compusieron antes, pero tal vez no mucho antes. La fecha que ofrece Juan Carlos

Teresa había asegurado (por vías que en cambio nos son desconocidas) a Juana Mendoza, esposa de Gómez Manrique, por entonces corregidor de Toledo, que se pondría en contacto con ella, y que por fin lo hace a través de esta mezcla de tratado y carta. Aunque, como señala Juan Carlos Conde, no es incontrovertible, cabe la posibilidad de que sea la misma Juana de Mendoza la persona a quien Teresa había enviado su primer tratado, la *Arboleda de los enfermos*[28]. Sea como fuere, he aquí un primer elemento conflictivo: aquel primer tratado y carta (pues es también un ensayo escrito en segunda persona y dirigido a una señora) se ha topado con un grupo indefinido de hombres a quienes Teresa se refiere casi siempre, si no siempre, como los *prudentes varones*.

He aquí el conocido efecto. Una mujer escribe una obra, y un conjunto de hombres plantea (seamos generosos) sus dudas acerca de: el contenido de la obra, la calidad de la obra, las posibilidades de que haya sido escrita por quien dice haber sido escrita, y otro largo etcétera de pegas que sería largo y aburrido enumerar. Es, por decirlo con vulgar prontitud, una manifestación de eso que en inglés se llama *mansplaining* y cuya traducción al español (explico a quien no lo sepa) es *machoxplicación*[29].

Tanto prudentes historiadores de la literatura como las estudiosas del texto de Teresa de Cartagena se han tenido que ver las caras con el hecho de que, frente a la búsqueda de la creación de una mínima red intelectual en el ámbito femenino de la Castilla cuatrocentista, una de las personas que la pusiera en marcha (Teresa) viera su trabajo inmediatamente minimizado por este grupo de varones innominados. Como señala Juan Carlos Conde, la obra de Teresa se leyó en el interior de un círculo muy reducido, y muy cercano a su

---

Conde en la introducción de su edición (en preparación) es la mencionada en el texto.

[28] Así lo expresa en la quinta nota a su edición de la *Arboleda*. Esta edición está por aparecer en Cátedra, Letras Hispánicas, junto con la *Admiración*. En una serie de mensajes de texto de 23 de noviembre de 2020 (menciono esto simplemente para que pueda quedar como testimonio de una antigualla comunicativa en tiempos futuros), Juan Carlos Conde se muestra quizá más dispuesto a aceptar que la destinataria de la *Arboleda* sea también Juana de Mendoza: «no pondría la mano en el fuego, pero la acercaría bastante».

[29] Hoy mismo, 31 de diciembre de 2020, mientras escribo estas letras, veo que el *New York Times* vuelve a poner en primera página de su edición digital un artículo originalmente publicado en agosto sobre el libro de Nicole Tersigni dedicado al *mansplaining* (*Men to Avoid in Art and Life*). El artículo del *Times*: Gupta, «She Explains Mansplaining with Help from 17th Century Art».

experiencia vital. Solo la edición moderna, cuyo primer episodio es el de Lewis Joseph Hutton en 1967, ha extraído la obra de Teresa de este círculo para lanzarla a un punto cada vez más cercano del canon literario castellano[30]. A Hutton, aunque lo editó, no le parecía para tanto: para él, las obras de Teresa «no pertenecen a la más alta categoría de la creación literaria», aunque las considere condescendientemente en ese grado menor de la escritura que es «un importante reflejo del pensamiento y una buena muestra de la prosa del siglo xv en Castilla»[31].

Por un lado, no está claro qué sea la «alta creación literaria» en tanto que «categoría» universal (tal vez se sabía mejor en 1967, pero no me acuerdo). Por otro lado, no parece que a Teresa le importe demasiado una institución en la que, sin embargo, sí que participan algunos de sus contemporáneos como el propio Gómez Manrique, y a la que solemos llamar literatura. Teresa tiene las credenciales, aunque las trata con ironía: los «pocos años» que estuvo en el «estudio de Salamanca» le parecen más dignos de «remisyon plenaria» que no de otorgarle «sabiduría en lo que dezir quiero»[32]. La pertenencia o no a la institución literaria es un acto de autoridad, y concederlo o no es también incluir o no a una persona dentro del círculo de las personalidades que a su vez tienen autoridad. ¿Cómo concedérselo a alguien a quien los prudentes varones de su época parecen desdeñar? ¿A alguien que escribe en un género que resulta incómodo, por transmitir en lengua vulgar elementos doctrinales que forman parte del conocimiento teológico y la disciplina que lo autoriza? ¿A alguien que dice de sí misma que carece de la misma, aunque no hace sino argumentar con abundantes «autoridades» en sus tratados?[33].

Pero Teresa no escribe contra los prudentes varones. Es una obra escrita *con* los prudentes varones. La intuición intelectual de Teresa

---

[30] Las ediciones publicadas de la obra de Teresa son más bien escasas. La de Lewis Joseph Hutton (Cartagena, *Arboleda de los enfermos),* por supuesto, es la primera y más importante. Anthony Cárdenas hizo una transcripción para el texto electrónico del Hispanic Seminar of Medieval Studies. Mercedes Vaquero dirigió la tesis doctoral de Clara Esther Castro Ponce, que no ha sido publicada, en 2000. Quedamos, pues, a la espera de la edición de Conde en Cátedra.

[31] Cartagena, *Arboleda de los enfermos,* ed. Hutton, pág. 8.

[32] Cito por la edición de Conde, pero véase el pasaje en la de Hutton, pág. 123, que sin embargo transcribe «estudié» donde pone «estude» (estuve).

[33] De manera sistemática, Teresa se refiere a los autores que cita y a los pasajes, más específicamente, como autoridades.

no es la de escribir literatura, sino la de escribir microliteratura. Hace una investigación en los modelos intelectuales de quienes la critican, se coloca ella misma en una situación de vulnerabilidad que excede los límites de la falsa modestia o de la *captatio beneuolentiae*, y asegura además a los oyentes de su obra que ella es, de hecho, inofensiva por ser mujer, por estar enferma y por estar recluida.

La crítica no ha actuado de manera muy diferente a los prudentes varones. Teresa es un personaje enigmático, porque los únicos elementos de su persona vienen o bien de conjeturas razonables, o bien de lo que ella dice de sí misma en sus obras. Las conjeturas razonables dependen en su totalidad de que Teresa es nieta de Pablo de Santa María (1350-1435), nacido Selemoh-Ha Leví en Burgos, de donde fue rabino mayor antes de su conversión al cristianismo en 1390 tras haber recibido bautismo forzoso. Pablo de Santa María, que formó parte de la administración real en Castilla, fue obispo de Burgos a partir de 1415. Pablo de Santa María no es solamente el fundador de una dinastía clérico-intelectual a la que pertenece Teresa, sino también el nombre propio de una ciencia de comentario. Pablo de Santa María es *Paulus,* el debelador de las *Postillae* de Nicolas de Lyra a través de sus centenares de *additiones,* frecuentemente transmitidas con los comentarios del franciscano Nicolás de Lyra, así como con el texto bíblico con glosa ordinaria. Aunque sería imposible determinar en una sola frase todo lo que destilan las adiciones de Pablo de Santa María, sí que podría establecerse que su tesis central: la interpretación literal del texto bíblico es por un lado imposible, y por otro indeseable. Es imposible porque el texto está sometido a inmensas variaciones, no pocas de las cuales derivan de sus propios intérpretes literales, tanto judíos como cristianos; es indeseable porque en muchos casos la interpretación literal del texto bíblico no nos indica ni qué debemos creer *(nullam preaestat cognitionem utilem in credendis)* ni cómo debemos comportarnos *(nec in agendis)*[34]. Un trabajo fundamental de Yosi Yisraeli demuestra que la oposición de Pablo de Santa María a la interpretación literal no es solamente una crítica al hermano Nicolás, sino también a su fuente más importante, el rabino champañés Rashi[35]. Klaus Reinhardt y Horacio Santiago-

---

[34] Génesis, 8.
[35] Yisraeli, «A Christianized Sephardic Critique of Rashi's *Peshat*». Yosi Yisraeli ha sido tan amable como para hacerme llegar su tesis doctoral, en que se trata más por extenso todo el sistema teórico de Pablo de Santa María («Between Jewish and Christian Scholarship in the Fifteenth Century»).

Otero registran 26 manuscritos de las *Additiones,* y más de 25 ediciones de las *Additiones* contando únicamente aquellas en las que se publican junto con las *Postillae,* y dejando aparte otras ediciones en las que también están la *Glossa Ordinaria,* los prólogos de san Jerónimo y otras obras[36]. Esto da cuenta de la inmensa difusión de la obra de Pablo de Santa María, y del modo en que se inserta en el interior de una tradición de lectura y uso de la Biblia que supera todas las fronteras.

Tras leer su trabajo, envié una carta electrónica a Yosi Yisraeli, para preguntarle qué pensaba de la posibilidad de que Teresa tuviera presente, o hubiera conocido, el trabajo latino de su abuelo. Como no hay pruebas textuales que permitan establecer esta genealogía intelectual, se trataba de introducir una nueva conjetura más en las investigaciones sobre Teresa de Cartagena. Yisraeli me respondió a vuelta de correo electrónico, diciendo que no le parecía imposible, pero que había dos circunstancias que le impedían ser más optimista al respecto: por un lado, el hecho de que la historia textual de la obra latina de Pablo parece tener más resonancia fuera de la península ibérica que en el interior de la misma; por otro lado, la fecha de redacción de la *Arboleda,* posterior a 1470, haría difícil pensar que las ideas de Pablo sobre la exégesis tuvieran algún tipo de vigencia. Obviamente, las teorías de Pablo dependían en exceso del universo intelectual judío en hebreo, que en la Castilla del último tercio del siglo xv es objeto de violento escrutinio.

Las conjeturas en torno a Teresa y su linaje no se han detenido a lo largo de los años. En un artículo de 2020, Rica Amrán explora las deudas de Teresa con respecto a autores judíos que escribieron en hebreo[37]. Que Pablo supiera hebreo está fuera de toda duda. Que algunos de sus hijos tuvieran suficiente competencia filológica en la lengua, incluido Alonso de Cartagena, está por demostrar; que en especial su hijo Pedro, fundamentalmente dedicado al comercio y padre de Teresa, hubiera transmitido a su linaje el conocimiento de la lengua a un nivel tanto filológico como teológico está en el terreno de las conjeturas, especialmente en un ámbito político marcado por la proliferación de lo que David Nirenberg llamó las comunidades de violencia[38].

---

[36] Reinhardt y Santiago-Otero, *Biblioteca Bíblica Ibérica Medieval,* págs. 241-244.
[37] Amrán, «Acerca de Teresa de Cartagena y *La arboleda de los enfermos*», págs. 569-582.
[38] Nirenberg, *Communities of Violence.*

Todas estas conjeturas son útiles porque indican parcialmente la sorpresa, el impacto que la lectura de la obra de Teresa causa en la modernidad. Establecen una línea directa entre los prudentes varones y la investigación contemporánea. Pero también perpetúan el acusmatismo de la voz de Teresa, la relegan a su invisibilidad.

Soy un gusano

Y sin embargo Teresa es la constructora de una sociedad civil. Empieza a escribir desde un lugar no filosófico, una isla a la que denomina con un nombre extraído del salmo 21:7, «Oprobio de los hombres y desecho del pueblo». Lo que quiere decir es que, si ella habita esta isla, es porque es un gusano: «¶τ yo so gusano —dice la traducción de Arragel, en este caso 22:7—τ non hom*n*e verguença de om*ne*s τ menospreciado de pueblos»[39]. La glosa ordinaria de la Biblia, en este punto, señala varias autoridades diferentes. Agustín viene en primer lugar: la persona que pretende haber sido concebida sin la participación de semen humano comete un pecado de soberbia. Casiodoro viene a continuación, para señalar que el gusano nace sin necesidad de coito, y por tanto sin necesidad de semen; quien dice nacer sin semen y sin coito dice también nacer sin pecado. Teodosio completa las autoridades para señalar que en efecto el gusano se reproduce espontáneamente, y que por tanto quien se dice gusano se dice nacido de virgen. Las glosas interlineales, que también mencionan a Agustín, no dejan lugar a equívoco: el gusano sin participación de la concupiscencia.

Karl Steel ha analizado, por su parte, la teoría del gusano en los siglos XII y XIII. Para los autores que Steel analiza, el gusano en efecto se reproduce sin intercambio de fluidos, de manera no humana, al tiempo que participa de una virtud celeste[40]. La glosa ordinaria es mucho más radical en su concepción, porque no le basta teorizar sobre el gusano como entidad, sino que explicita la naturaleza teológica del gusano en el momento en que este toma existencia en el texto doctrinal y legal del cristianismo. El gusano es Adán, y es de naturaleza divina, es, a su vez, una figura mesiánica. Así, el gusano es la vida nueva, no solo la muerte o la destrucción de la carne.

---

[39] *Biblia de Arragel,* cito por el facsímil que se conserva en la Biblioteca Nacional de España MSS.FACS/622, fol. 399rb.

[40] Steel, *How Not to Make a Human.*

Por supuesto, la glosa ordinaria no es un recurso cualquiera. Está inscrita en la «conjetura Cartagena». Pero puede irse más allá. La investigación de Juan Carlos Conde demuestra, creo que de manera convincente, que la mayor parte de las referencias bíblicas y de los comentarios a las mismas que utiliza Teresa están relacionadas con la glosa ordinaria de la Biblia[41].

Soy un gusano, dice Teresa. Y al tiempo que se coloca en la escala inferior de la existencia, también se consagra como creación virginal. Teresa no viene de ningún sitio, sino que se genera espontáneamente en esta isla donde está apartada del mundo y a partir de la que intenta recuperar un espacio de civilización, la *Arboleda de los enfermos,* un lugar diseñado especialmente para poder pensar y para poder filosofar. El gusano que, al generarse, da vida.

De seda

Quizá la metáfora más apropiada sea la del gusano de seda. No solo es capaz de configurar la propia casa donde tendrá lugar su transformación, sino que lo hace mediante hilos que tejen una red a la que la casa o nodo está sujeta. La producción de espacio, la construcción de una ciudad en la que poder filosofar es el máximo interés de Teresa en sus escritos. Si bien Pedro del Trigo, el copista del manuscrito de El Escorial que transmite las obras de Teresa de Cartagena, los presenta como tratados, no es menos cierto que tanto la *Arboleda* como la *Admiración* tienen aspecto de cartas. Estas cartas participan del impulso microliterario de la producción de un espacio de escritura en el que poder pensar con las autoridades fundamentales de la moral cristiana, y hacerlo en tanto que mujer. Pero tan importante como esto es la necesidad, igualmente microliteraria, de crear un complejo entramado de mujeres con las que pensar en los espacios físicos del poder. La red es ese espacio. La red es, a fin de cuentas, el nombre de la ciudad a la que se puede hacer descender el pensamiento crítico —feminista, por qué no decirlo— y darle un aposento.

---

[41] Conde, «La ortodoxia de una heterodoxa».

Un epílogo

Karlos de Navarra, príncipe de Viana, había escrito una epístola para mandarla a todos los valientes letrados de España, que ya es decir. En ella, les intimaba (nos intimaba, digo yo), a leer y estudiar la *Ética* de Aristóteles. Él mismo había producido una versión, a partir de la traducción latina de Leonardo Bruni, para Alfonso el Magnánimo. El manuscrito que contiene el *exemplar* de esta traducción se conserva (con suturas en el trabajado pergamino) en la British Library, Add. Mss. 21120. Este manuscrito contiene 1294 glosas (salvo error u omisión por mi parte), que conforman el sistema conceptual de la ética en castellano, o en lo que sea que Karlos escribiera. La carta a los valientes letrados, tal y como se transmite en el códice de la Biblioteca Nacional de España, Vitrina 17/3, tiene, a su vez, glosas marginales que permitirían establecer una red de líneas imaginarias entre la carta propiamente dicha y el mapa conceptual de la traducción de la *Ética*. La carta tiene movimiento, va de un sitio a otro; o de un sitio a muchos otros, porque es una carta dirigida a mucha gente, como una circular. A lo mejor incluso es una cadena, de esas de no rompas la cadena, sigue enviando esta carta a tus amistades. Y al mismo tiempo es como un calendario de Adviento que tiene una serie de casillas dentro de las cuales hay un regalo o un trozo de chocolate. Solo que aquí las casillas son las marcas de las glosas, y el contenido es un concepto ético enviado, así, al mundo con la carta circular. La carta no solo invita a leer la *Ética*, sino también a perderse entre el bosque de glosas que la acompañan, nuevas glosas ahora preparadas para reconstruir una política, una vida pública de la ética.

Karlos murió a destiempo. Fernando de Bolea y Galloz, criado y amigo de Karlos, tomó la determinación de continuar el trabajo de Karlos y escribió sendas cartas a los reyes ibéricos de, por este orden en el códice conservado en la Biblioteca Nacional, Aragón, Castilla y Portugal, antes de dirigirse él mismo a los valientes letrados de España, y antes de la carta firmada por Karlos a estos últimos. Les transmite la necesidad de que hagan a sus súbditos verdaderos estudiosos de la *Ética*, y por supuesto se hace eco de la necesidad de que este estudio se haga a partir de la obra de traducción y sistematización conceptual de Karlos. Fernando completa, por así decir, la misión de producción de un margen en el que pensar por escrito y un sistema de redes a través del cual continuar ese proceso de pensamiento en común, esa ciudad en la que filosofar.

Este libro se ha movido entre ambas necesidades. Por un lado, la producción del margen, el dominio del arte del manuscrito. Por otro lado, la creación de un sistema de intercambio en el que poder hacer circular el universo de pensamiento crítico que se crea y construye en los márgenes. Las microliteraturas son, como dijimos desde el principio, una manera de escribir, una actividad y un movimiento crítico. Este es un movimiento propio de las humanidades, de las de entonces y de las de ahora. De las humanidades de papel y lápiz y de las humanidades digitales, o de las humanidades cuánticas que vengan, si es que vienen, y de lo que haya después: reclamar el derecho a escribir, si es necesario, sobre un grano de arroz, y luego compartirlo haciendo con él una paella para veinticinco a la que acaban yendo ochenta.

Las microliteraturas no deberían ser subestimadas. Abarcan los espacios de investigación más inesperados. Producen ideas acerca de las que pensar. Antes de que Hernando de Talavera fuera Hernando de Talavera, cuando solo era un bachiller que presumía de haber aprendido a escribir buena letra escolástica en Barcelona con Vicente Panyella, tradujo las *Invectivas contra el médico rudo y parlero* de Petrarca. Además de traducirlas, las dotó de una introducción y glosas marginales. Tanto la traducción como la introducción y las glosas están escritas en letra escolástica bien gruesa y severa, con titulillos, rúbricas y todo un aparato de codificación que poco recuerda a Petrarca. El contenido de las glosas, en cambio, se deja seducir a veces por la retórica petrarquista de la invectiva: la crítica que combina la precisión teórica, el argumento político y el comentario ácido *ad personam*. El concepto clave de esta intervención del bachiller en el petrarquismo es el de *eutrapelia*. El término es relativamente nuevo en castellano, y, según el CORDE, solamente el Tostado y Alfonso de la Torre lo han usado antes que Talavera. Hernando de Talavera dice en su prólogo:

> ¶ Leyendo los libros que no curiosidad mas perfecçion de las virtuosas costunbres aque vuestro ylustre jngenio natural mente vos jnclina pueden prestar:: queres virtuoso señor la fatiga que el entendimiento humano por la pesadumbre del cuerpo resçibe releuar en los tienpos a ello conçessos con lecçiones donosas de juegos y burlas honestas. no es pequeño grado a mj ver de eutrapellia virtud que los modernos ya llaman jocundidad o urbani-dad / en nuestro [2v] vulgar benjgna y dulce conuersacion

Talavera se entrega a la práctica de estas eutrapelias en sus glosas. Tiene intención de divertirse y de divertir a su interlocutor, hacien-do gala de cierto grado de vulgaridad, a veces heredado de otras glosas (como las del Boecio hecho para Ruy López Dávalos, en las que también se llama *putillas* a las *scenicas meretriculas),* otras veces de su propia minerva, como cuando glosa «culina» (cocina, que, según dice, evoca el lugar por donde se expelen las bascosidades), o cuando glosa «caque», que tampoco le parece un sonido muy afor-tunado, pero espera que se atribuya al «defecto de nuestra lengua». Se ve que antes de interesarse por la escatología, Talavera se interesó por la escatología. En las glosas quiere adoptar el tono jocoso y no poco hiriente de la invectiva. Está entreteniendo a su interlocutor (su tío y mentor Fernán Álvarez), pero al mismo tiempo está ponien-do a prueba su propio estilo, imaginando hasta dónde puede llegar en la combinación entre un conocimiento filosófico (por ejemplo, cómo funciona el significado alegórico a través de las ficciones, cuál es el valor del pensamiento de Averroes, o cómo se diferencian el conoci-miento intelectual racional y la experiencia práctica), y un modo de escritura eutrapélico. La eutrapelia es un artefacto epistemológico. Como lo es el humor.

Quienquiera que fuera el glosador del manuscrito de la Biblio-teca Nacional de España MSS/6728, donde se contiene el diálogo *De vita beata* de Juan de Lucena, entendió el estilo eutrapélico. El diálogo de Lucena hace conversar a tres individuos severos de la re-ciente historia intelectual de Castilla, Juan de Mena, Alonso de Car-tagena y el marqués de Santillana. Ilustres muertos, para entonces. Lucena les hace reír y zaherirse, pero sin por ello dejar de llamar la atención sobre sus valores éticos e intelectuales. El glosador glosa abundantemente. Anónimo o no (hay bibliografía para todos los gustos), lo que me parece claro es que el autor de estas glosas está trabajando, mientras las compone, en la biblioteca de la casa de Santillana, la que perteneció a Íñigo López de Mendoza, en Guadalajara, donde se conservaban los libros de quien por entonces ya había muerto con el título de marqués de Santillana. Algunas de las glosas solo pueden referirse, de manera ciertamente paródica, a libros que estaban en la biblioteca de Santillana, y en concreto un par de ellos de un conocido del presente libro, Pero Díaz de Toledo. Uno es el *Diálogo y razonamiento en la muerte del Marqués de Santillana*[1]. El otro es la traducción del *Phaedo* de Platón. La primera glosa al *De vita felici* reutiliza la definición de Díaz de Toledo de *diálogo* (que es una palabra nueva en el siglo xv), quien, en el *Diálogo y razonamiento* lo define como «fabla de dos, uno que pregunta e otro que responde», al mismo tiempo que se refiere al *Phedrón* platónico, que no es otro que la traducción del *Phaedo,* a la que Pero Díaz de Toledo llamó *Libro llamado Fedrón,* del cual también reproduce una frase (mal atribuida por el glosador) de las *Tusculanas* de Cicerón. La eutrapelia glosadora no es solo un artefacto epistemológico, sino que además pone de manifiesto las redes intelectuales que se forman a través de las glosas y comentarios microliterarios.

Sería fácil seguir recorriendo el camino de los manuscritos glosados y su presencia en las bibliotecas. Las bibliotecas burguesas no carecen de ellos. El manuscrito de la Biblioteca Nacional de España MSS/23123, que contiene un *Trevet castellano,* perteneció a un empleado de la Lonja de Sevilla, un tal Diego de Pastrana, que es nieto de un jurado de Sevilla. Es decir, personas que pertenecen a la burguesía acomodada y profesional. Posiblemente sean de bibliotecas burguesas otros manuscritos con glosas, como el de la Biblioteca Nacional de España MSS/1518, que contiene un romanceamiento del libro de los Macabeos. El de la Biblioteca Nacional de España MSS/3666 es un manuscrito feo pero difícil de leer y con glosas que acaban con la paciencia de la persona más firme, y posiblemente también procede de una biblioteca burguesa.

Los artefactos microliterarios, públicos, copiados mil veces, o a veces confidencialmente guardados en un solo manuscrito, son formas de aproximarnos a conversaciones que tienen lugar en el inte-

---

[1] MSS/10226: Pero Díaz de Toledo, *Diálogo y razonamiento [en la muerte del Marqués de Santillana].*

rior de esas redes, y también formas de acercarnos a búsquedas críticas, teóricas, o de estilo. Búsquedas, a fin de cuentas, de un espacio intelectual común que es muy difícil de crear. Y que, quizá por ello, tiene un enorme valor.

La microliteratura, como forma de escritura, se expande por los estrechos márgenes de lo ya escrito, modificándolo y comentándolo. Dice así su voluntad de intervenir en la producción del pensamiento contemporáneo, y de no permitir que lo pasado pertenezca al pasado en exclusiva. La microliteratura recorre sin método los laberintos de cuanto se cree saber. Habla, ensaya, miente, irrumpe. Se detiene a veces para participar, desde su incómoda posición, en la discusión de temas y problemas que pueblan el mundo desde que este lo es, y que le son estructurales y sistémicos. Las microliteraturas corren constreñidas por la falta de espacio, el cómputo de caracteres, las abreviaturas, las etiquetas, los marcados. Las microliteraturas buscan los rincones por los que pueden expresarse, zonas aún en blanco en las que decir aquí puedo escribir. Necesitan producir ese espacio, porque no existe para ellas, apropiarse de él y convertirlo en plataforma desde la que saltar al mundo. Y desde ahí, construir el entramado de voces anónimas y conocidas, voces fingidas o reales, que hablen sin pedir permiso. Así que este libro también quiere decir, con Horacio —y con respeto— ¿de qué te ríes? Esta fábula habla de ti.

Agradecimientos

En varias ocasiones a lo largo de este libro he hecho referencias a comunicaciones personales, cartas, mensajes de texto. Todo escrito, por académico que sea, es el fruto de conversaciones, ideas que se entrecruzan e inspiraciones inesperadas. De hecho, el origen de este trabajo está en un intercambio epistolar en el otoño de 1992. Yo era entonces un (joven) estudiante de doctorado en París; una revista académica francesa me había pedido una reseña del libro de Julian Weiss, *The Poet's Art,* que se había publicado en 1990. El libro me entusiasmó y no pude por menos que escribir una carta al Prof. Weiss y ponerla en el correo. Pocas semanas después, en mi ínfima habitación de la École Normale Supérieure, recibía su respuesta. Empezamos así una correspondencia más o menos larga. Le hablé de mi reciente familiaridad con manuscritos glosados, que había empezado como trabajo aparte durante las investigaciones que conducirían a la redacción de mi tesis doctoral (defendida en mayo de 1995). Julian Weiss fue y sigue siendo un modelo intelectual y un modelo ético, cuya generosidad no tengo palabras para agradecer. Me envió una fotocopia de su catálogo provisional (y escrito a máquina) de manuscritos glosados, que, muy mejorado, publicaría él en dos entregas en 2013, una dedicada a autores castellanos y otra a las traducciones. Este intercambio y las muchas conversaciones que he tenido con Julian Weiss a lo largo de los años en varios lugares del mundo, han guiado mi trabajo, me han hecho cada vez más exigente y también me han liberado enormemente: si hay algo que caracteriza el magisterio de Julian Weiss es la libertad intelectual que inspira. Ojalá pueda verse en este libro al menos una sombra de esta libertad.

No es necesario contar aquí con todo detalle la genealogía de este volumen, pero un poco de detalle nunca viene mal. Durante mucho tiempo pensé que no podría llegar a escribirlo en absoluto, porque siempre me encontraba con la pared infranqueable del deseo de exhaustividad. He tenido que deshacerme de este deseo para poder llegar a la conclusión de que este libro es en realidad un capítulo dentro de una serie de trabajos que he ido escribiendo y publicando a lo largo de los años, y que tal vez siga escribiendo en el futuro. Terminarlo ha sido como seguir una cura, y para ello han tenido que pasar muchas cosas que resumo a continuación. El 16 de marzo de 2020 se cerraron las escuelas públicas de Nueva York debido a la pandemia de COVID-19, así que nuestro hijo (de cuatro años en ese momento) volvió a casa alegre y lleno de energía, y desde entonces toda su actividad escolar ha tenido lugar de manera telemática. Tampoco yo volví a las aulas, sino que el semestre dio fin virtualmente, y así se ha prolongado el año académico 2020-2021. El 17 de abril de 2020 nacía, en el Mount Sinai de Midtwon Manhattan, nuestra hija pequeña: las grandes calles y avenidas de Nueva York totalmente desiertas, pero atestadas de hospitales de campaña, marcaron otro momento de la historia en que (cuando envío este libro a la imprenta) todavía vivimos. Gracias a Kaela Pierce, cuya profesionalidad y amabilidad son incomparables, a partir de septiembre de 2020 empezamos a tener algo de tiempo para trabajar (aparte de las clases y obligaciones administrativas), y fue entonces cuando me decidí a compilar —ahora o nunca— este libro. Un día de principios de invierno tuve por fin el primer manuscrito de este libro, y, después de leerlo y anotarlo, y pasar las correcciones al ordenador, mi hijo mayor me dijo «¿Podemos echar el manuscrito a la chimenea?» y como yo no le puedo negar nada, así lo hicimos (me había visto hacer lo mismo con un libro anterior, *Dead Voice,* University of Pennsylvania Press, 2020). Espero que cuando este libro salga publicado, hayamos recobrado en cierto grado la normalidad, y que nuestras familias en España y Francia hayan podido conocer a nuestra hija pequeña. Todo texto tiene una glosa, por lo visto.

Aurélie Vialette —que ha vivido todo lo anterior conmigo— tuvo tiempo para dar a luz a nuestra niña, escribir unos cuantos artículos de investigación, terminar un libro, escribir un artículo furibundo denunciando la carencia de baja de maternidad en el estado de Nueva York (y más), jugar con ambos churumbeles, dirigir el programa de doctorado de su departamento y leer con detalle y ojo crítico mi manuscrito. Para agradecerle todo esto, tendría que pedir prestado a nuestro hijo mayor una de las palabras sobreesdrújulas que suele inventarse.

Algunas generaciones de estudiantes en las universidades de Salamanca, Berkeley, Columbia y Yale han tenido la paciencia de estudiar y discutir conmigo varias de las investigaciones que dieron lugar a este libro. Les agradezco a todas y a todos su increíble generosidad intelectual. Uno de estos estudiantes, el *yalie* Esteban Crespo Jaramillo me ha ayudado enormemente en la revisión y formateo de la bibliografía, lo que no es tarea fácil. Gracias le sean dadas.

Laura Fernández Fernández, Rachel Stein, Noel Blanco Mourelle, Roland Béhar y mis tres hermanas, Blanca, Margarita y Mariajosé Rodríguez Velasco, han leído y criticado borradores de este libro. Mis hermanos, Javier y Juanjo, han tenido que soportar mis imprevistas conferencias. ¡Qué puedo decir de la familia que no se haya dicho ya! A lo largo de los años, Claudio Lomnitz, Natalia Morozova, Selby Wynn Schwartz, Patricia Dailey, Enrique Gavilán, Michael Gerli, Yonsoo Kim, Georges Martin, Carlos Heusch y Pedro Cátedra han leído y comentado partes o ideas de las que han acabado entre las cubiertas. Las conversaciones con Juan Carlos Conde y Yosi Yisraeli han sido importantísimas para mí. El director de mi tesis doctoral en Derecho, Emanuele Conte (EHESS, París y Roma Tre, Giurisprudenza), me ha hecho preguntas y comentarios que me han ayudado inmensamente. Como dejo dicho en el prefacio, Mia Ruyter, sin quererlo pero queriendo, me enseñó un camino que hasta ese momento no conocía. La influencia de mi amigo Bernard Harcourt en muchos aspectos teóricos y en cierta búsqueda intelectual es, creo yo, central. Mi agradecimiento se extiende también a las muchas personas que no nombro ahora, pero sí recuerdo, y que me han ayudado de muy distintos modos a lo largo de estos años en Francia, España, los Estados Unidos, Gran Bretaña, Alemania, Italia y Argentina. Merecen un agradecimiento muy especial las bibliotecarias y los bibliotecarios que, en varios países, han hecho posible este trabajo con su inmensa profesionalidad, gentileza y, por decirlo todo, generosidad intelectual. Todas ellas, todos ellos merecen mi admirada gratitud. Mis errores, que sin duda serán muchos, son solamente míos.

Quiero agradecer a Josune García López el haber confiado en mí para la publicación de este trabajo. Mi sueño, desde pequeño, era llegar a publicar algo en la editorial Cátedra. Me da al tiempo vértigo y felicidad ver este sueño cumplido.

Este libro no se habría hecho nunca sin el apoyo intelectual, la lectura continuada y las críticas de mi verdadero modelo en esta vida, mi compañera durante los últimos veinte años *(and counting)* Aurélie Vialette, junto con nuestros hijos, Miguel y Simone. *For them, always, everything.*

Bibliografía

Fuentes manuscritas citadas

Beinecke Rare Book & Manuscript Library, Yale University:

Marston MS 2: *Canticum Canticorum with Glossa Ordinaria*, s. xii, Toscana.

Biblioteca de la Fundación Bartolomé March, Palma de Mallorca:

B95-V3-27. *Aegidius Romanus, arzobispo de Bourges. Regimiento de príncipes (?).*

Biblioteca de Menéndez Pelayo, Santander:

M-94: *Libro de Vegecio de la caballería y del arte de las batallas.*

Biblioteca General Histórica de la Universidad de Salamanca, Salamanca:

MS. 2709: *Aegidius Romanus, arzobispo de Bourges, Regimiento de príncipes* (tr. Juan García de Castrojeriz), traducido 1345 ca.

Biblioteca Histórica de la Universidad Complutense, Madrid:

BH MSS 84, *Enchiridión* de Pero Díaz de Toledo.

Biblioteca Nacional de España, Madrid:

MSS.FACS/622-623: Arragel, Moses, y Schonfield, Jeremy, *La Biblia de Alba: an illustrated manuscript Bible in Castilian: commissioned in 1422 by don Luis de Guzmán and now in the Library of the Palacio de Liria, Madrid [Texto impreso]*, 2. vols, facsímil. Madrid, Fundación Amigos de Sefarad, 1992.

MSS/10220: Boecio, *Consolación de filosofía.*

MSS/10289: *El More en Castellano traducido por el Maestro Pedro de Toledo.*

MSS/1341: *Obras de Mosen Diego de Valera.*

MSS/1518: *[Historia de los macabeos].*

MSS/17975: Enrique de Villena, *Carta; Comentario a Virgilio; Publius Vergilius Maro, Eneida (tr. Enrique de Aragón, marqués de Villena), traducido 1427-09-28 – 1428-10-10.*

MSS/19344: *Vida y memorias del licenciado Gregorio de Tovar, caballero natural de Valladolid, fiscal y oidor que fue de esta Chancillería, de la Audiencia de La Coruña y del Real Consejo de Ordenes.*

MSS/23090: Pedro de la Panda, *Letra al muy ilustre conde don Rodrigo Manrique, [conde de Paredes].*

MSS/10226: Pero Díaz de Toledo, *Diálogo y razonamiento [en la muerte del marqués de Santillana].*

MSS/23123: Boecio, *Consolación de filosofía* [con comentario de Trevet].

MSS/3666: *Ilíada en romance,* trad. Juan de Mena.

MSS/3694: Pedro de Portugal, 4. condestável de Portugal. *Coplas de contemptu mundi.*

MSS/4023: Pedro de Portugal, 4. condestável de Portugal. *Sátira de Felice e Infelice vida.*

MSS/6728: Juan de Lucena. *Diálogo de vita beata.*

MSS/9220: Quintus Curtius Rufus, *Historia de Alejandro Magno (III-XII).*

RES/35: *Historia de los reyes de España y otras cosas.*

VITR/15/7: Alfonso XI, rey de Castilla y León, *Ordenamiento de Alcalá de Henares de 1348 (era 1386).*

VITR/17/3: Carlos de Aragón, príncipe de Viana, *Epístola del serenísimo y virtuoso príncipe don Carlos, primogénito de Aragón etc. de inmortal memoria, enderezada a todos los valientes letrados de la España exhortando y requiriéndoles que den obra y fin a lo que por ella podrán ser informados.*

VITR/17/3: Fernando de Bolea y Galloz, *La carta que Fernando de Bolea y Galloz hace a los valientes letrados de la España pidiéndoles de gracia que cumplan lo que exhortado y requerido les es por su señor, el muy esclarecido príncipe don Carlos de inmortal memoria, por una epístola que bajo de la presente hallaréis.*

Bibliothèque de l'Arsenal, París:

Ms-3172: Christine de Pizan, *Livre de la Mutation de Fortune.*

Bibliothèque Nationale de France, París:

Ms Fonds Espagnol 211: *Libro de Vegecio de la caballería y del arte de las batallas.*

Ms Fonds Espagnol 295: *Libro de Vegecio de la caballería y del arte de las batallas*.

Ms Fonds Francais 137: *Ovide Moralisé*.

PIZAN, Christine de: *Livre de la cité des dames. Christine de Pizan : Tous les manuscrits numérisés*. En: <https://gallica.bnf.fr/html/und/manuscrits/manuscrits-de-christine-de-pizan?mode=desktop>.

British Library, Londres:

Add. 20787: *Alfonso X, rey de Castilla y León. Siete partidas (1)*.
Add. 21120 (ff. 1r-235v.): Aristoteles, *Ética de Aristóteles*.
Harley 4431: Christine de Pizan, *The Book of the Queen*.

British Museum, Londres:

Royal MS 17 E IV. *Ovide Moralisé*.

Real Biblioteca del Monasterio de San Lorenzo de El Escorial, San Lorenzo de El Escorial:

h.III.24: Teresa de Cartagena, *Arboleda de los enfermos; Admiración operum Dei*.

Real Biblioteca del Palacio Real de Madrid, Madrid:

II/569: *Libro de Vegecio de la caballería y del arte de las batallas*.

Victoria & Albert Museum, Londres:

KRP.D.13: Gil de Roma y Juan García de Castrojeriz, *Regimiento de príncipes*.

Wellcome Collection de la University of London, Londres:

MS.55 (ff. 94r-99v): Peter Gerticz de Dresde, *Parvulus philosophiae naturalis*.

OBRAS CITADAS

ACCORSI, Federica, «Estudio del *Espejo de verdadera nobleza* de Diego de Valera. Con edición crítica de la obra», tesis doctoral, Pisa, Universidad de Pisa, diciembre de 2011.

ADORNO, Rolena, *The Polemics of Possession in Spanish American Narrative*, New Haven, Yale University Press, 2007.

AERS, David, *Medieval Literature: Criticism, Ideology, and History,* Nueva York, Saint Martin Press, 1986.

AGAMBEN, Giorgio, «What Is the Contemporary?», *What Is an Apparatus?,* Palo Alto, Stanford University Press, 2009, 39-54.

AGNEW, Michael, «The "Comedieta" of the *Sátira:* Dom Pedro de Portugal's Monkeys in the Margins», *MLN* 118.2, Hispanic Issue (2003), 298-317.

AGÚNDEZ FERNÁNDEZ, Antonio, *La doctrina jurídica de Gregorio López en la defensa de los derechos humanos de los indios,* Mérida, Junta de Extremadura, 1992.

AGUSTÍN, *La ciudad de Dios,* 2 tomos (ed. bilingüe), Federación Agustiniana Española, Pío de Luis Vizcaíno, María Teresa Iniesta, Miguel Fuertes Lanero *et al.* (eds.), Santos Santamarta del Río y Miguel Fuertes Lanero (trads.), *Obras completas de san Agustín,* vols. 16-17 (41 vols.), Madrid, Biblioteca de Autores Cristianos, 1988.

— *Las confesiones* (ed. bilingüe), Ángel Custodio Vega (ed. y trad.), *Obras completas de san Agustín,* vol. 2 (41 vols.), Madrid, Biblioteca de Autores Cristianos, 1991.

ALBERTI, Leon Battista, *De pictura (1435). De la peinture,* Jean Louis Schefer, trad. Cecil Grayson, ed. latina, París, Macula, 1992.

ALBERTO MAGNO, *Ethicorum libri X,* ed. Auguste Borgnet, *Beati Alberti Magni ratisbonensis episcopi, ordinis praedicatorum, Opera omnia,* vol. 7, París, Louis Vivès, 1891.

ALFONSO X, *Las Siete Partidas del sabio rey don Alonso el Nono,* ed. Gregorio López, Salamanca, Andrea de Portonariis, 1555 (facsímil, Madrid, Boletín Oficial del Estado, 1985).

ALIGHIERI, Dante, *Il convivio,* ed. Giovanni Busnelli, Giuseppe Vandelli, Michele Barbi y Antonio E. Quaglio, Florencia, F. Le Monnier, 1964.

ALIGHIERI, Pietro, *Pietro Alighieri, Comentum Super Poema «Comedie» Dantis: A Critical Edition of the Third and Final Draft of Pietro Alighieri's Commentary on Dante's the «Divine Commedy»,* ed. Massimiliano Chiamenti, Tempe, Arizona, Arizona Center for Medieval and Renaissance Studies, 2002.

AMRÁN, Rica, «Acerca de Teresa de Cartagena y *La arboleda de los enfermos:* algunas puntualizaciones, preguntas e hipótesis», Rosa María Alabrús Iglesias, José Luis Betrán Moya, Francisco Javier Burgos Rincón, Bernat Hernández, Doris Moreno y Manuel Peña (eds.), *Pasados y presente: Estudios para el profesor Ricardo García Cárcel,* Barcelona, Universitat Autònoma de Barcelona, 2020.

ANDERSON, Benedict y O'GORMAN, Richard, *Imagined Communities: Reflections on the Origin and Spread of Nationalism,* ed. revisada, Londres, Nueva York, Verso, 2006.

APTER, Emily, *Against World Literature. On the Politics of Untranslatability,* Londres, Verso, 2013.

ARCHER, Robert, *The Problem of Woman in Late Medieval Hispanic Literature,* Woodbridge, Tamesis Books, 2005.

ARIAS BONET, Juan Antonio, *Alfonso X. Primera Partida: Según el manuscrito Add. 20.787 del British Museum,* Valladolid, Universidad de Valladolid, 1975.

ARISTÓTELES, *Politics,* trad. H. Rackham, Cambridge, Loeb Classical Library, Harvard University Press, 1932.

— *Categories. On Interpretation. Prior Analytics,* trad. H. P. Cooke y Hugh Tredennick, Cambridge, Loeb Classical Library, Harvard University Press, 1938.

— *Aristotelous peri poietikes; Aristotelis ars poetica; Poetica de Aristóteles,* Valentín García Yebra, ed. trilingüe, Madrid, Gredos, 1974.

— *«Ética» a Nicómaco,* ed. María Araujo y Julián Marías, Madrid, Centro de Estudios Constitucionales, 1989.

ARLIMA *(Archives de littérature du Moyen «Âge»).* En: <http://www.arlima. net>.

ASAD, Talal, *Genealogies of Religion: Discipline and Reasons of Power in Christianity and Islam,* Baltimore, Londres, Johns Hopkins University Press, 1993.

AUERBACH, Erich, «Figura», *Scenes from the Drama of European Literature,* Minneápolis, University of Minnesota Press, 1984, 11-76.

BAETS, Antoon de, *Responsible History,* Oxford, Berhghan Books, 2009.

BAKER, Denise N. (ed.), *Inscribing the Hundred Years War in French and English Cultures,* Nueva York, SUNY Press, 2000.

BALDISSERA, Andrea, «La *Exhortación de la Paz* di Diego de Valera (edizione critica)», *Guerra e pace nel pensiero del Rinascimento,* Florencia, Cesati, 2005, 467-491.

BATAILLE, Georges, *L'experiénce intérieure,* París, Gallimard, 1943.

BAUTISTA, Francisco, *La estoria de España en época de Sancho IV: Sobre los reyes de Asturias,* Londres, University of London, 2006.

— «La idea de nobleza en conflicto», Conferencia, Seminario «Theorica», Lyon, École Normale Supérieure de Lyon, 5 de diciembre de 2013. En: <http://cle.ens-lyon.fr/espagnol/ojal/traces-huellas/theorica-2013>.

BAXANDALL, Michael, *Giotto and the Orators: Humanist Observers of Painting in Italy and the Discovery of Pictorial Composition,* Oxford, Oxford University Press, 1986.

BEHM, Nicolas, RANKINS-ROBERTSON, Sherry y ROEN, Duane, «The Case for Academics as Public Intellectuals», *Academe* 100.1 (enero-febrero 2014). En: <https://www.aaup.org/article/case-academics-public-intellectuals#. YK150JP0nOQ>.

BELL, Fleming L., y LEBLANC, Leona B., «The Language of Glosses in L2 Reading on Computer: Learners' Preferences», *Hispania* 83.2 (2000), 274-285.

BELL, Susan Groag, «Christine de Pizan in Her Study», *Cahiers de recherché médiévales et humanistes, «Études» christiniennes* (June 10, 2008). DOI: 10.4000/crm.3212.

BELLOMO, Manlio, *L'Europa del diritto comune. La memoria e la storia,* Roma, Galileo Galilei, 1988.

BENJAMIN, Walter, *Crítica de la violencia,* ed. Eduardo Maura Zorita, Madrid, Biblioteca Nueva, 2010.

Biblia. Antiguo Testamento. Traducida del hebreo al castellano por Rabbí Mosé Arragel de Guadalfajara (1422-1433) y publicada por el Duque de Berwick y Alba, 2 vols., ed. Antonio Paz y Meliá, Madrid, Imprenta Artística, 1920-1922.

Biblia latina cum Glossa ordinaria: Facsimile Reprint of the Editio Princeps Adolph Rusch of Strassburg 1480/81, 4 vols., ed. Karlfried Froehlich y Margaret T. Gibson, Turnhout, Brepols Publishers, 1992.

Biblia sacra iuxta Vulgatam Clementinam, ed. Alberto Colunga Cueto y Lorenzo Turrado, Madrid, Biblioteca de Autores Cristianos, 1999.

BOCCACCIO, Giovanni, *Genealogia deorum gentilium libri XV,* ed. Vittorio Romano, Bari, Laterza, 1951.

— *Il corbaccio,* ed. Tauno Nurmela, Helsinki, Suomalainen Tiedakatemian Toimituksia; Annales Academiae Fennicae, 1968.

— *Famous Women,* ed. Virginia Brown, Cambridge, Massachusetts, Harvard University Press, The I Tatti Renaissance Library, 2001.

BOURDIEU, Pierre, *Homo academicus,* París, Les Éditions de Minuit, 1984.

— *La Distinction: Critique sociale du jugement,* París, Les Éditions de Minuit, 1979.

— *La Noblesse d'État: Grandes écoles et esprit de corps,* París, Les Éditions de Minuit, 1989.

BOUREAU, Alain, «Peut-on parler d'auteurs scholastiques?», Michel Zimmermann (ed.), *Auctor et Auctoritas: Invention et conformisme dans l'écriture médiévale; Actes du colloque tenu à l'Université de Versailles-Saint-Quentin-en-Yvelines, 14-16 juin 1999,* París, École des Chartes, 2001, 267-279.

— *La Réligion de l'État. La construction de la République «étatique» dans le discours théologique de l'Occident médiéval (1250-1350) [La Raison scolastique I],* París, Les Belles Lettres, 2006.

— *L'empire du livre [La Raison scolastique II],* París, Les Belles Lettres, 2007.

— *Des Vagues individus [La Raison scolastique III],* París, Les Belles Lettres, 2008.

— *L'Errance des normes [La Raison scolastique IV],* París, Les Belles Lettres, 2016.

— *Le Feu des manuscrits. Lecteurs et scribes des textes médiévaux,* París, Les Belles Lettres, 2018.

BOYNTON, Susan y REILLY, Diane J. (eds.), *The Practice of the Bible in the Middle Ages: Production, Reception, and Performance in Western Christianity,* Nueva York, Columbia University Press, 2011.

BRABANT, Siger de, *Siger de Brabant: écrits de logique, de morale, et de physique,* ed. Bernardo Bazán, Lovaina, Universidad de Lovaina Nueva, 1974.

BREAUGH, Martin, *L'expérience plébéienne: une histoire discontinue de la liberté politique,* París, Payot, 2007.

BROWNLEE, Marina Scordilis, *The Severed Word: Ovid's «Heroides» and the Novela Sentimental,* Princeton, Princeton University Press, 1990.

BRUNI, Leonardo, *Opere letterarie e politiche di Leonardo Bruni,* ed. Paolo Viti, Turín, UTET, 1996.

BUTLER, Judith, *Giving an Account of Oneself,* Nueva York, Fordham University Press, 2005.

CABAÑAS GONZÁLEZ, María Dolores, *La caballería popular en Cuenca durante la baja Edad Media,* Madrid, Prensa Española, 1980.

CAHN, Walter, *Romanesque Bible Illumination,* Ithaca, Nueva York, Cornell University Press, 1982.

CAMILLE, Michael, Reseña de *The Craft of Thought: Mediation, Rhetoric, and the Making of Images, 400-1200,* de Mary Carruthers, *Modern Philology* 98.1 (2000), 3-6.

CANALES, Jimena, *Bedeviled. A Shadow History of Demons in Science,* Princeton, Princeton University Press, 2020.

CAPPELLI, Guido, *El humanismo italiano. Un capítulo de la cultura europea entre Petrarca y Valla,* Madrid, Alianza Editorial, 2007.

CARRILLO DE HUETE, Pedro, *Crónica del Halconero de Juan II,* ed. Juan de Mata Carriazo Arroquia, Madrid, Espasa-Calpe, 1946.

CARRUTHERS, Mary, *The Book of Memory: A Study of Memory in Medieval Culture,* Cambridge, Nueva York, Cambridge University Press, 1990.

— *The Craft of Thought: Meditation, Rhetoric, and the Making of Images, 400-1200,* Cambridge, Cambridge University Press, 1998.

CARRUTHERS, Mary y ZIOLKOWSKI, Jan M., *The Medieval Craft of Memory: An Anthology of Texts and Pictures,* Filadelfia, University of Pennsylvania Press, 2002.

CARTAGENA, Alonso de, *Discurso sobre la precedencia del rey Católico,* ed. Mario Penna, *Prosistas españoles del siglo XV, tomo 1,* Biblioteca de Autores Españoles, vol. 116, Madrid, Ediciones Atlas, 1959, 205-233.

— *Título de la amistança. Traducción de Alonso de Cartagena sobre la «Tabulatio et expositio Senecae» de Luca Mannelli,* ed. Georgina Olivetto, San Millán de la Cogolla, Cilengua, 2011.

CARTAGENA, Teresa de, *Arboleda de los enfermos. Admiraçion operum Dei,* ed. Lewis Joseph Hutton, Madrid, Real Academia Española, 1967.

— *Arboleda de los enfermos. Admiraçion operum Dei,* ed. Juan Carlos Conde, Madrid, Cátedra, en prensa.

CASSIN, Barbara (ed.), *Vocabulaire européen des philosophies. Dictionnaire des intraduisibles,* París, Seuil, Le Robert, 2004.

CASTILLA URBANO, Francisco, *El pensamiento de Francisco de Vitoria: Filosofía política e indio americano,* 1.ª ed., Barcelona/Iztapalapa, Anthropos/Universidad Autónoma Metropolitana, Unidad Iztapalapa, 1992.

CASTILLO CÁCERES, Fernando, «¿Guerra o torneo? La Batalla de Olmedo, modelo de enfrentamiento caballeresco», *La España Medieval,* 32 (2009), 139-166.

CASTRO PONCE, Clara Esther, *Teresa de Cartagena. Arboleda de los enfermos. Admiración operum Dey. Edición crítica singular,* tesis doctoral [inédita], Providence, Nueva York, Brown University, 2001.

CÁTEDRA, Pedro M., «Enrique de Villena y algunos humanistas», *Nebrija y la introducción del Renacimiento en España: [actas de la III Academia Literaria Renacentista: Universidad de Salamanca, 9, 10 y 11 de diciembre, 1981],* Salamanca, Universidad de Salamanca, 1983, 187-203.

— *Exégesis, ciencia, literatura. La exposición del salmo «Quoniam videbo» de Enrique de Villena,* Madrid, El Crotalón, 1985 [1986].

— (ed.), *Enrique de Villena. Traducción y glosas de la Eneida,* Salamanca, Biblioteca Española del Siglo XV, 1989.

— (ed.), *Obras completas de Enrique de Villena,* 3 vols., Madrid, Turner, 1994-1999.

— *Liturgia, poesía y teatro en la Edad Media: Estudios sobre prácticas culturales y literarias,* Madrid, Gredos, 2005.

CAVARERO, Adriana, *Tu che mi guardi, tu che mi racconti,* Milán, Feltrinelli, 1997.

CHARTIER, Roger, *Inscrire et effacer: Culture écrite et littérature (XIᵉ-XVIIIᵉ siècles),* París, Gallimard, Seuil, 2005.

— «Jack Cade, the Skin of a Dead Lamb, and Hatred of the Written Word», *Shakespeare Studies* 34 (2006), 77-89.

CHENU, Marie Dominique, *Introduction a l'étude de saint Thomas d'Aquin,* París, Vrin, 1993.

CICERÓN, *On Invention. The Best Kind of Orator. Topics,* ed. H. M. Hubbell, Cambridge, Massachusetts, Harvard University Press, Loeb Classical Library, 1949.

CLARAVAL, Bernardo de, *Liber de gradibus humilitatis et superbiae,* ed. Monjes Cistercienses de España, *Obras completas de san Bernardo,* vol. 1 (8 vols.), Madrid, Biblioteca de Autores Cristianos, 1983, 126-209.

COMPAGNON, Antoine, *La Seconde Main: ou, Le Travail de la citation,* París, Seuil, 1979.

CONDE, Juan Carlos, «La ortodoxia de una heterodoxa: Teresa de Cartagena y la Biblia», *Hispania Sacra* 72.145 (2020), 115-123.

CONTE, Emanuele, *Tres libri Codicis. La ricomparsa del testo e l'esegesi scolastica prima di Accursio,* Fráncfort del Meno, Klostermann, 1990.

— «L'istituzione del testo giuridico tra XII e XIII secolo», *Tavolarotonda. Conversazioni di storia delle istituzioni politiche e giuridiche dell'Europa mediterranea* 1 (2004), 51-88.

Cortes de los antiguos reinos de León y de Castilla, 5 vols., Real Academia de la Historia, Madrid, M. Rivadeneyra; Sucesores de Rivadeneyra, 1861-1866; 1882-1903.

CORTIJO OCAÑA, Antonio, y JIMÉNEZ CALVENTE, Teresa (eds.), «Salió buen latino: Los ideales de la cultura española tardomedieval y protorrenacentista», *La Corónica,* 37.1 (2008), 5-272.

CRADDOCK, Jerry R., «Cronología de las obras legislativas de Alfonso X», *Anuario de historia del derecho español,* 51 (1981), 365-418.

— *The Legislative Works of Alfonso X, El Sabio: A Critical Bibliography,* Londres, Grant & Cutler, 1986.

CRADDOCK, Jerry R. y RODRÍGUEZ VELASCO, Jesús, *Alfonso X, Siete Partidas 2.21, «De los caballeros».* En: <https://escholarship.org/uc/item/1cg57404>.

CULLER, Jonathan D., *The Literary in Theory,* Stanford, Stanford University Press, 2007.

DAGENAIS, John, *The Ethics of Reading in Manuscript Culture: Glossing the «Libro de Buen Amor»,* Princeton, Princeton University Press, 1994.

DAHAN, Gilbert, *L'Occident médiéval, lecteur de l'Écriture,* París, Éditions du Cerf, 2001.

— *Lire la Bible au Moyen «Âge»: Essais d'herméneutique médiévale,* Ginebra, Droz, 2009.

— *Études d'exégèse médiévale: l'Ancien Testament,* Estrasburgo, Presses universitaires de Strasbourg, 2017.

DANIEL, ARNAUT, *Poesías,* ed. Martín de Riquer, Barcelona, Sirmio, 1994.

DAVIS, Kathleen, *Periodization and Sovereignty: How Ideas of Feudalism and Secularization Govern the Politics of Time,* Filadelfia, University of Pennsylvania Press, 2008.

DE CERTEAU, Michel, *L'Invention du quotidien, 1. Arts de faire,* París, Gallimard, 1980.

— *La Fable mystique: XVIᵉ-XVIIᵉ siècle. II,* ed. Luce Giard, París, Gallimard, 2013.

DE HAMEL, Christopher, *Glossed Books of the Bible and the Origins of the Paris Booktrade,* Woodbridge, Brewer, 1984.

DE LUBAC, Henri, *Exégèse médiévale: les quatre sens de l'Écriture,* 4 vols., París, Aubier, 1959-1963.

DEL VALLE, Carlos, «El comentario de Abraham ibn Ezra al *Cantar de los Cantares,* sus análisis filológicos», *Fortvnatae,* 22 (2011), 329-336.

DELEUZE, Gilles, *Nietzsche et la philosophie,* París, Presses universitaires de France, 1962.

DELEUZE, Gilles y GUATTARI, Félix, *Kafka. Pour une littérature mineure,* París, Les Éditions de Minuit, 1975.

— *Qu'est-ce que la philosophie?,* París, Les Éditions de Minuit, 1991.

DERRIDA, Jacques, *De la grammatologie,* París, Les Éditions de Minuit, 1967.

— *Marges de la philosophie,* París, Les Éditions de Minuit, 1972.

— *Mal d'archive: Une Impression freudienne,* París, Galilée, 1995.

DESMOND, Marilynn y SHEINGORN, Pamela, *Myth, Montage, and Visuality in Late Medieval Manuscript Culture: Christine de Pizan's «Epistre Othea»,* Ann Arbor, University of Michigan Press, 2003.

DI CAMILLO, Ottavio, *El humanismo castellano del siglo XV,* Valencia, Fernando Torres, 1976.

Díaz de Games, Gutierre, *El Victorial*, ed. Rafael Beltrán Llavador, Madrid, Taurus, 1994.

Díaz de Montalvo, Alonso, *Copilación de las leyes del reino*, Huete, Álvaro de Castro, 1484.

Díaz de Toledo, Pero, *Libro llamado Fedron. Plato's «Phaedo» translated by Pedro Díaz de Toledo*, ed. Nicholas G. Round, Londres, Tamesis Books, 1993.

Díez Garretas, María Jesús, «Recursos estructurales y argumentos de autoridad, ejemplificación y paremiología en el *Gobernamiento de príncipes* de Gil de Roma», *Revista de poética medieval*, 23 (2009), 151-196.

Díez Garretas, María Jesús, Fradejas-Rueda, José Manuel y Acero-Durántez, Isabel, *Los manuscritos de la versión castellana del «De Regimine Principum» de Gil De Roma*, Tordesillas, Instituto Interuniversitario de Estudios de Iberoamérica y Portugal; Seminario de Filología Medieval; Universidad de Valladolid, 2003.

— «Las versiones A y B de la traducción castellana del *De regimine principum* de Gil de Roma», Mercedes Pampín y Carmen Parrilla García (eds.), *Actas del IX Congreso Internacional de la Asociación Hispánica de literatura medieval: A Coruña, 18-22 de septiembre de 2001*, tomo 1, La Coruña, Toxosoutos Editorial, 2005, 227-233.

Dingledy, Frederick W., «The *Corpus Juris Civilis:* A Guide to its History and Use», *Legal Reference Services Quarterly*, 35:4 (2016), 231-255, DOI: 10.1080/0270319X.2016.1239484.

Dolezalek, Gero Rudolf, «La *pecia* e la preparazione dei libri giuridici nei secoli xii-xiii», en Luciano Gargan y Oronzo Limone (eds.), *Luoghi e metodi di insegnamento nell'Italia medioevale (secoli XII-XIV). Atti del convegno internazionale di studi, Lecce-Otranto 6-8 Ottobre 1986*, Lecce, Congedo editore, 1986, 201-217.

— «Taking Inventory of Juridical Manuscripts. Survey of Tasks Achieved, and Tasks to Do», en Joseph Goering, Stephan Dusil y Andreas Their (eds.), *Proceedings of the Fourteenth International Congress of Medieval Canon Law, Toronto 5-11 August 2012*, Ciudad del Vaticano, Biblioteca Apostolica Vaticana, 2016, 275-287.

Dondaine, Antoine, *Secrétaires de Saint Thomas*, 2 vols., Roma, Editori di S. Tommaso, 1956.

Doñas Beleña, Antonio, «Versiones hispánicas de la *Consolatio Philosophiae* de Boecio: Testimonios», *Revista de Literatura Medieval*, 19 (2007), 295-312.

— «*Bibliographia Boethiana* I», *Memorabilia: Revista de Literatura Sapiencial*, 13 (2011), 285-334.

— «*Bibliographia Boethiana* II», *Memorabilia: Revista de Literatura Sapiencial*, 14 (2012), 161-192.

— «*Bibliographia Boethiana* III», *Memorabilia: Revista de Literatura Sapiencial*, 15 (2013), 255-260.

DRIMMER, Sonja, *The Art of Allusion. Illuminators and the Making of English Literature, 1403-1476,* Filadelfia, University of Pennsylvania Press, 2018.

DUTTON, Brian y KROGSTAD, Jineen, *El Cancionero del Siglo XV,* Salamanca, Biblioteca Española del Siglo XV, 1990-1991.

EDEN, Kathy, «Poetry and Equity: Aristotle's Defense of Fiction», *Traditio* 38 (1982), 17-43.

El Marqués de Santillana. 1398-1458, 4 vols., varios eds., Hondarribia, Nerea, 2001.

FABIAN, Johannes, *Time and the Other,* Nueva York, Columbia University Press, 2014.

FAULHABER, Charles, *Libros y bibliotecas en la España medieval: Una bibliografía de fuentes impresas,* Londres, Grant & Cuttler, 1987.

FERNÁNDEZ FERNÁNDEZ, Laura, «Folios reutilizados y proyectos en curso: imagen histórica e imagen jurídica en el proyecto político alfonsí», en prensa.

FERNÁNDEZ LÓPEZ, José Antonio (ed.), *Mostrador e enseñador de los turbados. Traducción cuatrocentista de Pedro de Toledo,* Zaragoza, Riopedieras Ediciones, 2016.

— «An Intertextual Argument between Two Translators in Pedro de Toledo's Translation of the *Guide of the Perplexed*», *Yod,* 22 (2019), 79-106.

FINGERNAGEL, Andreas y GASTGEBER, Christian, *The Most Beautiful Bibles,* Hong Kong, Los Ángeles, Biblioteca Nacional de Austria, Taschen, 2008.

FISCHER, Bobby, *Bobby Fischer Teaches Chess,* Stamford Connecticut, Learning International, 1966.

FISH, Stanley Eugene, *Is There a Text in This Class? The Authority of Interpretive Communities,* Cambridge, Massachusetts, Harvard University Press, 1980.

FORONDA, François (ed.), *Avant le contrat social: Le Contrat politique dans l'Occident médiéval, XIIIᵉ-XVᵉ siècles: Colloque international de Madrid (2008),* París, Éditions de la Sorbonne, 2019.

FOUCAULT, Michel, *Qu'est-ce que la critique? Suivi de La culture de soi,* ed. Henri-Paul Fruchaud y Daniele Lorenzini, París, Vrin, 2015.

— «Qu'est-ce qu'un auteur?», *Bulletin de la Société Française de Philosophie,* 63.3 (1969), 73-104.

— *Surveiller et punir: naissance de la prison,* París, Gallimard, 1975.

— *Le Courage de la vérité. Le Gouvernement de soi et des autres. Cours au Collège de France, 1984,* París/Seuil, Gallimard/EHESS, 2009.

FRADEJAS RUEDA, José Manuel (ed.), *7 Partidas Digital. Edición crítica digital de las Siete Partidas,* Universidad de Valladolid. En: <http://7partidas.hypotheses.org>, 2019.

FRADEJAS-RUEDA, José Manuel, DÍEZ GARRETAS, María Jesús y ACERO-DURÁNTEZ, Isabel, «La transmisión textual de la versión castellana del *De regimine principum* de Gil de Roma: estado de la cuestión y conclusiones», Alan Deyermond y Jane Whetnall (eds.), *Proceedings of the*

Twelfth Colloquium, Medieval Hispanic Research Seminar, Londres, Queen Mary University, 2003, 31-38.

FRANCE, Marie de, *Lais,* ed. Karl Warnke y Laurance Harf-Lancner, París, Lettres Gothiques, 1990.

GAFFIOT, Félix, *Dictionnaire illustré latin-français,* París, Hachette, 1934.

GALLY, Michèle, *L'Intelligence de l'amour d'Ovide à Dante: Arts d'aimer et poésie au Moyen-Âge,* París, CNRS, 2005.

GALVEZ, Marisa, *The Subject of Crusade: Lyric, Romance, and Materials, 1150 to 1500,* Chicago, The University of Chicago Press, 2020.

GARCÍA-GALLO, Alfonso, «El *Libro de las leyes* de Alfonso el Sabio. Del *Espéculo* a las *Partidas*», *Anuario de historia del derecho español,* 21-22 (1951-1952), 345-528.

— «Nuevas observaciones sobre la obra legislativa de Alfonso X», *Anuario de historia del derecho español,* 46 (1976), 509-570.

GAVILÁN, Enrique, «The Gnostic Imprint on Parsifal, An Illumination of Ruins», trad. Monique Dascha Inciarte, *Romanic Review,* 103.1-2 (2012), 133-153. DOI: 10.1215/26885220-103.1-2.133.

GENTRY, Howard S., MITTLEMAN, Marc y McCROHAN, Peter R., «Introduction of Chia and Gum Tragacanth in the U.S.», Jules Janick y James E. Simon (eds.), *Advances in New Crops,* Portland, Timber Press, 1990, 252-256.

GIBERT Y SÁNCHEZ DE LA VEGA, Rafael, «La Glosa de Gregorio López», Javier Alvarado Planas (ed.), *Historia de la literatura jurídica en la España del Antiguo Régimen,* vol. 1, Madrid, Marcial Pons, 2000, 423-472.

GIL FERNÁNDEZ, Luis, *Panorama social del humanismo español (1500-1800),* Madrid, Alhambra, 1981.

GILLE LEVENSON, Matthias, «L'évolution du *Regimiento de los prínçipes* (1345-1494), conditionnée par le pouvoir politique?», Véronique Lamazou-Duplan (ed.), *«Écritures» du Pouvoir. 2. Les cultures politiques dans la péninsule Ibérique et au Maghreb. VIIIᵉ-XVᵉ siècles,* Burdeos, Ausonius, 2019, 137-148.

GILLI, Patrick, *La Noblesse du Droit. Débats et controverses sur la culture juridique et le rôle des juristes dans l'Italie médiévale (XIIᵉ-XVᵉ siècles),* París, Honoré Champion, 2003.

GILLI, Patrick, VERGER, Jacques y LE BLÉVEC, Daniel, *Les Universités et la ville au Moyen «Âge»: cohabitation et tension,* Leiden, Brill, 2007.

GLEAVE, Robert, *Islam and Literalism: Literal Meaning and Interpretation in Islamic Legal Theory,* Edimburgo, Edinburgh University Press, 2012.

«Glossa ordinaria», The Lollard Society. En <https://lollardsociety.org/?page_id=409>.

Glossa ordinaria in «Canticum canticorum»: pars 22, ed. Mary Dove, Turnhout, Brepols Publishers, 1997.

Glossa ordinaria, ed. Martin Morard, Fabio Gibiino et al., *Glossae Sacrae Scripturae electronicae,* París, CNRS-IRHT, 2016-2017. En <http://gloss-e.irht.cnrs.fr>.

González Jiménez, Manuel, *Alfonso X el Sabio*, Barcelona, Ariel, 2004.

González Rolán, Tomás, Moreno Hernández, Antonio y Saquero Suárez-Somonte, Pilar, *Humanismo y teoría de la traducción en España e Italia en la primera mitad del siglo XV. Edición y estudio de la Controversia Alphonsiana (Alfonso de Cartagena vs. L. Bruni y P. Candido Decembrio)*, Madrid, Ediciones Clásicas, 2000.

González-Vázquez, Sara, «Représentation et théorisation de la noblesse dans les traités castillans du XVe siècle: une édition du *Nobiliario Vero* de Ferrán Mexía», tesis doctoral, Lyon, École Normale Supérieure de Lyon, 6 de diciembre de 2013.

Graeber, David y Sahlins, Marshall, *On Kings,* Chicago, The University of Chicago Press, Hau Books, 2017.

Grafton, Anthony, *The Footnote. A Curious History,* Cambridge Massachusetts, Harvard University Press, 1999.

Greek Word Study Tool, ed. Gregory R. Crane, *Perseus Digital Library.* En: <http://www.perseus.tufts.edu/>.

Greenblatt, Stephen, *Renaissance Self-Fashioning: From More to Shakespeare,* Chicago, The University of Chicago Press, 1980.

Guilarte, Alfonso, «Capítulos de concierto para la primera edición de las *Partidas,* con la glosa de Gregorio López», *Anuario de historia del derecho español,* 16 (1945), 670-675.

Gumbrecht, Hans Ulrich, *The Powers of Philology: Dynamics of Textual Scholarship,* Urbana, University of Illinois Press, 2003.

— *Production of Presence: What Meaning Cannot Convey,* Stanford, Stanford University Press, 2004.

Gupta, Alisa Haridasani, «She Explains Mansplaining with Help from 17th Century Art», *The New York Times* (10 agosto 2020). En: <https://www.nytimes.com/2020/08/10/books/nicole-tersigni-mento-avoid-in-art-and-life.html>.

Gutt, Blake, «Transgender mutation and the canon: Christine de Pizan's *Livre de la Mutacion de Fortune*», *Postmedieval,* 11, (2020), 451-458. DOI: 10.1057/s41280-020-00197-2.

Harkins, Franklin T. y Liere, Frans A. van, *Interpretation of Scripture: Theory. A Selection of Works Hugh, Andrew, Richard and Godfrey of St Victor, and of Robert of Melun,* Turnhout, Brepols Publishers, 2012.

Harrison, Chris, «Bible Cross-References», *Chris Harrison.* En: <https://www.chrisharrison.net/index.php/Visualizations/BibleViz>.

Hauptmann, Robert, *Documentation. A History and Critique of Attribution, Commentary, Glosses, Marginalia, Notes, Bibliographies, Works-Cited, Lists, and Citations Indexing and Analysis,* Jefferson, Carolina del Norte, McFarland, 2008.

Hay, David J., *The Military Leadership of Matilda of Canossa, 1046-1115,* Mánchester, Manchester University Press, 2008.

Heller, Marvin, Reseña de *The Book of Hebrew Script* (2002), de Ada Yardeni, *The Papers of the Bibliographical Society of America,* 98.2 (2004), 246-248.

Hernández, Francisco J., *Los hombres del rey,* Salamanca, Universidad de Salamanca, en prensa.

Herrero Prado, José Luis, «El *Enchiridión* de Pedro Díaz de Toledo», *Epos* 9 (1993), 571-577.

— «Pero Díaz de Toledo, Señor de Olmedilla», *Revista de Literatura Medieval,* 10 (1998), 101-115.

Hinojo Andrés, Gregorio. «ΟΙ ΒΑΣΙΛΕΙΣ ΤΗ ΕΓΚΗΚΛΟΠΑΙΔΕΙΑ, ΑΥΤΗ ΤΟΙΣ ΒΑΣΙΛΕΥΣΙ», en Gregorio Hinojo Andrés y José Carlos Fernández Corte (eds.), *Mvnvs Quaesitvm Meritis. Homenaje a Carmen Codoñer,* Salamanca, Universidad de Salamanca, 2007, 463-472.

Holtz, Louis, «Glosse e commenti», en Guglielmo Cavallo, Claudio Leonardi y Enrico Menestò (eds.), *Lo spazio letterario del Medioevo. 1: Il Medioevo Latino,* Roma, Salerno, 1995, 59-105.

Illich, Ivan, *In the Vineyard of the Text: A Commentary to Hugh's «Didascalicon»,* Chicago, The University of Chicago Press, 1993.

Ingham, Patricia C., *The Medieval New: Ambivalence in an Age of Innovation,* Filadelfia, University of Pennsylvania Press, 2015.

Inocencio IV, *[Super libros quinque Decretalium] Commentaria innocentii quarti pont. Maximi super libros quinque decretalium. Cum indice peculiari nunc recens collecto, novisque insuper summariis additis, et Margarita baldi de ubaldis perusini. Margarita,* Fráncfort del Meno, Sigismundus Feiereabend, 1570.

Jara Fuente, José Antonio, *Concejo, poder y elites: La clase dominante de Cuenca en el siglo xv,* Madrid, CSIC, 2000.

Jed, Stephanie, *Chaste Thinking. The Rape of Lucrecia and the Birth of Humanism,* Bloomington, Indiana University Press, 1989.

Justiniano, *Corpus Iuris Civilis Ivstinianei, cvm commentariis Accvrsii, scholiis Contii, et D. Gothofredi lvcvblationibus ad Accvrsium, in quibus Glossae obscuuriores explicantur, similes & contrariae afferuntur, vitiosa notantur,* 6 vols., Lyon, Andrea et Jacobus Prost, Barlet, 1627. En: <http://digi.ub.uni-heidelberg.de/diglit/justinian1627ga>.

Kabatek, Johannes, *Die Bolognesische Renaissance und der Ausbau romanischer Sprachen: Juristische Diskurstraditionen und Sprachentwicklung in Südfrankreich und Spanien im 12. und 13. Jahrhundert,* Tubinga, M. Niemeyer, 2005.

Kantorowicz, Hermann, Warwick Buchland, William y British Museum (Department of Manuscripts), *Studies in the Glossators of the Roman Law. Newly Discovered Writings of the Twelfth Century,* Cambridge, Cambridge University Press, 1938.

Kasoy, Anna, «Arabic and Islamic Reception of the *Nicomachean Ethics*», Jon Miller (ed.), *The Reception of Aristotelian Ethics,* Cambridge (Reino Unido), Cambridge University Press, 2013, 85-106.

Ko, Myong Hee, «Glosses, comprehension, and strategy use», *Reading in a Foreign Language,* 17.2 (2005), 125-143.

Koselleck, Reinhart, *Vergangene Zukunft. Zur Semantik geschichtlicher Zeiten,* Fráncfort del Meno, Suhrkamp, 1979.

KÖNIG-PRALONG, Catherine, *Le bon usage des savoirs. Scolastique, philoso-phie et politique Culturelle,* París, Vrin, 2011.

KÖNIG-PRALONG, Catherine e IMBACH, Ruedi, *Le Défi laïque. Existe-t-il une philosophie de laïcs au Moyen Âge?,* París, Vrin, 2013.

La Biblia, que es, los sacros libros del Viejo y Nuevo Testamento. Trasladada en español. La palabra del Dios nuestro permanece para siempre, Casiodoro de Reina, trad. Basilea, Matthias Apiarius, 1569.

LACARRA, Eukene, «Los discursos científico y amoroso en la *Sátira de Felice e Infelice vida* del Condestable D. Pedro de Portugal», Edward H. Friedman y Harlam Sturm (eds.), *«Never-ending Adventure»: Studies in Medieval and Early Modern Spanish Literature in Honor of Peter N. Dunn,* Newark, Delaware, Juan de la Cuesta, 2002, 109-128.

LATOUR, Bruno, «Ces réseaux que la raison ignore: laboratoires, bibliothè-ques, collections», Christian Jacob y Marc Baratin (eds.), *Le Pouvoir des bibliothèques. La Mémoire des livres dans la culture occidental,* París, Al-bin Michel, 1996, 23-46.

LAWRANCE, Jeremy N. H., «On Fifteenth-Century Spanish Vernacular Humanism», Ian Michael y Richard A. Cardwell (eds.), *Medieval and Renaissance Studies in Honour of Robert Brian Tate,* Oxford, Dolphin, 1986, 63-86.

— «Humanism in the Iberian Peninsula», Anthony Goodman y Aengus McKay (eds.), *The Impact of Humanism on Western Europe,* Londres, Longman, 1990, 220-258.

Leges Burgundionum, ed. Friedrich Bluhme, *Monumenta Germaniae Histo-riae,* tomo 3, Hannover, Aulicus Hahnianus [Hahnsche Buchhand-lung Verlag], 1863.

LEIRIS, Michel, *Biffures. La Regle du jeu, I,* París, Gallimard, 1948.

LEWIS, Charlton T. y SHORT, Charles, *A Latin Dictionary: Founded on An-drews' Edition of Freund's Latin Dictionary,* Oxford, The Clarendon Press, 1879. En: <http://perseus.tufts.edu>.

LIBERA, Alain de, *Penser au Moyen Âge,* París, Seuil, 1991.

— *L'Archéologie philosophique. Séminaire du College de France 2013-2014,* París, Vrin, 2016.

LIPKING, Lawrence, «The Marginal Gloss», *Critical Inquiry* 3.4 (1977), 609-655.

LÓPEZ NEVOT, José Antonio, «Las ediciones de las *Partidas* en el siglo XVI», *e-Spania. Revue interdisciplinaria d'études hispaniques medievales et mo-dernes,* 36 (2020), 1-31. DOI: 10.4000/e-spania.35041.

LÖWY, Albert, *Miscellany of Hebrew Literature,* Londres, N. Trübner, 1872.

LUCENA, Juan de, *Repeticion de amores y arte de ajedrez,* Salamanca, Leonar-do Hutz y Lope Sanz, 1496.

— *De vita felici,* ed. Olga Perotti, Pavía, Ibis, 2004.

— *Diálogo sobre la vida feliz. Epístola exhortatoria a las letras,* ed. Jerónimo de Miguel, Madrid, Real Academia Española, Centro para la Edición de los Clásicos Españoles, 2014.

251

Luna, Álvaro de, *Crónica de don Álvaro de Luna,* ed. Juan de Mata Carriazo Arroquia, Madrid, Espasa-Calpe, 1940.

— *Virtuosas y claras mujeres,* ed. Lola Pons, Burgos, Instituto Castellano y Leonés de la Lengua, 2008.

— *Libro de las virtuosas y claras mujeres,* ed. Julio Vélez, Madrid, Cátedra, 2009.

Madero, Marta, «Façons de croire: Les Témoins et le juge dans l'œuvre juridique d'Alphonse X le sage, roi de Castille», *Annales: Histoire, Sciences Sociales,* 54.1 (1999), 197-218.

Madrigal, Alonso de, «El Tostado», Nuria Belloso Martín (ed.), *Brevyloquio de amor e amiçiçia,* Pamplona, Universidad de Navarra, 2000.

Maire Vigueur, Jean-Claude, *Cavaliers et citoyens. Guerre, conflits et société dans l'Italie communale. XII-XIII siècles,* París, EHESS, 2003.

Mannetter, Terrence A. y Biblioteca Nacional, *Text and Concordance of the «Leyes del estilo». Ms. 5764, Biblioteca Nacional, Madrid,* ed. en microforma, Madison, Hispanic Seminary of Medieval Studies, 1989.

Mannetter, Terrence A. y Real Biblioteca del Escorial, *Text and Concordance of the «Leyes del estilo», Escorial Ms. Z.III.11,* ed. en microforma, Madison, Hispanic Seminary of Medieval Studies, 1990.

Manrique, Gómez, *Cancionero,* ed. Francisco Vidal González, Madrid, Cátedra, 2003.

Marichal, Juan, *La voluntad de estilo. Teoría e historia del ensayismo hispánico,* Madrid, Alianza Universidad, 1984.

Marino, Nancy, «La Relación entre historia y poesía: el caso de *La Esclamación e querella de la gouernación* de Gómez Manrique», Lillian von der Walde Moheno (ed.), *Propuestas teórico-metodológicas para el estudio de la literatura hispánica medieval,* México, D.F., Universidad Autónoma de México, 2003, 211-225.

Marmursztejn, Elsa, *L'Autorité des maîtres. Scolastique, normes et société au XIIIe siècle,* París, Les Belles Lettres, 2007.

Martin, Georges, «Alphonse X maudit son fils», *Atalaya. Revue fraçaise d'études médiévales romanes,* 5 (1994), 153-178.

— «Alphonse X ou la science politique: *Septénaire,* 1-11», *Cahiers d'Études Hispaniques Médiévales,* 20 (1995), 7-34.

Martínez, H. Salvador, *Alfonso X, el Sabio: Una biografía,* Madrid, Ediciones Polifemo, 2003.

Marx, Karl, «Revolutionary Spain. Fourth Article», *New York Daily Tribune,* 27 de octubre de 1854, 6.

— «Revolutionary Spain. IV», Karl Marx y Friedrich Engels, *Revolution in Spain,* Nueva York, International Publishers, 1939, 42-50.

Mbembe, Achille, *Critique of Black Reason,* Durham, Duke University Press, 2017.

McKenzie, Donald F., *Bibliography and the Sociology of Texts,* Londres, British Library, 1986.

Mena, Juan de, *Las Trescientas,* Sevilla, Meinardo Ungut y Stanislao Polono, 1496.

— *Coronación del Marqués de Santillana,* Sevilla, Ladislao Polono, 1499.
— *Coronación del Marqués de Santillana,* Sevilla, Meinardo Ungut y Stanislao Polono, 1499.
— *Las Trescientas,* Sevilla, Tres compañeros alemanes (Pegnitzer, Thomas y Magno), 1499.
— *Las Trescientas,* Granada, Juan Varela de Salamanca, 1505.
— *Las Trescientas,* Zaragoza, Jorge Coci, 1509.
— *Coronación del Marqués de Santillana,* Sevilla, Cromberger, 1512.
MENA, Juan de y SÁNCHEZ DE LAS BROZAS, Francisco, *Obras de Juan de Mena,* Salamanca, Lucas de Junta, 1582.
— *La coronación,* ed. Maximiliaan P.A.M. Kerkhof, Madrid, CSIC, 2009.
MENÉNDEZ PELAYO, Marcelino, *Antología de poetas líricos,* vol. 2, Madrid, Bailly-Baillière, 1944.
MESCHONNIC, Henri, *Poétique du traduire,* Lagrasse, Éditions Verdier, 1999.
MIGNOLO, Walter, *The Darker Side of Western Modernity: Global Futures, Decolonial Options,* Durham, Duke University Press, 2011.
MIGUEL-PRENDES, Sol, *El espejo y el piélago: La «Eneida» castellana de Enrique de Villena,* Kassel, Reichenberger, 1998.
MOMBELLO, Gianni, *La tradizione manoscritta dell'«Epistre Othea» di Christine de Pizan: prolegomeni all'edizione del testo: Memoria,* Turín, Accademia delle Scienze, 1967.
MONTANER, Alberto, «De los márgenes al centro: edición y compaginación de las glosas», *Regards croisés sur la glose au Moyen Âge. Colloque international,* Lyon, École Normale Supérieure-LSH, 2006.
MOORE, Robert I., *La formación de una sociedad represora (900-1250),* Barcelona, Crítica, 1985.
MORALES, Cristina, *Lectura fácil,* Barcelona, Anagrama, 2018.
MORRÁS RUIZ-FALCÓ, María, «Coluccio Salutati en España: la versión romance de las *Declamationes Lucretiae*», *La corónica* 39.1 (2010), 209-248.
MURANO, Giovanna, *Copisti a Bologna (1265-1270),* Turnhout, Brepols Publishers, 2006.
NABOKOV, Vladimir, *Pale Fire. A Novel,* Nueva York, Putnam, 1962.
NELSON, Jinti y KEMPF, Damien, *Reading the Bible in the Middle Ages,* Nueva York, Bloomsbury, 2015.
NIETO SORIA, José Manuel, *Sancho IV: 1284-1295,* Palencia, La Olmeda, Diputación Provincial de Palencia, 1994.
NIRENBERG, David, *Communities of Violence: Persecution of Minorities in the Middle Ages,* Princeton, Princeton University Press, 1996.
— *Neighboring Faiths: Christianity, Islam, and Judaism in the Middle Ages and Today,* Chicago, The University of Chicago Press, 2014.
O'BRIEN, Flann, «Buchhandlung», *The Best of Myles. A Selection from Cruiskeen Lawn,* Nueva York, Walker, 1968, 17-ss.
OLIVETTO, Georgina, «Política y sermón en el Concilio de Basilea», Christopher Strosetzki (ed.), *Aspectos actuales del hispanismo mundial. Literatura, cultura, lengua,* vol. 2, Berlín, De Gruyter, 2019, 222-231.

Oluo, Ijeoma, *So You Want to Talk About Race*, Nueva York, Seal Press, 2018.

Opitz, Michael y Wizisla, Erdmut, *Benjamins Begriffe*, 2 vols., Fráncfort del Meno, Suhrkamp, 2000.

Orellana, Raúl, «"Contra los de dentro tortizeros e sobervios": Los otros "defensores", jurisdicción y poder en el proyecto político alfonsí», *e-Spania* 1 (2006a).

— «Hacia una edición crítica de la *Tercera Partida* de Alfonso X el Sabio: Testimonios y fuentes», Dolores Fernández López, Mónica Domínguez Pérez, Fernando Rodríguez-Gallego López (eds.), *Campus Stellae. Haciendo camino en la investigación literaria. Studia in honorem Alan Deyermond*, vol. 1, Santiago de Compostela, Universidad de Santiago de Compostela, 2006b, 184-192.

Ots y Capdequí, José María, *Historia del derecho español en América y del derecho indiano*, Madrid, Aguilar, 1969.

Palencia, Alfonso de, *Universal Vocabulario*, Real Academia Española. Banco de datos (CORDE) [en línea], *Corpus diacrónico del español*. En: <http://www.rae.es>.

Panizo Orallo, Santiago, *Persona jurídica y ficción: estudio de la obra de Sinibaldo de' Fieschi*, Pamplona, Universidad de Navarra, 1975.

Passegieri, Rolandino, *Summa totius artis notariae Rolandini Rodulphini Bononiensis*, Bolonia, Consiglio Nazionale del Notariato, A. Forni, 1977 [reimpresión anastática de Venecia, Giunta, 1546].

Pedro de Portugal, *Coplas del contempto del mundo*, Zaragoza, Pablo Hurus, 1490.

— *Sátira de infelice e felice vida*, Guillermo Serés, ed. Alcalá de Henares, Centro de Estudios Cervantinos, 2008.

Pérez Bustamante, Rogelio y Calderón Ortega, *José Manuel, Íñigo López de Mendoza, Marqués de Santillana (1398-1458). Biografía y documentación*, Madrid/Taurus, Santillana del Mar/Fundación Santillana, 1983.

Pérez de la Canal, Miguel Ángel, «La pragmática de Juan II de 8 de febrero de 1427», *Anuario de Historia del Derecho Español*, 87 (1956), 659-668.

Pérez Martín, Antonio, «El aparato de Glosas a las *Siete Partidas* de Gregorio López de Valenzuela», *Glossae*, 13 (2016), 486-534.

Pérez-Prendes y Muñoz de Arracó, Jose Manuel, *Curso de historia del derecho español*, Madrid, Universidad Complutense de Madrid, Facultad de Derecho, 1983.

Pizan, Christine de *et al.*, *Epistre Othea*, ed. Gabriella Parussa, Ginebra, Droz, 1999.

— *Debate of the «Romance of the Rose»*, ed. David F. Hult, Chicago, The University of Chicago Press, 2010.

Poe, Edgar Allen, «Marginalia», *The Democratic Review*, 15.77 (noviembre de 1844).

— *Fragments des «Marginalia» traduits et commentés par Paul Valéry*, trad. Paul Valéry, Montpellier, Fata Morgana, 1980.

Powitz, Gerhardt, «Textus Cum Commento», *Codices Manuscripti*, 3 (1979), 30-89.

Preciado, Paul B., *Manifiesto contrasexual*, Barcelona, Opera Prima, 2002.

— «Déclarer la grève des utérus», *Libération*, 17 de enero de 2014. En: <www.liberation.fr>.

Prosistas españoles del siglo XV, tomo 1, ed. Mario Penna, Biblioteca de Autores Españoles, vol. 116, Madrid, Atlas, 1959.

Pulgar, Hernando del, *Crónica de los Reyes Católicos*, ed. Juan de Mata Carriazo Arroquia, Madrid, Espasa-Calpe, 1943.

Quaglioni, Diego, *La giustizia nel medioevo e nella prima età moderna*, Bolonia, Il Mulino, 2004.

Quintiliano. *[Instituto Oratoria] The Instituto oratoria of Quintilian, with an English translation*, trad. H. E. Butler, Cambridge Massachusetts/ Londres, Harvard University Press/William Heinemann, 1920 (también en: <perseus.tufts.edu>).

Rabasa, José, *Writing Violence on the Northern Frontier: The Historiography of Sixteenth-century New Mexico and the Legacy of Conquest*, Durham, Duke University Press, 2000.

Rashdall, Hastings, *The Universities of Europe in the Middle Ages*, 2 vols. en 3 partes, Cambridge, Cambridge University Press, 2010 [1.ª ed., Oxford, Clarendon Press, 1895]. DOI: 10.1017/CBO9780511722301.

Real Academia Española, Banco de datos (CORDE) [en línea], *Corpus diacrónico del español*. En: <http://www.rae.es>.

Real Academia Española, *Diccionario de autoridades*. Edición digital: En: <https://apps2.rae.es/DA.html> (1.ª ed., Madrid, 1726-1739).

Real Decreto-ley 1/2015, de 27 de febrero, de mecanismo de segunda oportunidad, reducción de carga financiera y otras medidas de orden social. Jefatura del Estado, Ref: BOE-A-2015-2109. *Boletín Oficial del Estado* 51 (febrero 28, 2015): 19058-19101. En: <http://www.boe.es/boe/dias/2015/02/28/pdfs/BOE-A-2015-2109.pdf>.

Recio Ferreras, Eloy, *Gómez Manrique, hombre de armas y de letras (siglo XV)*, Hato Rey, Publicaciones Puertorriqueñas, 2005.

Reinhardt, Klaus y Santiago-Otero, Horacio, *Biblioteca bíblica ibérica medieval*, Madrid, CSIC, 1986.

Riché, Pierre y Lobrichon, Guy, *Le Moyen Âge et la Bible*, París, Beauchesne, 1984.

Rodríguez del Padrón, Juan, «Triumpho de las donas», Juan Rodríguez del Padrón, *Obras completas*, ed. César Hernández Alonso, Madrid, Editora Nacional, 1982.

Rodríguez-Velasco, Jesús, *El debate sobre la caballería en el siglo XV: La tratadística caballeresca castellana en su marco europeo*, Valladolid, Junta de Castilla y León, Consejería de Educación y Cultura, 1996a.

— «El *Tractatus de insigniis et armis* de Bartolo y su influencia en Europa (con la edición de una traducción castellana cuatrocentista)», *Emblemata* 2 (1996b), 35-70.
— «La "Bibliotheca" y los márgenes. Ensayo teórico sobre la glosa en el ámbito cortesano del siglo XV en Castilla. I: Códice, dialéctica y autoridad», *eHumanista: Journal of Iberian Studies*, 1 (2001a), 119-134.
— «Santillana en su laberinto de lecturas», *Insula*, 666 (2001b), 3-9.
— «Theorizing the Language of Law», *Diacritics*, 36.3/4 (2006), 64-86.
— «Autoglosa: Diego de Valera y su *Tratado en defensa de virtuosas mujeres*», *Romance Philology* 60.1 (2007), 10-33.
— *Ciudadanía, soberanía monárquica y caballería: Poética del orden de caballería*, Madrid, Akal, 2008.
— «La producción del margen», *La Corónica*, 39.1 (2010a), 249-272.
— *Order and Chivalry: Knighthood and Citizenship in Late Medieval Castile*, trad. Eunice Rodríguez Ferguson, University of Pennsylvania Press, Filadelfia, 2010b.
— *Plebeyos márgenes: Ficción, industria del derecho y ciencia literaria, siglos XIII-XIV*, Salamanca, SEMYR, 2011.
— «Political Idiots and Ignorant Clients: Vernacular Legal Language in Thirteenth-Century Iberian Culture», *Digital Philology*, 2.1 (2013), 86-112.
— «Diego de Valera, artista microliterario», Cristina Moya García (ed.), *Mosén Diego de Valera: Entre las armas y las letras,* Woodbridge, Tamesis Books, 2014, 81-102.
— «Microbiographies», *New Literary History,* 50.3 (2019), 473-481.
ROMA, Gil de y CASTROJERIZ, Juan García de, *Regimiento de Príncipes,* Sevilla, Meinardo Ungut y Stanislao Polono, 1494.
RORTY, Richard, «The Contingency of Language», *Contingency, Irony, and Solidarity,* Cambridge, Cambridge University Press, 1989, 3-22.
ROUND, Nicholas G., «Gómez Manrique's *Exclamación e querella de la governación:* Poem and Commentary», Andrew M. Beresford, Louise M. Haywood y Julian Weiss (eds.), *Medieval Hispanic Studies in Memory of Alan Deyermond,* Woodbridge, Tamesis Books, 2013, 149-174.
RUSSO, Sara, «Aproximación a la tradición textual de Gómez Manrique. S. XV-XVI», Trabajo de Máster Universitario en Literatura Española, Madrid, Universidad Complutense, 2012. En: <https://eprints.ucm.es/17359/1/SaraRusso_TFM_MULE_2012.pdf>.
RUZZIER, Chiara y HERMAND, Xavier (eds.), *Comment le Livre s'est fait livre: La fabrication des manuscrits bibliques (IVᵉ-XVᵉ siècle). Bilan, résultats, perspectives de recherche. Actes du colloque international organisé* à *l'Université* de Namur du 23 au 25 *mai 2012,* Turnhout, Brepols Publishers, 2015.
SAENGER, Paul K., *Space between Words: The Origins of Silent Reading,* Stanford, Stanford University Press, 1997.
— «Lire aux derniers siècles du Moyen Âge», Guiglielmo Cavallo y Rorger Chartier (eds.), *Histoire de la lecture dans le monde occidental,* París, Seuil, 2001.

SALOMON, David A., *An Introduction to the «Glossa Ordinaria» as Medieval Hypertext*, Cardiff, University of Wales Press, 2012.

SAN CRISTÓBAL, Alfonso de y VEGECIO RENATO, Flavio, *La versión castellana medieval de la «Epitoma rei militaris» de Flavio Vegecio Renato*, ed. José Manuel Fradejas Rueda, San Millán de la Cogolla, Cilengua, 2014.

SAN VÍCTOR, Hugo de, *Hugonis de Sancto Victore. Didascalicon. De Studio Legendi*, ed. Henry Buttimer, Washington, D.C., Catholic University Press, 1939.

— *De tribus maximis circumstantiis gestorum*, ed. William M. Green, «Hugh of Saint-Victor: *De tribus maximis circumstantiis gestorum*», *Speculum*, 18.4 (1943), 484-493.

— *Didascalicon of Hugh of St. Victor. A Medieval Guide to the Arts*, ed. Jerome Taylor, Nueva York, Columbia University Press, 1961.

SÁNCHEZ-PRIETO BORJA, Pedro (ed.), *Carta de juramento de 1436 [Documentos del Archivo municipal de Guadalajara (a1200-a 1492)*, Madrid, Universidad de Alcalá, 1999], Real Academia Española, Banco de datos (CORDE) [en línea], *Corpus diacrónico del español*. En: <http://www.rae.es> [25 de enero 2014].

SANTAELLA, Rodrigo de, *Vocabulario Eclesiástico*, Real Academia Española, Banco de datos (CORDE) [en línea], *Corpus diacrónico del español*. En: <http://www.rae.es>.

SASSOFERRATO, Bartolo de *[De dignitatibus]*, «Ad xij libr. Cod. De dignatibus», *Commentaria in tres libros Codicis*, Lyon, Compagnie des Libraires de Lyon, 1555, 45v-48v.

— *De insula*, trad. Prometeo Cerezo de Diego, Madrid, Centro de Estudios Constitucionales, 1979.

— *De insigniis et armis*, ed. Osvaldo Cavallar, Susanne Degenring y Julius Kirschner, *A Grammar of Signs. Bartolo da Sassoferrato's «Tract on Insignia and Coats of Arms»*, Berkeley, University of California Press, 1994.

— «Sobre las enseñas y cotas de armas», Jesús Rodríguez Velasco (ed.), «El *Tractatus de insigniis et armis* de Bartolo y su influencia en Europa (con la edición de una traducción castellana cuatrocentista)», *Emblemata*, 2 (1996), 52-70.

SCHMITT, Jean-Claude, *La Conversion d'Hermann le juif: Autobiographie, histoire et fiction*, París, Seuil, 2003.

SCHNERB, Bertrand, *L'État Bourguignon. 1363-1427*, París, Perrin, 1999.

SCOTT, James Brown, *The Spanish Origin of International Law; Lectures on Francisco de Vitoria (1480-1546) and Francisco Suárez (1548-1617)*, Washington, D.C., The School of Foreign Service, 1928.

SHKLOVSKY, Victor, «El arte como artificio», Tzvetan Todorov (ed. y trad. francés), Ana María Nethol (trad. esp.), *Teoría de la literatura de los formalistas rusos*, México, Siglo XXI Editores, 1980, 127-146.

SIMONDS, Roger T., *Philosophy and Legal Traditions: Reflections on the Jurisprudence of the Glossators. An Inaugural Lecture Delivered before the*

American University on April 10, 1973. [The American University, Washington, D. C.].

SMALLEY, Beryl, *The Study of the Bible in the Middle Ages,* Oxford, Blackwell, 1952.

SMITH, Ali, *How to Be Both. A Novel,* Nueva York, Pantheon Books, 2014.

SMITH, Lesley, *The «Glossa Ordinaria»: The Making of a Medieval Bible Commentary,* Leiden, Brill, 2009.

SOETERMEER, Frank, *Utrumque ius in peciis. Aspetti della produzione libraria a Bologna fra Due e Trecento,* Milán, Giuffrè Editore, 1997.

SPEARING, A. C., *Medieval Autographies: The «I» of the Text,* Notre Dame, Indiana, University of Notre Dame Press, 2012. DOI: 10.2307/j.ctvpg859b.

SPIJKER, Ineke van 't (ed.), *The Multiple Meaning of Scripture: The Role of Exegesis in Early-Christian and Medieval Culture,* Leiden, Boston, Brill, 2009.

STEEL, Karl, *How Not to Make a Human: Pets, Feral Children, Worms, Sky Burial, Oysters,* Mineápolis, University of Minnesota Press, 2019.

STEINOVÁ, Evina, *Notam Superponere Studui: The Use of Technical Signs in the Early Middle Ages,* Turnhout, Brepols Publishers, 2019.

STERN, Josef, «The Maimonidean Parable, the Arabic *Poetics,* and the Garden of Eden», *Midwest Studies in Philosophy* 33 (2009), 209-247.

STEWART, Roger A. y CROSS, Tracy L., «A Field Test of Five Forms of Marginal Gloss Study Guide: An Ecological Study», *Reading Psychology,* 14.2 (1993), 113-39.

STOCK, Brian, *The Implications of Literacy: Written Language and Models of Interpretation in the Eleventh and Twelfth Centuries,* Princeton, Princeton University Press, 1983.

— *Listening for the Text: On the Uses of the Past,* Baltimore, Johns Hopkins University Press, 1990.

TALMY, Leonard, *Toward a Cognitive Semantics. 1: Concept Structuring Systems,* Cambridge, Massachusetts, MIT Press, 2000.

TARRADACH, Madeleine y FERRER, Joan, «El comentario de Rashi al *Cantar de los Cantares:* edición y traducción del ms. 50h de la Bibliothèque de l'Alliance Israélite Universelle de París», *MEAH-Sección Hebreo,* 53 (2004), 407-439.

TATE, Robert Brian, Reseña de *El humanismo castellano,* de Ottavio Di Camillo, *Modern Language Review* 73.2 (1978), 444-447.

TEISSIER-ENSMINGER, Anne, «La loi au figuré: Trois illustrateurs du Code pénal français», *Sociétés & Représentations,* 2.18 (2004), 277-291.

TERSIGI, Nicole, *Men to Avoid in Art and Life,* San Francisco, Chronicle Books, 2020.

The «Glossa Ordinaria» on the Song of Songs, trad. Mary Dove, Kalamazoo, TEAMS, Western Michigan University, 2004.

THOMAS, Yan, «Les ornements, la cité, le patrimoine», Clara Auvray-Assayas (ed.), *Images romaines: Actes de la table ronde organisée à l'École nor-*

male supérieure, (24-26 octobre 1996), París, Presses de l'École normale supérieure, 1998, 44-75.

— «Corpus aut ossa aut cineres. La chose religieuse et le commerce», *Micrologus, 7 (Il cadavere/the Corpse)* (1999), 73-112.

— «L'Extrême de l'ordinaire. Remarques sur le cas médiéval de la communauté disparue», Yan Thomas, *Les Opérations du droit,* ed. Marie-Angèle Hermitte y Paolo Napoli, París/Gallimard, EHESS/Seuil, 2011a, 207-237.

— *Les opérations du droit,* ed. Marie-Angèle Hermitte y Paolo Napoli, París/Gallimard, EHESS/Seuil, 2011b.

TOMÁS DE AQUINO, *Corpus Thomisticum,* ed. Enrique Alarcón, Pamplona, Universidad de Pamplona, Fundación Tomás de Aquino, 2000-2019a. En: <https://www.corpusthomisticum.org>.

— *Opera fratris Thome de Aquino quorum exempla sunt Parisius,* ed. Martin Grabmann y Enrique Alarcón, *Corpus Thomisticum,* Pamplona, Universidad de Pamplona, Fundación Tomás de Aquino, 2000-2019b. En: <http://www.corpusthomisticum.org/lpraga1.html>.

TRIBUNAL CONSTITUCIONAL, «Sentencia del Tribunal Supremo de 27 de marzo de 1860», *Colección legislativa,* 71 (1860).

TURA, Adolfo, «Essai sur les *marginalia* en tant que pratique et documents», Danielle Jacquart y Charles Burnett (eds.), *Scientia in margine: études sur les «Marginalia» dans les manuscrits scientifiques du Moyen Âge à la Renaissance»,* Droz, Ginebra, 2005, 261-387.

VALDÉS, Juan de, *Diálogo de la lengua,* ed. Cristina Barbolani, Madrid, Cátedra, 1990.

VALERA, Diego de, *Tratado de las epístolas,* ed. Mario Penna, *Prosistas castellanos del siglo XV,* Biblioteca de Autores Españoles, vol. 116, Madrid, Atlas, 1959, 3-51.

— *Crónica Valeriana,* ed. Cristina Moya, *Edición y estudio de la «Valeriana» («Crónica abreviada de España» de Mosén Diego de Valera),* Madrid, Fundación Universitaria Española, 2009a.

— *Defensa de virtuosas mujeres,* ed. Federica Accorsi, Pisa, ETS, 2009b.

— *Espejo de verdadera nobleza,* ed. Federica Accorsi, «Estudio del *Espejo de verdadera nobleza* de Diego de Valera. Con edición crítica de la obra», tesis doctoral, Pisa, Universidad de Pisa, diciembre de 2011.

VAN LIERE, Frans A., *An Introduction to the Medieval Bible,* Nueva York, Cambridge University Press, 2014.

VAN LIERE, Frans A. y HARKINS, Franklin T. (eds. y trads.), *Interpretation of Scripture: Practice. A Selection of Works of Hugh, Andrew and Richard of St Victor, Peter Comestor, Robert of Melun, Maurice of Sully and Leonius of Paris,* Turnhout, Brepols Publishers, 2015.

VANDERJAGT, Arjo, *Qui sa vertu annoblist: the Concepts of 'noblesse' and 'chose publique' in Burgundian Political Thought,* Groninga, Jean Miélot, 1981.

VEGA, Garcilaso de la y HERRERA, Fernando de, *Comentarios a Garcilaso,* Sevilla, Alonso de la Barrera, 1580.

VÉLEZ SÁINZ, Julio, *«De amor, de honor e de donas». Mujer e ideales corteses en la Castilla de Juan II (1406-1454)*, Madrid, Universidad Complutense, 2013.

VERGER, Jacques, *Les Universités au Moyen «Âge»*, París, Presses universitaires de France, 1973.

— *Les Gens de savoir dans l'Europe de la fin du Moyen «Âge»*, París, Presses universitaires de France, 1997.

VIALETTE, Aurélie, *Intellectual Philanthropy: The Seduction of the Masses*, West Lafayette, Purdue University Press, 2018.

VILLENA, Enrique de, *La primera versión castellana de «La Eneida» de Virgilio: los libros I-III traducidos y comentados por Enrique de Villena (1384-1434)*, ed. Ramón Santiago Lacuesta, Madrid, Real Academia Española, 1976.

— *Obras completas de Enrique de Villena, II. Traducción y glosas de la «Eneida», libros I-III*, ed. Pedro M. Cátedra, Madrid, Turner, Biblioteca Castro, 1994.

VIRGILIO, *Omnia opera diligenti castigatione exculta aptissimisque ornata figuris, commentantibus Servio, Donato, Probo, Domitio, Landino, Antonioque Mancinello viris clarissimis, additis insuper in Servium multis quae deerant Graecisque dictionibus et versibus quam plurimis, qui passim corrupte legebantur, in pristinum decorem restitutis*, Venecia, Bartolomeo Zanneto, 1514.

VÍRSEDA BRAVO, Marta, «La biblioteca de los Velasco en el hospital de la Vera Cruz: arte y cultura escrita», tesis doctoral, Madrid, Universidad Complutense de Madrid, 2019.

VISMANN, Cornelia, *Files: Law and Media Technology*, trad. Geoffrey Winthrop-Young, Stanford, Stanford University Press, 2008.

VITORIA, Francisco de, *Political Writings*, ed. Anthony Pagden y Jeremy Lawrance, Cambridge, Nueva York, Cambridge University Press, 1991.

— *Relecciones jurídicas y teológicas*, 2 vols., ed. Antonio Osuna Fernández-Lago, Jesús Cordero Pando *et al.*, Salamanca, San Esteban, 2017.

VONNEGUT, Kurt, *Slaughterhouse-five, or, The Children's Crusade, a Duty-Dance with Death*, Nueva York, Dial Press, 2009 (1.ª ed., Delacorte Press, 1969).

WALSER, Robert, *Microscripts*, trad. Susan Bernofsky (Epílogo de Walter Benjamin), Nueva York, New Directions, Christin Burgin Gallery, 2010.

WARD, John O., *Ciceronian Rhetoric in Treatise, Scholion, and Commentary*, Turnhout, Brepols Publishers, 1995.

WEI, Ian P., *Intellectual Culture in Medieval Paris: Theologians and the University, c. 1100-1320*, Cambridge, Cambridge University Press, 2012.

WEISS, Julian, «Juan de Mena's *Coronación*, satire or *sátira?*», *Journal of Hispanic Philology* 6 (1982), 113-138.

— «Las fermosas e peregrinas ystorias: Sobre la glosa ornamental cuatrocentista», *Revista de literatura medieval*, 2 (1990), 103-112.

— «";Qué demandamos de las mugeres?": Forming the Debate about Women in Late Medieval Spain (with a Baroque response)», Thelma Fenster y Clare Lees (eds.), *Gender in Debate from the Early Middle Ages to the Renaissance,* Basingtoke, Palgrave, 2002, 237-281.

— «Comentarios y glosas vernáculas en la Castilla Medieval tardía, I: Una lista de autores castellanos», Barry Taylor, Geoffrey West y Jane Whetnall (eds.), *Texto, manuscrito e impresión en la Iberia medieval y moderna: Studies In Honour Of David Hook,* Nueva York, Hispanic Society of America, 2013a, 199-243.

— «Vernacular Commentaries and Glosses in Late Medieval Castile, II: A Checklist of Classical Texts in Translation», Andrew M. Beresford, Louise M. Haywood y Julian Weiss (eds.), *Medieval Hispanic Studies in Memory of Alan Deyermond,* Woodbridge, Tamesis Books, 2013b, 237-271.

WEISSBERGER, Barbara, «"Deceitful Sects": The Debate about Women in the Age of Isabel the Catholic», Thelma Fenster y Clare Lees (eds.), *Gender in Debate from the Early Middle Ages to the Renaissance,* Basingtoke, Palgrave, 2002, 207-235.

— *Isabel Rules: Constructing Queenship, Wielding Power,* Mineápolis, University of Minnesota Press, 2003.

WESSELING, Klaus-Gunther, «Walafrid Strabo», Klaus-Gunther Wesseling (ed.), *Biographisch-Bibliographisches Kirchenlexikon,* vol. 13, Herzberg, Bautz, 1998, 169-176.

WINROTH, Anders, *The Making of Gratian's «Decretum»,* Nueva York, Cambridge, Cambridge University Press, 2000.

WOERTHER, Frédérique, «The Arabic Tradition: Averroes' *Middle Commentary* on Aristotle's *Nicomachean Ethics»,* J. L. Fink (ed.), *Phantasia in Aristotle's Ethics: Reception in the Medieval Arabic Greek, Hebrew, and Latin Traditions,* Londres, Bloomsbury, 2019, 37-64.

YARDENI, Ada, *The Book of Hebrew Script: History, Paleography, Script Styles, Calligraphy, and Design,* Jerusalén, Carta, 2010.

YISRAELI, Yosi, «Between Jewish and Christian Scholarship in the Fifteenth Century: The Consolidation a "Converso Doctrine" in the Theological Writings of Pablo de Santa María», tesis doctoral, Tel-Aviv, Tel-Aviv University, 2014.

— «A Christianized Sephardic Critique of Rashi's Peshaṭ in Pablo de Santa Maria's *Additiones ad Postillam Nicolai de Lyra»,* Ryan Szpiech (ed.), *Medieval Exegesis and Religious Difference,* Nueva York, Fordham University Press, 2015, 118-141.

YOUNG, Robert J. C., «Postcolonial Remains», *New Literary History,* 43.1 (2012), 19-42.

ZAKAY, Avihu y WEINSTEIN, David, «Erich Auerbach and his "Figura": An Apology for the Old Testament in an Age of Aryan Philology», *Religions* 3.2 (2012), 320-338.

ZYSOW, Aron, *The Economy of Certainty: An Introduction to the Typology of Islamic Legal Theory,* Atlanta, Lockwood Press, 2013.